II GUERRA MUNDIAL
día a día

II GUERRA MUNDIAL
día a día

Antony Shaw

LIBSA

© 2003, Editorial LIBSA
San Rafael, 4
28108. Alcobendas. Madrid
Tel. (34) 91 657 25 80
Fax (34) 91 657 25 83
e-mail: libsa@libsa.es
www.libsa.es

Traducción: Cristina López Menara

Edición: Equipo editorial Libsa

© Brown Packaging Books Ltd.

Título original: *World War II*

ISBN: 84-662-0262-5
Depósito Legal: M-45547-02

Impreso en España/*Printed in Spain*

PÁGINA 1: La columna vertebral del
Ejército Rojo soviético: el soldado
raso «Iván». Él y millones como él
provocaron la derrota de la Alemania
nazi en 1945.

PÁGINAS 2-3: Durante la batalla de
Santa Cruz, en octubre de 1942, el
USS Hornet es atacado por
bombarderos en picado japoneses.
Más tarde se hundiría.

EN ESTAS PÁGINAS: Tanques
Crusader británicos en el desierto
norteafricano, en agosto de 1942. Mal
armados y mal blindados, no podían
competir con los *Panzer IV* alemanes.

CONTENIDO

INTRODUCCIÓN

La Primera Guerra Mundial, «La guerra para acabar con todas las guerras», crearía muchas de las condiciones que conducirían al estallido de un conflicto aún más destructivo, la Segunda Guerra Mundial. Al terminar la Primera Guerra Mundial, Alemania se encontraba en una grave situación: su población estaba al borde de la inanición y sin esperanzas, y su ejército y su armada, sumidos en la confusión. El Tratado de Versalles de junio de 1919 se sumó a los infortunios de Alemania al privarle de sus posesiones en ultramar, hacer efectiva la ocupación de parte de Renania para asegurarse de que Alemania acataba las disposiciones del tratado, e imponer enormes reparaciones por los desperfectos causados en Francia y en otros países durante la Primera Guerra Mundial.

El hecho de que Alemania estaba prácticamente en la bancarrota significó que era poco probable que fuera capaz de pagar, todavía menos cuando surgió la depresión mundial de 1921. Al año siguiente, Alemania faltó al pago de las reparaciones por segundo año consecutivo. Como represalia, Francia, haciendo gala de una imprudencia asombrosa, ocupó el Ruhr, el centro de la industria alemana. Esto no sólo redujo la ya escasa capacidad alemana de pagar las reparaciones, sino que hizo que aumentara la hostilidad entre los dos países.

El paro de las industrias del Ruhr tuvo un impacto calamitoso en la moneda alemana, cuyo valor cayó a plomo. De la noche a la mañana, la economía se hundió, dejando a millones de personas sin dinero y en la indigencia, con sus carreras, esperanzas y ahorros totalmente destruidos.

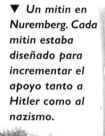

▼ **Un mitin en Nuremberg. Cada mitin estaba diseñado para incrementar el apoyo tanto a Hitler como al nazismo.**

► *El dictador alemán Adolf Hitler, que estaba obsesionado con la creación de un «espacio vital» alemán en la Europa del Este.*

ADOLF HITLER

En una atmósfera así, la gente buscaba respuestas desesperadamente. Las encontraron en la oratoria mordaz de un ex soldado llamado Adolf Hitler, quien pertenecía al *Nationalsozialistische Deutsche Arbeiterpartei* (el Partido Nacionalsocialista de los Trabajadores, o, para acortar, el Partido Nazi). El fracaso del gobierno alemán de Weimar en hacer frente a las deudas de guerra y a la inflación

▲ *Los Juegos Olímpicos de Berlín de 1936 dieron a Hitler la oportunidad de presentar el nazismo en un escenario mundial.*

hizo que pareciera sensata la afirmación de Hitler de que se necesitaba una alternativa.

A pesar de su fracaso en el absurdo *Putsch* de Munich, en 1923, el número de miembros del Partido Nazi continuó creciendo en los años veinte. La depresión económica mundial de 1929 benefició a los nazis, pues Hitler pudo culpar de la crisis financiera a los judíos antipatrióticos y a las conspiraciones comunistas, puntos de vista que encontraron oídos receptivos. En 1932, Hitler obtuvo el 36,9% de los votos, y tras congraciarse con el héroe de la Primera Guerra Mundial, el presidente Paul von Hindenburg, éste invitó al líder nazi a convertirse en canciller en 1933.

Una vez en el poder, Hitler consiguió establecer una dictadura. Creó puestos de trabajo expulsando a los judíos, insistiendo en que las mujeres debían quedarse en casa y tener descendencia, y enviando a hombres jóvenes a campos de trabajo (no deben confundirse con campos de concentración). Pero había que pagar un alto precio: la supresión de los sindicatos y la persecución de judíos y comunistas. Hitler también denunció el Tratado de Versalles, comenzó el rearme y ocupó Renania de nuevo.

EXPANDIENDO EL *REICH*

Habiendo consolidado su posición dentro de Alemania, Hitler buscó ahora el *Lebensraum* («espacio vital») más allá de sus fronteras. Sus ambiciones fueron ayudadas por los tratados de paz que siguieron a la Primera Guerra Mundial. Por ejemplo, deseaba recuperar los Sudetes, en Checoslovaquia, para Alemania, y al mismo tiempo ambicionaba la industria de armamentos checoslovaca.

Cuando Austria y Checoslovaquia quedaron absorbidas en el Tercer Reich, las democracias occidentales vacilaron. De hecho, tanto en Gran Bretaña como en Francia se creía que los términos impues-

▼ *Benito Mussolini (izquierda), el dictador italiano que llegó al poder tras la «Marcha sobre Roma» de 1922.*

MOMENTOS CLAVE

EL APACIGUAMIENTO

El apaciguamiento ha sido, desde el final de la Segunda Guerra Mundial, despreciado y equiparado a la cobardía. En los años treinta, sin embargo, la pacificación, según la veían el primer ministro británico Neville Chamberlain y líderes franceses como Edouard Daladier, contenía una serie de medidas razonables para prevenir que Hitler se tomase la justicia por su mano. Era también la manifestación de un verdadero deseo de impedir otra guerra europea y sus muchos horrores asociados.

La política de apaciguamiento daba la sensación, a principios de los años treinta, en Gran Bretaña y Francia, de que los términos del Tratado de Versalles habían sido crueles con Alemania. Observadas bajo esta luz, las exigencias de Adolf Hitler acerca del rearme de Alemania y la restauración de los territorios «alemanes» parecían razonables. Así que accediendo a estas exigencias esencialmente «justas», Chamberlain creía que ponía los cimientos para una paz duradera.

Desafortunadamente, el éxito del apaciguamiento dependía de la buena voluntad de ambas partes. De este modo, tras las conversaciones de Munich de septiembre de 1938, Chamberlain y Daladier dieron su consentimiento a las exigencias de Hitler para la incorporación al Tercer Reich de los Sudetes, una región checoslovaca de habla alemana. Chamberlain proclamó el acuerdo como una «paz con honor». Por su parte, Hitler había esperado un enfrentamiento a causa de este asunto, y la renuncia de Gran Bretaña y Francia a oponerse a él alentó esta política al borde del abismo. Ocupó el resto de Checoslovaquia en marzo de 1939, marcando el fin del apaciguamiento. Esto garantizó que tanto Gran Bretaña como Francia lucharan para defender Polonia.

tos a Alemania por el Tratado de Versalles habían sido demasiado severos, y que al satisfacer a Hitler consintiendo en sus «justas» exigencias se podría sentar la base de una paz duradera en Europa.

Pero estaban en un error. La fe en que el acuerdo de Munich de 1938, por el que se cedían los Sudetes a Alemania, conduciría a «la paz en nuestro tiempo», también era errónea. Esto quedó confirmado en marzo de 1939 cuando Alemania ocupó el resto de Checoslovaquia.

LA ITALIA DE MUSSOLINI

La Segunda Guerra Mundial, en la práctica, había comenzado; más aún, ya que Hitler tenía aliados igualmente beligerantes en Europa y en el Lejano Oriente. En Italia, por ejemplo, Benito Mussolini se imaginaba a sí mismo como un césar del siglo XX. Su régimen fascista había logrado algunos resultados notables en el país, tales como el drenaje y cultivo de los pantanos, la construcción de fábricas y carreteras, el equilibrio presupuestario y, probablemente su mayor logro, hacer que los trenes llegaran a su hora. Su régimen fortaleció al ejército, la armada y las fuerzas aéreas, y glorificó la guerra, mientras el propio Mussolini hablaba del Mediterráneo como el *Mare Nostrum*.

Mussolini se dio cuenta de que sus fuerzas armadas necesitaban de equipamiento moderno, así que escogió cuidadosamente a sus enemigos. Su ataque contra Etiopía (entonces Abisinia) fue visto con disgusto por las naciones europeas, ya que los aviones de guerra italianos dejaron caer bombas y gas venenoso sobre tribus armadas con lanzas. Sin embargo, la guerra confirmó la

▼ **Danzig, sobre el Báltico, en la desembocadura del río Vístula, fue designada «ciudad libre» por la Liga de Naciones. Hitler exigía su devolución a Alemania, junto con el llamado «Pasillo Polaco».**

impotencia de la Liga de Naciones, que no consiguió que ninguno de sus miembros emprendiera una acción eficaz.

LA ALIANZA DEL EJE

En el Lejano Oriente, Japón tensaba sus músculos. Habiendo derrotado a Rusia entre 1904-1905, pasó a anexionarse Corea e invadió toda Manchuria, que recibió el nuevo nombre de Manchukuo. Cuando la Liga de Naciones protestó, Japón simplemente re-

◄ *Tanques ligeros italianos, fotografiados durante la Guerra Civil Española. Tanto las unidades italianas como las alemanas participaron en el conflicto, logrando una valiosa experiencia para la batalla.*

Polonia se convirtió entonces en el foco de atención de Hitler. Restaurada tras la Primera Guerra Mundial, se le había dotado de acceso al mar a través de un pasillo terrestre que alcanzaba el Báltico en Danzig. Antiguamente había sido territorio alemán, y Hitler estaba decidido a que lo fuera de nuevo. Danzig era, en teoría, una «ciudad libre» administrada por las Naciones Unidas, pero en realidad los nazis se habían hecho con el control de la ciudad en 1934, y hacían prácticamente lo que querían. Hitler pretendía que la ciudad y la franja de tierra que separaba Alemania de Prusia Oriental se devolvieran al Reich.

Pocos en Occidente conocían o se preocupaban del «Pasillo polaco» –algunos creían que se trataba de un túnel subterráneo–, pero en marzo de 1939 Gran Bretaña y Francia dieron el paso fatídico de comprometerse en la defensa de Polonia, aunque no estuvieran en la posición militar para hacerlo. Cuando los ejércitos alemanes entraron en Polonia el 1 de septiembre de 1939, no tuvieron otra alternativa que declarar la guerra, dos días después. La Segunda Guerra Mundial había comenzado, poco más de dos décadas después del final del primer gran conflicto.

nunció a seguir siendo país miembro. En 1936 firmó el Pacto *Anti-Comintern* anticomunista, con Alemania e Italia. Japón era ahora parte del Eje Roma-Berlín-Tokio, el cual quedó reforzado en apariencia cuando Hitler y Josiv Stalin, el líder soviético, firmaron un pacto de no agresión el 23 de agosto de 1939, dentro del cual una cláusula secreta repartía una Polonia conquistada entre los dos dictadores (Stalin no quería tropas alemanas en la frontera de la propia Unión Soviética).

▼ *Los frutos del programa para el rearme alemán de los nazis: Hitler inspecciona un nuevo buque de guerra en Kiel.*

1939

Tras meses de disputas diplomáticas y acuerdos de pacificación, la guerra estalló cuando Alemania invadió Polonia. La ofensiva alemana de la *Blitzkrieg,* que llevó a Europa al conflicto, anunció un nuevo y dramático estilo de guerra moderna. Aunque no hubo ningún avance aliado sobre Alemania en Europa occidental, la lucha se recrudeció en el Frente Oriental, entre la Unión Soviética y su vecina Finlandia.

I DE SEPTIEMBRE

FRENTE ORIENTAL, *POLONIA*

Una fuerza alemana de 53 divisiones, apoyada por 1.600 aviones, cruza las fronteras alemana y eslovaca con Polonia en un movimiento de pinza. El Plan Blanco, dirigido por el general Walter von Brauchitsch, tiene como objetivo paralizar totalmente a las 24 divisiones de Polonia rodeándolas rápidamente, y cortando además sus vías de suministro y comunicación. Mientras Polonia moviliza la totalidad de sus fuerzas, su ejército regular, careciendo de apoyo aéreo y blindado, se sitúa en las fronteras del país. Es rápidamente rebasado, y los refuerzos llegan a menudo demasiado tarde para detener los ataques alemanes.

2 DE SEPTIEMBRE

POLÍTICA, *ALIADOS*

Gran Bretaña y Francia envían sendos ultimátums a Alemania, exigiendo su inmediata retirada de Polonia.

3 DE SEPTIEMBRE

POLÍTICA, *ALIADOS*

Gran Bretaña y Francia declaran la guerra a la Alemania nazi, después de que expiren sus ultimátums con respecto a la invasión de Polonia. Australia y Nueva Zelanda también declaran la guerra. El primer ministro británico Neville Chamberlain forma un gabinete de guerra, el cual incluye a eminentes políticos que estaban en contra de la po-

▲ La invasión alemana de Polonia comenzó en septiembre, con ataques aéreos y terrestres que paralizaron rápidamente a las fuerzas polacas.

◀ Tropas alemanas echan abajo las barreras fronterizas en su avance sobre Polonia.

▲ *Ciudadanos franceses vitorean a sus soldados, tras emitirse las órdenes de movilización en 1939.*

lítica de apaciguamiento, como el ministro de Marina Winston Churchill y el ministro para las Colonias Anthony Eden.

LA GUERRA MARÍTIMA, *ATLÁNTICO*

El trasatlántico *Athenia* es hundido por el *U-30*, tras ser confundido con un crucero auxiliar británico, llevándose 112 vidas.

4 DE SEPTIEMBRE

LA GUERRA AÉREA, *ALEMANIA*

El Mando de Bombardeo de la *Royal Air Force* británica (RAF) lanza su primer ataque contra barcos de guerra alemanes en la bahía de Heligoland, en el noroeste de Alemania, pero el gobierno no autorizará ataques sobre objetivos dentro de Alemania.

5 DE SEPTIEMBRE

POLÍTICA, *SUDÁFRICA*

El primer ministro Jan Christiaan Smuts declara la guerra a la Alemania nazi, después de haberse formado un nuevo gabinete tras los desacuerdos políticos en cuanto a unirse al conflicto.

POLÍTICA, *ESTADOS UNIDOS*

Las autoridades proclaman oficialmente su neutralidad.

▶ *Tropas alemanas cruzan apresuradamente un río, durante la invasión de Polonia.*

6 DE SEPTIEMBRE

FRENTE ORIENTAL, *POLONIA*

El gobierno polaco y el alto mando abandonan Varsovia y ordenan a sus fuerzas que se retiren a la línea de los ríos Narew, Vístula y San. Las tropas nazis efectúan un rápido avance que se extiende más allá de Lódz. También sitian Cracovia, en el sur.

7 DE SEPTIEMBRE

FRENTE OCCIDENTAL, *ALEMANIA*

Francia acomete pequeñas escaramuzas en

su frontera con Alemania, cerca de Saarbrücken.

LA GUERRA MARÍTIMA, *ATLÁNTICO*

Los primeros convoyes británicos surcan el Atlántico. El sistema funciona ya en la costa oriental británica, para proteger a los barcos mercantes de los ataques de los *U-Boote*.

8 DE SEPTIEMBRE

FRENTE ORIENTAL, *POLONIA*

El 10º Ejército alemán, del general Walter von Reichenau, llega a las afueras de

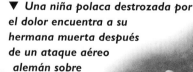

▲ *Lanceros polacos se dirigen al frente.*

Varsovia, la capital. El 14º Ejército del general Wilhelm von List alcanza el río San, alrededor de Przemysl, mientras que el cuerpo blindado del general Heinz Guderian llega al río Bug, al este de Varsovia.

9 DE SEPTIEMBRE

FRENTE ORIENTAL, *POLONIA*

Diez divisiones polacas a las órdenes del general Tadeuz Kutrzeba lanzan un contraataque cerca de Kutno. El ataque sobre el río Bzura, contra el 8º Ejército alemán, constituye la ofensiva polaca más efectiva de la campaña, pero sólo consigue éxitos a corto plazo.

▼ *Una niña polaca destrozada por el dolor encuentra a su hermana muerta después de un ataque aéreo alemán sobre Varsovia.*

10 DE SEPTIEMBRE

POLÍTICA, *CANADÁ*

El gobierno declara la guerra a Alemania.

FRENTE OCCIDENTAL, *FRANCIA*

Comienza a desembarcar en Francia el primer contingente de la Fuerza Expedicionaria Británica, que manda el general Lord Gort. Unos 160.000 hombres y 24.000 vehículos llegarán a lo largo del mes de septiembre.

13 DE SEPTIEMBRE

POLÍTICA, *FRANCIA*

El primer ministro Edouard Daladier forma un gabinete de guerra y ocupa él mismo la cartera de Asuntos Exteriores.

16-27 DE SEPTIEMBRE

FRENTE ORIENTAL, *POLONIA*

Los defensores de Varsovia son rodeados, pero se niegan a rendirse hasta el día 27. Elementos del 14º Ejército alemán al oeste de Lvov siguen empeñados en la batalla, mientras que otras unidades avanzan para unirse a las del general Heinz Guderian, que se encuentran en acción a lo largo del río Bug.

17 DE SEPTIEMBRE

LA GUERRA MARÍTIMA, *ATLÁNTICO*

El portaaviones británico *Courageous* es hundido por el *U-29*, durante una patrulla anti-submarina frente a la costa suroccidental de Irlanda. El *Ark Royal* se las arregló para escapar a un ataque similar sólo tres días antes. Las autoridades navales actúan rápidamente y retiran a los portaaviones de tales actividades, con el fin de conservar estos valiosos barcos para otras funciones marítimas.

◀ *Fuerzas polacas, rindiéndose a un oficial alemán. Pese al espíritu combativo de Polonia, sus ejércitos fueron decisivamente derrotados por los ataques de la Blitzkrieg alemana.*

LA *BLITZKRIEG*

La *Blitzkrieg* («guerra relámpago») tenía por objetivo infligir una derrota total sobre el enemigo por medio de una única y poderosa ofensiva. Esto se conseguiría gracias a la velocidad, la potencia de fuego y la movilidad. El libro del general Heinz Guderian *Achtung! Panzer!* (1933) articuló la estrategia, que pretendía suprimir la costosa y nada decisiva guerra de trincheras de 1914-18.

Alemania explotó los progresos en tanques, artillería móvil y aviación en su primera *Blitzkrieg*, el ataque sobre Polonia. La *Blitzkrieg* siempre evitaba cualquier núcleo de resistencia fuerte, con el fin de mantener el ritmo del ataque, que se concentraba en la retaguardia del enemigo, para cortar sus líneas de suministros y comunicaciones. Una vez se conseguía esto, fuerzas con una movilidad menor podían aniquilar los focos de resistencia aislados.

ción separada por el río Bug. Alemania ha perdido 10.572 soldados, y la Unión Soviética tiene 734 hombres muertos en la campaña. Alrededor de 50.000 polacos mueren y 750.000 son capturados.

21 DE SEPTIEMBRE

POLÍTICA, *RUMANÍA*
Un grupo fascista local, la «Guardia de Hierro», asesina al primer ministro rumano Armand Calinescu.

27 DE SEPTIEMBRE

POLÍTICA, *ALEMANIA*
Los altos oficiales de Adolf Hitler son informados de sus planes de emprender una ofensiva en occidente tan pronto como sea posible. Este anuncio es visto con hostilidad por los militares, que toman a mal que Hitler asuma el control directo de la planificación estratégica, y que además no se consideran preparados para esta empresa. Su plan para invadir los Países Bajos, formulado bajo el nombre de Plan Amarillo el 19 de octubre, se aborta constantemente debido al mal tiempo. El plan es también modificado y sus objetivos, ampliados, antes de la ofensiva definitiva en 1940.

La *Blitzkrieg* no sólo requería nueva tecnología; también necesitaba oficiales con la visión táctica y la flexibilidad necesarias para explotar las oportunidades y sobreponerse a los obstáculos, de forma que se mantuviera el ímpetu de la ofensiva.

Los aliados, que no fueron capaces de apreciar las lecciones de la *Blitzkrieg* en Polonia, fueron sorprendidos del mismo modo por los ataques de 1940 sobre Francia y los Países Bajos. La formidable estrategia alemana infligió, por lo tanto, otra gran derrota.

17-30 DE SEPTIEMBRE

FRENTE ORIENTAL, *POLONIA*
De acuerdo con una cláusula secreta de su pacto de 1939 con Alemania, el Ejército Rojo invade Polonia. Se encuentra poca resistencia en la frontera oriental, ya que el ejército polaco está luchando desesperadamente en el oeste.

18-30 DE SEPTIEMBRE

POLÍTICA, *POLONIA*
El gobierno y el alto mando polacos huyen a Rumanía, sólo para ser internados. Se forma un gobierno en el exilio y muchos combatientes escapan para unirse a los aliados. Polonia es dividida en dos zonas de ocupa-

▼ *El portaaviones británico Courageous fue hundido en septiembre de 1940 por un U-Boot, durante una patrulla antisubmarinos. Los portaaviones británicos fueron rápidamente retirados de tales tareas.*

Un Heinkel He 111 alemán ataca Varsovia, durante la invasión de Polonia. Los aviones eran un componente vital de la Blitzkrieg, y actuaban como artillería móvil para las fuerzas terrestres que avanzaban durante una ofensiva.

PERSONALIDADES CLAVE

ADOLF HITLER

Adolf Hitler (1889-1945), el fundador y líder de la Alemania nazi, nació en Austria. Sus experiencias como artista fracasado en Viena y como soldado condecorado en la Primera Guerra Mundial ayudaron a dar forma a sus ambiciones políticas extremistas, que condujeron a la fundación del Partido Nazi.

Aprovechó la turbulencia política y la inquietud social de la Alemania de Weimar para llegar al poder en 1933. La violencia y la intimidación afianzaron su posición como dictador. El nazismo fundía el nacionalismo con el racismo y daba forma a poderosas ambiciones expansionistas. Hitler formuló el sueño de la creación de un imperio mediante la destrucción de los supuestos enemigos raciales e ideológicos de Alemania. Su afán por hacer realidad sus deseos expansionistas sumergió a Europa en el caos diplomático y, finalmente, en la guerra.

La destreza política de Hitler se basaba en su carácter oportunista y en su maestría propagandística. No obstante, como *Führer* («líder»), Hitler también se convirtió en el jefe militar de Alemania. En este campo, el arrojo y la confianza de Hitler quedaron demostrados en los primeros éxitos alemanes en el *Blitzkrieg*.

A partir de 1941, las capacidades de Hitler estaban en declive, y su testarudez y su falta de visión estratégica empeoraron los problemas militares. Se aisló de la realidad y se negó a admitir que la guerra estaba perdida.

Hitler sobrevivió a un intento de asesinato en 1944, pero finalmente se quitó la vida en 1945. El imperio de Hitler había sido aplastado por fin, pero la destrucción que trajo consigo dejó al mundo devastado por la guerra más sangrienta de la historia.

▶ *Fuerzas soviéticas en Finlandia desmantelan los obstáculos antitanque a lo largo de la Línea Mannerheim, en el istmo de Carelia.*

29 DE SEPTIEMBRE

POLÍTICA, *UNIÓN SOVIÉTICA*

Tras la ocupación de Polonia, la Unión Soviética se concentra en extender su control sobre la región del mar Báltico, para protegerse contra cualquier amenaza alemana. Durante las semanas siguientes, consigue bases y firma acuerdos de «asistencia mutua» con Lituania, Letonia y Estonia. Finlandia, sin embargo, no accederá a las exigencias territoriales de la Unión Soviética y movilizará sus fuerzas armadas en octubre, al fracasar el diálogo político en la resolución de la crisis.

14 DE OCTUBRE

LA GUERRA MARÍTIMA, *MAR DEL NORTE*

El acorazado británico *Royal Oak* es hundido, con la pérdida de 786 vidas, después de que el *U-47* atraviese las defensas antisubmarinas en Scapa Flow, en las Orcadas, donde se encuentra anclada la Flota Metropolitana *(Home Fleet)*. Se mejoran las defensas de la base después de este espectacular ataque.

4 DE NOVIEMBRE

POLÍTICA, *ESTADOS UNIDOS*

Enmiendas al Acta de Neutralidad permiten a los estados beligerantes comprar armas a empresas norteamericanas, mediante el sistema *cash and carry* (pagar y llevar), según el cual pagan las armas al contado y las transportan después en barcos bajo su propio pabellón. Dado el dominio británico sobre las rutas del Atlántico, la ley beneficia claramente a las potencias aliadas.

26 DE NOVIEMBRE

POLÍTICA, *FINLANDIA*

Las críticas a Finlandia en la prensa soviética, junto con un falso incidente en la frontera, agrian aún más las relaciones soviético-finlandesas. Josiv Stalin, el líder soviético, denuncia el pacto de no agresión con Finlandia e interrumpe las relaciones diplomáticas. Finlandia, carente de aliados y armamento, no se adelanta con un ataque preventivo, y confía aún en que las conversaciones evitarán el conflicto.

30 DE NOVIEMBRE

FRENTE ORIENTAL, *FINLANDIA*

Unos 600.000 soldados soviéticos, respaldados por fuerzas aéreas y navales, atacan Finlandia, en apoyo del recientemente proclamado Gobierno del Pueblo Finlandés de

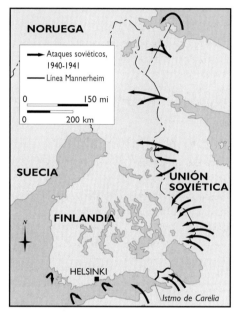

▲ *La invasión soviética de Finlandia comprendió ataques terrestres, aéreos y anfibios.*

Otto Kuusinen, un títere de la Unión Soviética. Mientras los aviones bombardean la capital, Helsinki, el mariscal de campo Karl von Mannerheim organiza la defensa de la nación con una fuerza formada en su mayoría por reservistas, inferior tanto en número como en armas. El principal empuje soviético, a través del istmo de Carelia, es obstaculizado por la Línea Mannerheim, un sistema de fortificaciones de 1914-1918 enclavado en un terreno áspero y boscoso.

Otras fuerzas soviéticas atacan el este y el norte de Finlandia, y lanzan también fallidos ataques anfibios sobre la costa sur. Al progresar la campaña, las tropas finesas, muy motivadas, explotan su familiaridad con el terreno y utilizan su habilidad para esquiar a través de zonas cubiertas de nieve, realizando incursiones relámpago sobre unidades del Ejército Rojo atascadas en el lodo.

◀ *El mariscal Karl von Mannerheim encabezó la decidida defensa finlandesa contra el ataque soviético sobre su país.*

2 DE DICIEMBRE

POLÍTICA, *FINLANDIA*

La Liga de Naciones es requerida por Finlandia para intervenir en su conflicto con la Unión Soviética. La Liga accede finalmente, pero la Unión Soviética se opone a su intervención y es expulsada de la organización el 14 de diciembre.

7 DE DICIEMBRE

FRENTE ORIENTAL, *FINLANDIA*

La 163ª División soviética se aproxima a la aldea de Suomussali, en el este de Finlandia. Detenidas por las heladas, sus tropas son blanco de la 9ª División finlandesa, que corta sus líneas de suministros. La 44ª División soviética, enviada en su ayuda, es bloqueada por los ataques finlandeses, y ambas unidades del Ejército Rojo intentan retirarse. Al finalizar el año, estas divisiones han sido obligadas a capitular, después de perder 27.500 hombres en combate o por las bajas temperaturas. Los finlandeses logran éxitos similares en otros combates durante la llamada «Guerra de Invierno».

16 DE DICIEMBRE

FRENTE ORIENTAL, *FINLANDIA*

Después de alcanzar la Línea Mannerheim, el 7º Ejército soviético inicia una gran ofensiva. Para compensar su carencia de blindados y artillería, las tropas finlandesas de esquiadores utilizan innovadoras técnicas de sabotaje y dispositivos explosivos improvisados («Cócteles Molotov», llamados así por el ministro de asuntos exteriores soviético), para destrozar los tanques enemigos. La lucha continuará hasta el 11 de febrero de 1940.

13 DE DICIEMBRE

LA GUERRA MARÍTIMA, *ATLÁNTICO*

El crucero pesado británico *Exeter*, junto con los cruceros ligeros *Ajax* y *Achilles*, atrapan al acorazado de bolsillo alemán *Graf Spee* en la desembocadura del Río de la Plata, frente a Uruguay. Los buques británicos sufrieron graves daños al maniobrar para evitar que el *Graf Spee* concentrara su fuego sobre un solo barco.

El *Graf Spee*, también dañado, se retira a Uruguay, neutral, para ser reparado. Al *Ajax* y el *Achilles* se les une más tarde el crucero pesado *Cumberland*, para aguardar la salida del *Graf Spee* del puerto de Montevideo. El *Graf Spee*, no obstante, es barrenado por su tripulación el día 17.

23 DE DICIEMBRE

POLÍTICA, *CANADÁ*

Las primeras tropas canadienses, unos 7.500 hombres, llegan a Gran Bretaña.

▼ *El acorazado de bolsillo alemán* Graf Spee *es barrenado, después de ser bloqueado por la* Royal Navy *en el neutral Uruguay.*

1940

El ejército alemán conquistó buena parte de la Europa Occidental en 1940, en una serie de victorias espectaculares de la *Blitzkrieg*. Los tanques y aviones alemanes atacaron y derrotaron a una sucesión de ejércitos aliados en Escandinavia, Francia y los Países Bajos. La derrota alemana en su campaña aérea sobre Gran Bretaña, sin embargo, salvó a ésta de una invasión. La supervivencia de Gran Bretaña dependía ahora de la ayuda norteamericana. Mientras tanto, la guerra se extendía, con ofensivas italianas en África y los Balcanes.

7 DE ENERO – 17 DE FEBRERO

FRENTE ORIENTAL, *FINLANDIA*
El general Semyon Timoshenko asume el mando de las fuerzas soviéticas invasoras en el istmo de Carelia e inicia un programa de entrenamiento para mejorar la cooperación entre las fuerzas. Después de reorganizarse y reequiparse, sus fuerzas inician un decidido ataque sobre la Línea Mannerheim, el día 12. Los fineses completan su retirada a la segunda línea de defensa el 17 de febrero. Ya se han iniciado conversaciones secretas de paz, a finales de enero.

10 DE ENERO

FRENTE OCCIDENTAL, *BÉLGICA*
Dos oficiales de inteligencia alemanes se

▶ *Oficiales finlandeses discuten sobre la batalla contra los invasores soviéticos.*

extravían, aterrizando en Mechelen (Bélgica). Los documentos que los aliados les requisan detallan el plan de invasión alemán para el día 17 del mismo mes. Por esta razón, además del mal tiempo, Adolf Hitler pospone la invasión hasta la primavera.

14 DE ENERO

POLÍTICA, *JAPÓN*
El almirante Mitsumasa Yonai forma un nuevo gobierno en Japón tras la dimisión del gabinete del primer ministro Nobuyuki Abe. Sin embargo, la jerarquía militar, probelicista, se opone al gobierno de Yonai.

5 DE FEBRERO

POLÍTICA, *ALIADOS*
El Consejo Supremo de Guerra aliado decide intervenir en Noruega y en Finlandia. Esta política vaga e indecisa confía en la cooperación de las neutrales Noruega y Suecia. El motivo principal es la intención de los aliados de interrumpir el suministro de mineral de hierro sueco a Alemania, que se efectúa a través del puerto de Narvik, en Noruega, que está libre de hielo todo el año.

16 DE FEBRERO

LA GUERRA MARÍTIMA, *MAR DEL NORTE*
El destructor británico *Cossack* viola la neutralidad noruega para rescatar a 299 marinos británicos prisioneros a bordo del buque nodriza alemán *Altmark*. Alemania acelera sus preparativos de invasión, creyendo que Gran Bretaña planea más acciones militares en Noruega.

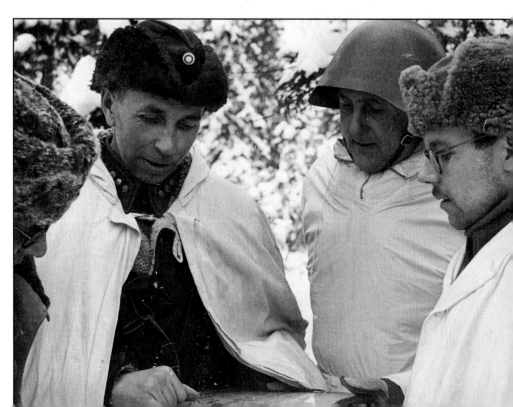

◀ **El destructor británico Cossack, que penetró en aguas noruegas para rescatar a 299 marineros británicos retenidos en un navío alemán.**

▼ **El destructor británico Glowworm se hunde después de chocar con el crucero pesado alemán Admiral Hipper.**

24 DE FEBRERO

POLÍTICA, *ALEMANIA*

Se revisan los planes para la invasión de Europa Occidental. El punto de ruptura de la ofensiva se sitúa ahora en la región de las Ardenas, según una sugerencia del general Erich von Manstein. El grueso de las unidades blindadas del ejército alemán es asignado a este plan genial.

II DE MARZO

FRENTE ORIENTAL, *FINLANDIA*

Se firma el Tratado de Moscú, entre Finlandia y la Unión Soviética, tras la costosa ofensiva del Ejército Rojo. Aunque la ayuda aliada a la nación es insignificante, el ejército finlandés no ha capitulado. Finlandia mantiene su independencia pero tiene que entregar el istmo de Carelia y Hangö, el 10% de su territorio. Las pérdidas de la campaña ascienden a 200.000 soldados soviéticos y 25.000 fineses.

20 DE MARZO

POLÍTICA, *FRANCIA*

El primer ministro Edouard Daladier dimite tras las críticas por su falta de apoyo a Finlandia, que hubiera mantenido a la guerra lejos de Francia. Paul Reynaud sucede a Daladier, el 21 de marzo.

28 DE MARZO

POLÍTICA, *ALIADOS*

Gran Bretaña y Francia acuerdan no hacer la paz por separado. Desde el 5 de abril, planean minar las aguas noruegas para forzar a los alemanes a transportar el mineral de hierro sueco por mar abierto y exponerse a ataques navales. El minado se pospone hasta el 8 de abril, demasiado tarde para evitar la invasión nazi, prevista para el día 9.

8 DE ABRIL

LA GUERRA MARÍTIMA, *MAR DEL NORTE*

El destructor británico *Glowworm* intercepta a par-

◀ **Edouard Daladier, el primer ministro de Francia hasta marzo de 1940.**

te de la flota alemana invasora, con destino a Noruega. Es hundido después de embestir al crucero pesado *Admiral Hipper*, pero un submarino británico hunde entonces al barco de transporte *Río de Janeiro*. Sin embargo, los barcos de la *Royal Navy* desplegados en el mar del Norte no han recibido suficiente información acerca de la fuerza invasora alemana, y son incapaces de detenerla.

9 DE ABRIL

FRENTE OCCIDENTAL, *NORUEGA/DINAMARCA*

Una fuerza de invasión alemana, que incluye barcos de superficie, *U-Boote* y 1.000 aviones, ataca Dinamarca y Noruega. Dinamarca queda invadida inmediatamente. El primer ataque aerotransportado se lleva a cabo en los aeropuertos de Oslo y Stavanger, en Noruega, mientras los navíos desembarcan tropas en seis lugares. Las seis divisiones noruegas no poseen tanques ni artillería eficaz, mientras sus defensas costeras y su armada son en general inferiores. Sin embargo, en el fiordo de Oslo, las baterías costeras hunden al crucero alemán *Blücher*, con 1.600 hombres a bordo. Esto permite al rey Haakon escapar hacia el nor-

▶ *La Blitzkrieg alemana sobre Noruega y Dinamarca comenzó con la combinación de asaltos aerotransportados y desembarcos anfibios.*

te con su gobierno. El crucero de batalla británico *Rodney* combate con los cruceros de batalla *Scharnhorst* y *Gneisenau*, dañando a este último. El crucero *Karlsruhe* es hundido más tarde frente a las costas de Kristiansand, por un submarino británico.

10-13 DE ABRIL

LA GUERRA MARÍTIMA, *NORUEGA*

Cinco destructores británicos lanzan un ataque sorpresa sobre 10 destructores alemanes y baterías costeras, al oeste de Narvik. Durante los combates, cortos y confusos, cada bando pierde dos destructores, mientras ocho navíos mercantes alemanes y un transporte de municiones son también hundidos. El crucero *Königsberg* se convierte en el primer barco en ser hundido por un bombardeo en picado, durante un ataque aéreo británico sobre Bergen.

Otros ataques aéreos británicos sobre el *Gneisenau*, el *Scharnhorst* y el *Almirante Hipper* fracasan el día 12. Un acorazado británico y nueve destructores consiguen hundir ocho destructores alemanes, además de un *U-Boot* perdido en un ataque aéreo en la segunda batalla de Narvik, el 13 de abril.

13-30 DE ABRIL

FRENTE OCCIDENTAL, *NORUEGA*

Después de afianzar sus objetivos iniciales, los alemanes inician la conquista de Noruega. El comandante general Carl Otto Ruge, nuevo comandante en jefe noruego, lidera una tenaz defensa alrededor del lago Mjösa y el valle de Glomma.

14-19 DE ABRIL

FRENTE OCCIDENTAL, *NORUEGA*

Una fuerza expedicionaria aliada de unos 10.000 soldados británicos, franceses y polacos, forma-

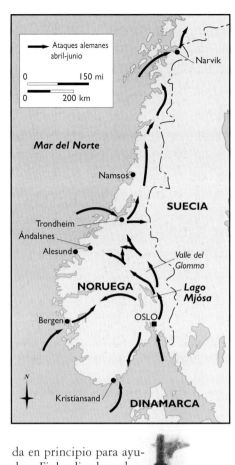

da en principio para ayudar a Finlandia, desembarca en Namsos, Alesund y Narvik. Su objetivo es reconquistar Trondheim para asegurar una base en Noruega, pero sus unidades están mal preparadas para la campaña. Ha habido poca coordina-

▼ *La infantería alemana llega a Oslo, la capital noruega.*

▲ **El crucero alemán Königsberg se hunde tras un ataque aéreo británico.**

ción con los noruegos. Las diversas unidades aliadas carecen de cohesión, de entrenamiento en las tácticas de guerra en el Ártico, de suministros clave, cobertura aérea y armamento antiaéreo.

20-30 DE ABRIL

FRENTE OCCIDENTAL, *NORUEGA*
Tropas alemanas defienden Trondheim y esperan la llegada de fuerzas adicionales. Los aviones alemanes lanzan resueltos ataques contra los aliados. Las tropas francesas y británicas acaban evacuando Namsos y Ändalsnes, el 1 y el 2 de mayo.

24 DE ABRIL

FRENTE OCCIDENTAL, *NORUEGA*
Una ofensiva aliada en Narvik comienza con un bombardeo naval. La coordinación

aliada con las fuerzas noruegas es pobre, pero los alemanes en la zona acabarán por retroceder, a finales de abril.

7-10 DE MAYO

POLÍTICA, *GRAN BRETAÑA*
El primer ministro Neville Chamberlain es duramente criticado acerca de la campaña de Noruega, durante un debate en

▲ *Las tropas de esquiadores noruegas fueron especialmente útiles para interrumpir las líneas de comunicaciones alemanas.*

▼ *Soldados de montaña franceses llegan a Noruega para ayudar a repeler la invasión nazi. Los aliados enviaron una fuerza de tropas británicas, francesas y polacas para ayudar al país.*

◀ Eben Emael, la fortaleza belga clave conquistada por las tropas paracaidistas alemanas.

la Cámara de los Comunes. Chamberlain dimite después de un descenso significativo en el apoyo al gobierno en un voto de confianza, y de la negativa del Partido Laborista de la oposición a formar una coalición bajo sus órdenes. Winston Churchill le sustituye y forma un gobierno de coalición.

8 DE MAYO

POLÍTICA, *UNIÓN SOVIÉTICA*

El general Semyon Timoshenko reemplaza al mariscal Kliment Voroshilov como Alto Comisario de Defensa.

10 DE MAYO

FRENTE OCCIDENTAL, *LUXEMBURGO/HOLANDA/BÉLGICA*

El Grupo A de Ejércitos Alemanes, a las órdenes del general Gerd von Rundstedt, y el Grupo B, comandado por el general Fedor von Bock, inician la invasión tras una serie de ataques aéreos preliminares. Se realizan exitosos asaltos aerotransportados contra la fortaleza clave de Eben Emael, en la frontera belga, y en Holanda, para dislocar la resistencia. El Grupo C de Ejérci-

◀ *El primer ministro británico Neville Chamberlain, partidario de la política de apaciguamiento, que dimitió tras no conseguir salvar Finlandia y Noruega.*

▼ *Tropas alemanas cruzando el río Maas, durante la invasión de Holanda.*

tos del general Ritter von Leeb cubre la Línea Maginot francesa, la línea de fuertes subterráneos y otras posiciones defensivas que recorre su frontera con Alemania.

De acuerdo con los planes aliados, el flanco izquierdo de la línea británica y francesa entra en Bélgica. Esta decisión facilita el avance sorpresa de Rundstedt sobre las Ardenas, que acabará separando a los ejércitos aliados de Bélgica de los de Francia. Los ejércitos aliados que avanzan sobre Bélgica hacia los ríos Dyle y Mosa, por encima de Namur, una posición conocida como la Línea del Plan Dyle, son estorbados por la escasa coordinación con las fuerzas holandesas y belgas.

11-15 DE MAYO

FRENTE OCCIDENTAL, *HOLANDA/BÉLGICA*

Se desmorona la resistencia holandesa al ataque alemán, a pesar de abrir las esclusas y minar el río Rin para obstaculizar al enemigo. Las fuerzas alemanas comienzan a aproximarse a la Línea Dyle aliada, mientras los defensores belgas son expulsados del canal Albert.

La reina Guillermina de los Países Bajos escapa con el gobierno holandés a Gran Bretaña, el 13 de mayo. La ciudad de Rotterdam es bombardeada antes de que se declare un alto el fuego, el día 14, y el ejército holandés capitula al día siguiente.

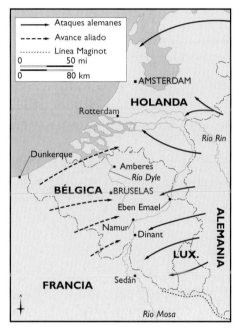

▲ Un obús de 150 cm en acción con el 2°
Ejército francés durante la lucha
desesperada por salvar Francia en 1940.

◄ La ofensiva alemana, que comenzó el
10 de mayo, atrajo a los aliados a los
Países Bajos, mientras un ataque sorpresa
penetraba en Francia a través de las Ardenas.

15-20 DE MAYO

FRENTE OCCIDENTAL, *BÉLGICA*

Los ejércitos alemanes 6° y 18° obligan a
los Aliados a retroceder de la Línea Dyle a
la Línea Escalda, al oeste de Bruselas, y al
río Dendre. Las fuerzas francesas han sido
obligadas a retirarse de Holanda, mientras
los belgas continúan luchando entre Am-

12-14 DE MAYO

FRENTE OCCIDENTAL, *FRANCIA*

Fuerzas alemanas alcanzan el río Mosa, el
cruce del cual es crucial para el avance
sobre Francia. Los aviones de bombardeo machacan las posiciones francesas,
y se usan botes neumáticos para establecer cabezas de puente en Se-
dan y Dinant, el día 13. Pese a
los ataques aéreos aliados, los
tanques alemanes avanzan rápidamente hacia el oeste, abriendo una brecha de 75 km en la
línea aliada. Esto crea una separación entre los ejércitos
franceses 9° y 2°, los cuales
lanzan entonces una débil respuesta.

PERSONALIDADES CLAVE

EL PRIMER MINISTRO SIR WINSTON CHURCHILL

Winston Spencer Churchill (1874-1965), soldado, periodista y estadista, había estado a cargo de despachos ministeriales, pero fue margi-
nado de la vida política en Gran Bretaña
durante los años treinta, por
su postura en contra de la
política de apaciguamiento.
Vuelve al poder como pri-
mer ministro de un gobierno de coalición, en 1940,
cuando los nazis parecían
estar cerca de la victoria.

Churchill invirtió la suerte
de la nación rechazando cualquier signo de derrotismo. El audaz pero a menudo impaciente
primer ministro urgía constantemente a sus comandantes militares
a emprender acciones ofensivas.

Churchill forjó una coalición de naciones aliadas, pero lo fundamental para la supervivencia
de Gran Bretaña fue el sólido apoyo de los Estados Unidos que se aseguró.

Una serie de conferencias internacionales
permitieron a Churchill y a los otros líderes
aliados decidir la dirección estratégica de la
guerra. Pese a su anticomunismo, Churchill creó
una alianza con la Unión Soviética, aunque pre-
dijo con acierto que la Europa de posguerra
quedaría dividida según pautas políticas.

En la política interior, se aseguró la lealtad
y la cooperación de la Cámara de los Comunes durante el período del gobierno de coalición. La maestría de Winston Churchill en
el manejo de la propaganda, su excentricidad
y su poderosa oratoria le ayudaron a infundir
nuevos ánimos al pueblo británico y asegura-
ron su cooperación durante los años de la
guerra. Pese a la popularidad de Churchill
como líder británico de la guerra, perdió las
elecciones de 1945, ya que muchos sentían
que se necesitaba un nuevo primer ministro
para los desafíos de la Gran Bretaña de posguerra. No obstante, Churchill ha quedado
como una de las figuras más importantes del
siglo XX.

beres y Bruselas, retirándose finalmente al canal del Escalda y después al río Lys, al que llegan el día 20.

15 DE MAYO

LA GUERRA AÉREA, *ALEMANIA*

Gran Bretaña lanza su primer ataque aéreo estratégico sobre Alemania, con 99 aviones atacando plantas petrolíferas y estaciones ferroviarias clasificadoras en la región del Ruhr.

16-20 DE MAYO

FRENTE OCCIDENTAL, *FRANCIA*

La Reserva General Francesa y las unidades al sur de las fuerzas alemanas reciben órdenes de formar el 6° Ejército para proteger las vulnerables líneas aliadas, pero esto no logra frenar el avance alemán. La 4ª División Blindada del general de brigada Charles de Gaulle intenta contraatacar alrededor de Laon-Montcornet, entre los días 17 y 19 de mayo, pero fracasa.

Los tanques alemanes llegan a Cambrai el 18 de mayo, y alcanzan por fin el mar en Abbeville dos días después. Ahora es crucial para los aliados cortar el «pasillo» creado por los *Panzers*, o se arriesgarán al aislamiento de sus ejércitos al norte de las fuerzas en el sur. La dimisión del general Maurice Gamelin, el comandante en jefe aliado, y el nombramiento de Maxime Weygand como su sucesor el día 19, retrasa aún más la toma de decisión militar, lo cual reduce la posibilidad de reacción.

21-28 DE MAYO

FRENTE OCCIDENTAL, *FRANCIA*

Tanques británicos se enfrentan a la 7ª División *Panzer* en Arras, hasta el 23 de mayo. El general Heinz Guderian se dirige a Boulogne y Calais, sin resentirse por el «Plan Weygand» aliado, el cual intenta separar a la vanguardia de tanques de las tropas y los suministros, en el «corredor» alemán. Boulogne y Calais capitulan tras la evacuación naval de las fuerzas aliadas.

Deseoso de preservar sus tanques para tomar París, Hitler detiene a las fuerzas blindadas del general Gerd von Rundstedt en Gravelinas, y permite a la fuer-

▲ *Tropas británicas se rinden en Calais, después de intentar defender el puerto contra los ataques de la aviación y la fuerza blindada alemana.*

▼ *El general Maurice Gamelin, comandante de los ejércitos aliados en Francia, fracasó en su intento de detener la* **Blitzkrieg** *alemana.*

za aérea atacar la bolsa aliada concentrada en Dunkerque. Los aviones británicos, sin embargo, resisten a los ataques, permitiendo a los aliados prepararse para una evacuación.

25-28 DE MAYO

FRENTE OCCIDENTAL, *BÉLGICA*

Las fuerzas del rey Leopoldo de Bélgica

26 DE MAYO

FRENTE OCCIDENTAL,
FRANCIA/BÉLGICA

Comienza la Operación Dynamo, la evacuación de las fuerzas aliadas de la zona de
Dunkerque. Un perímetro defensivo establecido en la «línea de canales» del Aa, el
Scarpe y el Yser protege la retirada, mientras una variada flotilla de rescate formada
por barcos de placer, comerciales y unidades navales cruza una y otra vez el canal de
la Mancha.

31 DE MAYO

POLÍTICA, *ESTADOS UNIDOS*

El presidente Franklin D. Roosevelt lanza un «programa de defensa de un billón
de dólares» para aumentar las fuerzas armadas.

1-9 DE JUNIO

FRENTE OCCIDENTAL, *NORUEGA*

Después de que Gran Bretaña y Francia in-
forman a los noruegos de que van a iniciar
una evacuación, las tropas comienzan a retroceder, el 4 de junio. El rey Haakon y su
gobierno parten para Gran Bretaña el día

▼ *Columnas de humo se elevan de la
zona del puerto de Dunkerque, mientras
las tropas regresan a Gran Bretaña.*

quedan rodeadas, al retirarse los aliados a
Dunkerque. La resistencia parece inútil, y
decide rendirse el día 28. Bélgica ha perdido 7.550 hombres. La rendición deja el
flanco izquierdo de la línea aliada todavía
más vulnerable, y sin esperanza de resistir
en Bélgica. El gobierno belga exiliado en
París condena la rendición del rey Leopoldo y asume sus poderes.

MOMENTOS CLAVE

LA BATALLA DE FRANCIA

La sensacional conquista de Francia y los
Países Bajos por parte de Alemania fue la
cumbre de la estrategia de la *Blitzkrieg*, y
afianzó el dominio de Adolf Hitler sobre Europa Occidental. La invasión que comenzó
el 10 de mayo golpeó primero sobre los Países Bajos, que habían confiado en su neutralidad para salvarse, y no estaban en condiciones de resistir a los invasores.

Cuando las fuerzas británicas y francesas se
precipitaron sobre Bélgica en respuesta al ataque de diversión alemán, los nazis lanzaron su
ataque más importante avanzando a través del
bosque de las Ardenas. Los aliados consideraban esta zona como inapropiada para cualquier avance con tanques, lo que permitió a las
unidades alemanas atravesarla haciendo frente a una oposición mínima. Esta puerta a Francia permitió a las columnas blindadas avanzar
rápidamente, penetrar en la retaguardia aliada
e inutilizar las comunicaciones. Cuando los
panzers giraron al oeste hacia el mar, los ejércitos aliados en el norte se encontraron efectivamente aislados de los potenciales refuerzos del sur. Los aliados fueron incapaces de
igualar la eficaz utilización de las fuerzas blindadas y de la aviación por parte de los alemanes, o de desarrollar una estrategia efectiva
que permitiera un contraataque.

Cuando las fuerzas británicas, belgas y
francesas completaron la evacuación de
Dunkerque, Alemania emprendió la fase final
de la ofensiva, para completar la conquista.
La Línea Maginot, en la que se basaba la seguridad de Francia, pero que había sido
completamente evitada por las fuerzas alemanas, fue finalmente rodeada y penetrada.

Mientras los políticos franceses vacilaban, el
alto mando de la nación intentó reagrupar a
sus desfallecidos ejércitos, pero la resistencia se
desmoronó ante los ataques
alemanes, bien orquestados,
que conquistaron
París el 14 de ju-
nio. Oficiales fran-
ceses y alemanes
firmaron un acuerdo de
armisticio el 22 de junio.

*Un soldado francés
se rinde a los
invasores alemanes.*

▲ *Soldados heridos regresan a Gran Bretaña, después de ser rescatados en Dunkerque.*

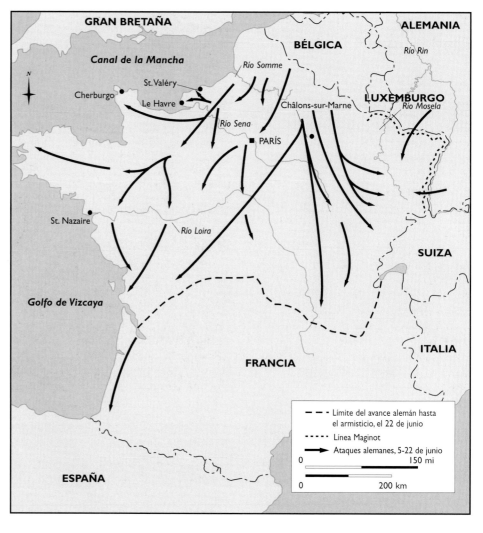

7, y 24.500 soldados son evacuados. El rey ordena finalmente a los noruegos detener la lucha el 9 de junio, después de haber perdido 1.335 hombres en la campaña. Las pérdidas totales aliadas incluyen 5.600 hombres, un portaaviones, dos cruceros y nueve destructores, además de otros barcos más pequeños y 100 aviones. Las pérdidas alemanas suman los 3.692 hombres, 19 buques de guerra y 242 aviones.

3-4 DE JUNIO

FRENTE OCCIDENTAL, *FRANCIA*
Finaliza la Operación Dynamo. La impor-

▲ *La conquista alemana de Francia siguió los principios de la Blitzkrieg. Los avances de las fuerzas blindadas evitaron la Línea Maginot y otras posiciones defensivas. Las fuerzas aliadas resultaron entonces rápidamente aisladas y vencidas por los ataques aéreos y terrestres.*

tante operación ha rescatado a 338.226 hombres, dos tercios de los cuales son británicos, de las playas de Dunkerque, aunque 243 barcos y 106 aviones han sido destruidos. El general Lord Gort, el comandante de la Fuerza Expedicionaria Británica, deja al teniente general Sir Harold Alexander al mando, tras ser evacuado el 31 de mayo. Los alemanes ocupan Dunkerque el 4 de junio y capturan a 40.000 soldados franceses.

5-12 DE JUNIO

FRENTE OCCIDENTAL, *FRANCIA*
Una fuerza alemana de 119 divisiones comienza la Operación Rojo, la conquista de Francia, con el Grupo B de Ejércitos del

◄ *Unidades motorizadas alemanas hacen rápidos progresos durante la batalla de Francia.*

▶ *Las triunfantes tropas alemanas desfilan a través de París, tras conquistar Francia.*

general Fedor von Bock atacando a lo largo del río Somme para alcanzar el Sena al oeste de París, el 9 de junio. El Grupo A de Ejércitos del general Gerd von Rundstedt, que avanza en dirección al río Mosela, frente a la Línea Maginot, lanza una ofensiva al este de París. Los tanques de Rundstedt, reforzados por los del Grupo B de Ejércitos, vencen la resistencia del 4º Ejército francés, atravesando Châlons-sur-Marne el día 12.

La respuesta francesa, la Línea Weygand, que se extiende a lo largo de los ríos Somme y Aisne, tiene como objetivo proteger París y el interior. Algunas de las 65 divisiones de Francia emprenden acciones decididas, pero muchas unidades carecen de efectivos y equipamiento. Los ataques aéreos y los problemas logísticos socavan también las vulnerables fuerzas del general Maxime Weygand.

8 DE JUNIO

LA GUERRA MARÍTIMA, *MAR DEL NORTE*

Los cruceros de batalla alemanes *Scharnhorst* y *Gneisenau* hunden tres barcos vacíos, mientras van a la caza de convoyes procedentes de Noruega. Después hunden el portaaviones británico *Glorious* y dos destructores. Estas pérdidas se atribuyen a la incapacidad británica para

proveer de suficiente escolta naval a los convoyes noruegos.

10 DE JUNIO

FRENTE OCCIDENTAL, *FRANCIA*

Unos 11.000 soldados británicos, junto con otras tropas francesas, comienzan a salir desde St. Valéry y Le Havre para Gran Bretaña.

10-11 DE JUNIO

POLÍTICA, *ITALIA*

Italia declara la guerra a Francia y Gran Bretaña. Benito Mussolini, deseoso de sacar partido del derrumbe de Francia, entra en la guerra a pesar de sus afirmaciones previas de que su nación no tendría la capacidad de luchar junto con Alemania hasta 1942. Canadá declara la guerra a Italia el día 10, al igual que Australia, Nueva Zelanda y Sudáfrica, al día siguiente.

12-14 DE JUNIO

LA GUERRA MARÍTIMA, *MEDITERRÁNEO*

Gran Bretaña lanza un bombardeo naval contra la base

italiana de Tobruk, Libia, el día 12. La Armada Francesa bombardea los puertos de Génova y Vado el día 14. También se efectúan ataques aéreos británicos en Turín y en Génova. Los campos de aviación libios y del África Oriental Italiana son atacados.

13 DE JUNIO

POLÍTICA, *ESTADOS UNIDOS*

El presidente Franklin D. Roosevelt asignará 13.000 millones de dólares a aumentar los efectivos navales. También parten del país envíos de armamento en respuesta a la petición de Winston Churchill a Roosevelt de sus excedentes de armas.

13-25 DE JUNIO

FRENTE OCCIDENTAL, *FRANCIA*

París es declarada «ciudad abierta», con el fin de salvarla de la destrucción, y todas las fuerzas francesas retroceden al sur de la capital, dejando aislada la Línea Maginot. Las tropas alemanas entran en París el 14 de ju-

▼ *Los cruceros de batalla alemanes* **Scharnhorst** *(en primer plano) y* **Gneisenau,** *que atacaron a los buques aliados que evacuaban a las tropas de Noruega, en junio de 1940.*

◄ *Representantes franceses firman los artículos de rendición en el vagón de tren en el que Alemania firmó los documentos de 1918.*

incluyendo el canal y el litoral atlántico. El sur, que se conocerá como la Francia de Vichy, tendrá una administración nominal francesa y conservará sus colonias.

Tras el armisticio de Italia con Francia, el día 24, se declara el alto el fuego en todos los frentes. Las bajas francesas desde el 10 de mayo suman más de 85.000 hombres, los británicos pierden 3.475 soldados, y las pérdidas alemanas alcanzan los 27.074. Mientras el régimen de Pétain colaborará con la Alemania nazi, el general de brigada Charles de Gaulle, oficial del ejército francés, comienza a hacer saber su oposición desde Londres el día 18, y promete liberar el país.

nio, mientras miles de personas huyen de la capital. El Grupo C de Ejércitos Alemanes, desplegado desde la Línea Maginot hasta la frontera suiza, atraviesa las defensas francesas. Las fuerzas alemanas avanzan en todas direcciones, cruzando los ríos Rin y Loira. Todos los puertos entre Cherburgo y St. Nazaire son conquistados rápidamente.

15-25 DE JUNIO

FRENTE OCCIDENTAL, *FRANCIA*

Comienza la evacuación de las tropas aliadas que permanecen aún en el noroeste de Francia. La Operación Ariel amplía esta evacuación a los puertos del golfo de Vizcaya, desde el día 16. Unos 214.000 soldados son rescatados durante la evacuación, aunque 3.000 perecen cuando el trasatlántico *Lancastria* es hundido el día 17.

16-24 DE JUNIO

POLÍTICA, *FRANCIA*

El primer ministro Paul Reynaud no consigue animar a su gobierno para que continúe luchando, y libera a Francia de su acuerdo con Gran Bretaña para no firmar paces separadas. Francia rechaza una idea británica de crear una unión entre los dos países.

Reynaud, después de perder apoyo, dimite, y el mariscal Henri-Philippe Pétain le sustituye. Pétain solicita condiciones alemanas para un armisticio el día 17, y la firma tiene lugar en Compiègne, donde se firmó el armisticio que puso fin a la Primera Guerra Mundial, el día 22. Bajo sus términos, Alemania ocupa dos tercios de Francia,

▶ *Tropas alemanas entran en Ruán, durante la ofensiva para conquistar Francia.*

20 DE JUNIO

POLÍTICA, *ESTADOS UNIDOS*

El presidente demócrata Franklin D. Roosevelt incluye a dos republicanos antiaislacionistas en su gabinete. Henry Stimson se convierte en ministro de guerra y Frank Knox es nombrado ministro de Marina.

▲ *Bombarderos italianos, en camino para atacar sobre objetivos aliados. La pobre actuación de Italia en Francia, África del Norte y Grecia contrastó vivamente con la propaganda sobre la destreza militar de la nación.*

20-21 DE JUNIO

FRENTE OCCIDENTAL, *FRANCIA*

Benito Mussolini lanza ataques a lo largo de la costa sur. También se emprenden ofensivas en la frontera franco-italiana. Así mismo, Italia bombardea la isla de Malta, de gran importancia estratégica.

26 DE JUNIO

POLÍTICA, *RUMANÍA*

El gobierno acepta la ocupación soviética de Besarabia y el norte de Bucovina, aunque las tropas rumanas intentan detener al Ejército Rojo cuando éste entra en el país.

30 DE JUNIO

FRENTE OCCIDENTAL, *ISLAS DEL CANAL*

Alemania invade las Islas del Canal. Éste es el único territorio británico ocupado durante las hostilidades.

I DE JULIO

LA GUERRA MARÍTIMA, *ATLÁNTICO*

Comienza una buena racha para las tripulaciones de los *U-Boote*, ya que el alcance de sus operaciones se incrementa ahora que tienen bases en los puertos franceses. Esto dura hasta octubre. Las tripulaciones de los *U-Boote* infligen serias pérdidas a los convoyes aliados.

▶ *Un oficial alemán conversa con un oficial de policía británico en las Islas del Canal, la única parte de Gran Bretaña ocupada durante la guerra.*

3-7 DE JULIO

LA GUERRA MARÍTIMA, *MEDITERRÁNEO*

Gran Bretaña, temiendo que Alemania se apodere de la armada francesa, envía dos acorazados, un crucero de batalla y un portaaviones (la Fuerza H) para neutralizar a los barcos franceses en Orán y Mers-el-Kebir, Argelia. Después de que las negociaciones fracasen, los británicos hunden un acorazado y dañan a otros dos. En Gran Bretaña, se apoderan con facilidad de dos acorazados, nueve destructores y otras embarcaciones francesas. Las fuerzas navales francesas en Alejandría, Egipto, son desarmadas el día 7.

9-19 DE JULIO

LA GUERRA MARÍTIMA, *MEDITERRÁNEO*

En la batalla de Punta Stilo, la Flota Mediterránea Británica intenta alejar a la Flota Italiana de su base en Tarento, en el sur de Italia. Un acorazado y un crucero italianos sufren daños, y la aviación italiana alcanza a un crucero británico. El día 19, el crucero ligero australiano *Sydney* y cuatro destructores combaten contra dos cruceros ligeros italianos. Los italianos pierden un crucero y el *Sydney* resulta dañado.

10 DE JULIO

LA GUERRA AÉREA, *GRAN BRETAÑA*

Comienza la batalla de Inglaterra. Hermann Goering, el jefe de la fuerza aérea nazi, ordena ataques sobre barcos y puertos en el canal de la Mancha. La circulación de los barcos aliados en el canal queda pronto

▲ *Las lanchas se ponen a punto para la* **Operación León Marino, la planeada invasión alemana de Gran Bretaña que debía comenzar en el otoño de 1940.**

▼ *Pilotos británicos corren hacia sus* **Hurricanes durante la batalla de Inglaterra. Los nazis no consiguieron acabar con la capacidad de los cazas británicos en la guerra aérea sobre el sur de Inglaterra.**

restringida como resultado de las pérdidas navales y aéreas británicas.

16-22 DE JULIO

POLÍTICA, *ALEMANIA*

La Directiva nº 16 de Adolf Hitler da a conocer su plan militar de invadir Gran Bretaña, que recibe el nombre clave de Operación León Marino. Ésta requiere el control del canal de la Mancha para el traslado de

▲ *Buques aliados, sufriendo un ataque aéreo en el canal de la Mancha.*

▶ *Hermann Goering (derecha), el jefe de las fuerzas aéreas alemanas, con Adolf Hitler (izquierda).*

las fuerzas de invasión, y de la destrucción de la capacidad aérea británica para asegurar un cruce sin peligro. La fuerza aérea recibe la responsabilidad de destruir la resistencia de la RAF y la *Royal Navy*. Los planes de Hitler se adelantan más después de que los británicos rechacen su oferta de paz final, el día 22.

18 DE JULIO

POLÍTICA, *GRAN BRETAÑA*

El primer ministro británico, Winston Churchill, acuerda cortar la carretera de Birmania para interceptar los suministros a los chinos, con el fin de evitar un conflicto con Japón. La llegada de la estación del monzón supone que la línea de suministros se desbarate de todas formas. Los británicos volverán a abrir la ruta de ayuda en octubre.

21 DE JULIO

POLÍTICA, *UNIÓN SOVIÉTICA*

Las autoridades se anexionan formalmente Lituania, Letonia y Estonia.

22 DE JULIO

ESPIONAJE, *GRAN BRETAÑA*

Gran Bretaña establece el Ejecutivo de Operaciones Especiales (SOE), para apoyar en secreto a los grupos de resistencia en toda la Europa ocupada por los nazis.

25 DE JULIO

POLÍTICA, *ESTADOS UNIDOS*

Los Estados Unidos restringen la exportación de petróleo y minerales salvo a Gran Bretaña y a otras naciones americanas. La medida se dirige especialmente a Japón, que depende fuertemente de las importaciones de estos recursos. En consecuencia, la planificación estratégica japonesa dedica una atención mayor a las Indias Orientales holandesas y a Malasia para paliar su escasez de materias primas.

I DE AGOSTO

POLÍTICA, *ALEMANIA*

Hitler emite su Directiva nº 17, la cual establece que los preparativos para la invasión de Inglaterra deben ser completados antes del 15 de septiembre, para estar listos para la invasión entre los días 19 y 26.

▼ *Campesinos en la carretera de Birmania, una ruta de suministros fundamental para China durante la guerra. Gran Bretaña la cerró temporalmente para evitar las desavenencias con los japoneses.*

▲ *El mariscal del aire Sir Hugh Dowding llevó a la victoria a los cazas de la RAF en la batalla de Inglaterra.*

▼ *Un bombardero Heinkel alemán, sobre el East End de Londres, durante la ofensiva aérea de la Luftwaffe sobre Gran Bretaña.*

2 DE AGOSTO

LA GUERRA MARÍTIMA, *MEDITERRÁNEO*
Una fuerza naval británica ataca la base naval italiana en la isla de Cerdeña.

3-19 DE AGOSTO

ÁFRICA, *SOMALIA BRITÁNICA*
Fuerzas italianas, superiores en efectivos y en artillería, atacan la guarnición de la Somalia británica, formada por 1.475 hombres, desde la vecina Etiopía.

5 DE AGOSTO

POLÍTICA, *ALEMANIA*
El general Franz Halder, el jefe del Estado Mayor, examina los primeros planes para la invasión de la Unión Soviética. Propone

▲ *Pilotos alemanes discuten osadas tácticas de combate aéreo durante la batalla de Inglaterra.*

una ofensiva en dos puntas, dirigida principalmente contra Moscú, además de un ataque secundario sobre Kiev.

13-17 DE AGOSTO

LA GUERRA AÉREA, *GRAN BRETAÑA*
El «Día del Águila» anuncia una ofensiva aérea alemana de cuatro días de duración destinada a destruir el Mando de Caza británico, con ataques sobre aeródromos y objetivos industriales. Sin embargo, Hermann Goering, jefe de la *Luftwaffe*, pospone los primeros ataques, y los ataques más tardíos no dan resultado.

15 DE AGOSTO

LA GUERRA AÉREA, *GRAN BRETAÑA*
Tres flotas aéreas alemanas, con un total de 900 cazas y 1.300 bombarderos, lanzan ataques en serie, diurnos y nocturnos, sobre aeródromos y puertos británicos,

MOMENTOS CLAVE

LA BATALLA DE INGLATERRA

▼ *Los cazas* Hurricane *ayudaron a que Gran Bretaña venciera la ofensiva aérea alemana en 1940.*

La batalla de Inglaterra fue el intento por parte de Alemania de alcanzar la superioridad aérea sobre el cielo del sur de Inglaterra. Conseguido esto, podría controlar también el canal de la Mancha para el cruce de las fuerzas de invasión, las cuales estaban siendo preparadas en el continente.

El comandante de la fuerza aérea alemana, Hermann Goering, reunió 2.800 aviones, contra los 700 cazas de Gran Bretaña. Los ataques alemanes generalizados sobre puertos, barcos y aeródromos atrajeron a los cazas británicos a la acción, además de infligirles graves pérdidas.

El destino de Gran Bretaña dependía de la valentía, la determinación y la destreza de los pilotos de caza. Estos hombres provenían del Imperio Británico, Norteamérica, Checoslovaquia, Polonia y otras naciones aliadas. La actuación de los cazas *Hurricane* y *Spitfire* que pilotaban desempeñó también un papel fundamental.

Así mismo, y de manera crucial, una estructura centralizada de mando y control y una red de radar permitió a los cazas concentrarse para enfrentarse eficazmente a los ataques enemigos. El error estratégico más grave de

Alemania fue la decisión, desde el 7 de septiembre en adelante, de concentrarse en el bombardeo de las ciudades británicas, pese a erosionar la capacidad del Mando de Caza a base de ataques generalizados e incesantes por todo el sur de Inglaterra. Este cambio en la estrategia permitió a la RAF concentrar sus cazas e infligir daños más graves sobre la *Luftwaffe*. La RAF se benefició también de disponer de un tiempo de vuelo mayor, ya que operaba sobre su propio territorio. Por añadidura, los tripulantes que se lanzaban en paracaídas podían comenzar de nuevo la lucha, al contrario que sus oponentes, que caían en cautividad.

El 31 de octubre, tras 114 días de combate aéreo, Alemania admitió su derrota, habiendo perdido 1.733 aviones y 3.893 hombres. La RAF, al precio de 828 aviones y 1.007 hombres, había salvado a Gran Bretaña de la invasión.

para atraer a los cazas de la RAF al combate. Los 650 cazas en servicio del mariscal del aire Sir Hugh Dowding, con la ayuda de defensas de radar eficaces, son capaces de concentrarse con efectividad para interceptar a los atacantes en los días siguientes.

17 DE AGOSTO

POLÍTICA, *ALEMANIA*

Se declara un bloqueo total de las Islas Británicas. Cualquier barco, aliado o neutral, que se encuentre en aguas británicas será atacado sin previo aviso.

17-18 DE AGOSTO

LA GUERRA MARÍTIMA, *MEDITERRÁNEO*

Barcos británicos bombardean Bardia y Forte Capuzzo, en Libia, y derriban doce bombarderos italianos enviados para atacarlos.

24-25 DE AGOSTO

LA GUERRA AÉREA, *GRAN BRETAÑA*

La *Luftwaffe* inflige serias pérdidas a la RAF durante los ataques sobre sus principales bases aéreas en el sudeste de Inglaterra, llevando al límite los recursos del Mando de Caza en unos pocos días. Londres también ha sido bombardeado.

26-29 DE AGOSTO

LA GUERRA AÉREA, *ALEMANIA*

La RAF lanza un ataque nocturno con 81 aviones sobre Berlín, siguiendo a un ataque similar sobre Londres. También tienen lugar ataques sobre Düsseldorf, Essen y otras ciudades. Los ataques contribuyen a un cambio crítico en la estrategia alemana, ya que se envía de nuevo a los aviones a realizar ataques en represalia sobre Londres. Este cambio afloja la presión sobre las bases aéreas del Mando de Caza.

◀ *Policía y trabajadores de rescate despejan frenéticamente los escombros, después de un ataque aéreo alemán sobre Londres. La ofensiva de bombardeos nazi se extendió rápidamente a otras ciudades británicas.*

31

3 DE SEPTIEMBRE

POLÍTICA, *ALEMANIA*

Los desembarcos de la Operación León Marino se posponen desde el 15 de septiembre hasta el 21. Se utilizarán dos divisiones aéreas para establecer tres cabezas de puente en la costa sur de Inglaterra, para una fuerza de invasión de nueve divisiones y 250 tanques.

7-30 DE SEPTIEMBRE

LA GUERRA AÉREA, *GRAN BRETAÑA*

Se inician bombardeos a gran escala sobre Londres –el *Blitz*–, con 500 bombarderos y 600 cazas. La RAF se sorprende en principio por las nuevas tácticas alemanas, pero se adapta y concentra sus debilitadas fuer-

◄ *Los civiles se preparan para pasar la noche a salvo de los bombardeos, refugiándose en una de las estaciones del metro londinense.*

zas contra la amenaza. Los bombardeos alcanzan su mayor intensidad el día 15, pero la *Luftwaffe* está sufriendo ahora fuertes pérdidas, especialmente durante sus ataques diurnos sobre ciudades inglesas, los cuales se abandonan en gran parte hacia el día 30. Los ataques del Mando de Bombardeo en Francia y los Países Bajos destrozan una décima parte de las lanchas de desembarco alemanas, los días 14 y 15.

13-18 DE SEPTIEMBRE

ÁFRICA, *EGIPTO*

Una fuerza italiana de 250.000 hombres, a las órdenes del mariscal Rodolfo Graziani, avanza desde Libia hasta el vecino Egipto,

▼ *Los daños por los bombardeos sobre la catedral de San Pablo. Los ataques nazis hicieron pedazos la City de Londres, pero no consiguieron abatir la moral del pueblo.*

2 DE SEPTIEMBRE

POLÍTICA, *GRAN BRETAÑA*

Gran Bretaña y los Estados Unidos ratifican un trato según el cual cincuenta viejos destructores son entregados a Gran Bretaña, como escolta de convoyes, a cambio de bases en el Caribe y las Bermudas. Intercambios como éste acostumbrarán al público estadounidense a ayudar al esfuerzo de guerra aliado.

▼ *Charles de Gaulle, el líder de las fuerzas de la Francia Libre, con base en Gran Bretaña, se opuso al régimen títere de Vichy.*

▶ *Fuerzas italianas invaden Egipto desde Libia. La ofensiva fue hecha añicos más tarde por el contraataque británico.*

contra la Fuerza Occidental del Desierto británica, de dos divisiones, a las órdenes del general Sir Richard O'Connor. Graziani establece campamentos fortificados a lo largo de un frente de 75 km, mientras que los británicos permanecen a 120 km al este. Los planes británicos de atacar a Graziani se retrasan cuando algunas unidades son enviadas a Creta y Grecia, donde se teme una invasión italiana.

15 DE SEPTIEMBRE

POLÍTICA, *CANADÁ*
Los hombres con edades entre 21 y 24 años son declarados aptos para el reclutamiento.
POLÍTICA, *UNIÓN SOVIÉTICA*
Los hombres con edades entre 19 y 20 años se declaran aptos para el reclutamiento.

16-17 DE SEPTIEMBRE

LA GUERRA MARÍTIMA, *MEDITERRÁNEO*
El portaaviones británico *Illustrious* y el acorazado *Valiant* hunden dos destructores italianos y dos cargueros en Bengasi, Libia.
RETAGUARDIA, *GRAN BRETAÑA*
La Ley del Servicio Selectivo permite el reclutamiento de hombres con edades entre 21 y 35 años.

17 DE SEPTIEMBRE

POLÍTICA, *ALEMANIA*
Adolf Hitler decide suspender la Operación León Marino, después del fracaso de Alemania en alcanzar la supremacía aérea sobre el sur de Inglaterra, mientras que el Estado Mayor General revisa nuevos planes para la invasión de la Unión Soviética. El general Frie-

drich von Paulus, vicejefe del Estado Mayor General del Ejército, sugiere ofensivas hacia Leningrado, Kiev y Moscú, con ésta como principal objetivo.

20-22 DE SEPTIEMBRE

LA GUERRA MARÍTIMA, *ATLÁNTICO*
U-Boote alemanes lanzan con éxito su primera operación de «manada de lobos», hundiendo doce barcos. En esta táctica se despliegan entre 15 y 20 *U-Boote* a través de los accesos a Gran Bretaña.

◀ *El mariscal Rodolfo Graziani, el comandante de las fuerzas italianas en Libia, que fue responsable del ataque contra las fuerzas británicas, indias y australianas en Egipto.*

Cuando un *U-Boot* encuentra un convoy, sigue la pista de los barcos y espera la llegada de la «manada de lobos» al completo, para realizar un ataque combinado.

21 DE SEPTIEMBRE

POLÍTICA, *AUSTRALIA*
El primer ministro Robert Menzies gana otras elecciones generales con el Partido de la Australia Unida, aunque el laborista sigue siendo el mayor partido.

22 DE SEPTIEMBRE

LEJANO ORIENTE, *INDOCHINA*
Fuerzas japonesas entran en la colonia francesa después de que las autoridades de la Francia de Vichy, impotentes, se avengan finalmente a la ocupación. Algunos franceses resisten a los japoneses, que pretenden evitar que China obtenga suministros a través del país.

23-25 DE SEPTIEMBRE

LA GUERRA MARÍTIMA, *ÁFRICA*
Una expedición británica y de la Francia Libre, llamada en clave «Amenaza», intenta ocupar Dakar, en el África Occidental Francesa, con fuerzas navales, incluyendo el portaaviones británico *Ark Royal*, y 7.900 soldados. El comandante de la Francia Libre,

ARMAS DECISIVAS

EL RADAR

El radar utiliza transmisores y receptores de radio sincronizados que emiten ondas de radio y procesan sus reflejos para su visualización. Esto es especialmente útil para detectar aviones. Aunque los Estados Unidos y Alemania trabajaron en esta tecnología desde principios de siglo, fue Gran Bretaña la primera en establecer estaciones de radar, en 1938, en respuesta a la amenaza de los bombarderos alemanes. Las estaciones actuaron como sistema de alarma para alertar a los cazas de la presencia de bombarderos. Esto resultó crítico en la batalla de Inglaterra, ya que la RAF pudo concentrar sus desperdigadas fuerzas para repeler los ataques enemigos. Los aviones del Eje podían detectarse a unos 110 km de las estaciones del sudeste de Inglaterra. Las estaciones de cada sector (como la de arriba) recogían la información de los diversos emplazamientos de radares bajo su control, y avisaban a los cazas para interceptar la amenaza.

Al aumentar la precisión de los radares terrestres, el registro de objetivos y la información sobre las direcciones proveyeron de datos para los disparos de la artillería antiaérea. Con el tiempo, los cañones recibieron una oleada de información precisa, ya que los radares acabaron siguiendo automáticamente la trayectoria de los objetivos.

El radar aéreo, introducido en 1941, permitió a los cazas nocturnos localizar blancos, y más tarde ayudó a la navegación de los bombarderos. Los *U-boats* que emergían en la oscuridad por seguridad también podían ser detectados por los aviones, que iluminaban a los submarinos, antes de atacarlos. Los radares terrestres también ayudaron a los bombarderos a alcanzar blancos, rastreando con precisión y transmitiendo información a los aviones. En la guerra por mar, el radar se utilizó para detectar aviones enemigos, y también dirigió el fuego de artillería, que con la nueva tecnología fue eficaz incluso en completa oscuridad.

Charles de Gaulle, no consigue alcanzar un acuerdo con las autoridades de Vichy, cuyos buques de guerra abren fuego. Los franceses de Vichy pierden un destructor y dos submarinos. El primer ministro Winston Churchill suspende la Operación Amenaza, después de que fracase un desembarco de los franceses y los barcos británicos sufran daños por parte de las fuerzas francesas de Vichy.

24-25 DE SEPTIEMBRE

LA GUERRA AÉREA, *MEDITERRÁNEO*

La Francia de Vichy lanza ataques aéreos ineficaces sobre Gibraltar, en represalia por el ataque británico sobre Dakar.

25 DE SEPTIEMBRE

POLÍTICA, *NORUEGA*

El simpatizante nazi Vidkun Quisling, que se autoproclamó jefe de estado noruego tras la invasión alemana, se convierte en jefe de gobierno. En realidad, Quisling permanece como un títere alemán con autoridad limitada.

27 DE SEPTIEMBRE

POLÍTICA, *EJE*

Alemania, Italia y Japón acuerdan una

▼ *Soldados griegos envían cartas a casa durante la guerra contra la invasión italiana. La invasión de Italia, que fue lanzada en octubre de 1940, se encontró con una feroz resistencia por parte de los griegos.*

alianza militar, política y económica por la cual cada país se compromete a luchar contra cualquier estado que declare la guerra a una nación del Eje. El Pacto Tripartito tiene como objetivo específico impedir la intervención de los Estados Unidos en Europa o Asia.

7 DE OCTUBRE

BALCANES, *RUMANÍA*

Fuerzas alemanas entran en Rumanía, con el pretexto de ayudar a entrenar al ejército del gobierno fascista de la Guardia de Hierro. El principal interés de Alemania es ocupar los yacimientos petrolíferos de Ploesti.

9 DE OCTUBRE

POLÍTICA, *GRAN BRETAÑA*

Winston Churchill sucede a Neville Chamberlain, el antiguo primer ministro, como líder del Partido Conservador. Churchill era en principio una figura impopular en el partido, pero su liderazgo en la guerra ha contribuido en gran medida a cambiar esto.

12 DE OCTUBRE

POLÍTICA, *ALEMANIA*

Hitler pospone la Operación León Marino hasta la primavera de 1941.

15 DE OCTUBRE

POLÍTICA, *ITALIA*

El consejo de guerra italiano decide invadir Grecia. Italia no informará a su aliado, Alemania, sobre la operación que comenzará a finales de octubre.

▲ **Soldados griegos transportan brandy al frente. Los invasores italianos, mal preparados, carecían de la ropa apropiada y de los suministros necesarios para mantener su campaña durante los helados meses de invierno en las montañas.**

BENITO MUSSOLINI, «IL DUCE»

Benito Mussolini, periodista, soldado y político, explotó la inestabilidad de la Italia de entreguerras para convertirse en el dictador de un estado fascista. Después de alzarse con el poder en 1922, suprimió a la oposición y prometió a la nación que haría surgir un nuevo imperio romano. Mussolini se presentó a sí mismo como una poderosa alternativa a los estadistas liberales anteriores, y como un patriótico enemigo del comunismo. La propaganda fascista ocultó la inestabilidad económica de su régimen, y las conquistas de Etiopía (1935-1936) y de Albania (1939) intentaron desviar la atención pública de los problemas domésticos.

Mussolini estableció relaciones con Adolf Hitler, pero insistió en que Italia no estaría preparada para entrar en la guerra hasta 1942. Tras la derrota de Francia en junio de 1940, sin embargo, se apresuró a sacar partido de las conquistas de Alemania y declaró la guerra a los aliados. Los patinazos militares en Francia, África del Norte y Grecia hicieron que Italia dependiera de la ayuda militar alemana. Mussolini, debilitado física y mentalmente, hubo de enfrentarse a la creciente indiferencia pública y a amenazas políticas cuando el país vacilaba.

En julio de 1943, Mussolini fue derrocado por el Gran Consejo Fascista. El nuevo régimen acordó un armisticio con los aliados en septiembre. Mussolini, ahora encarcelado, fue rescatado entonces por los alemanes. La Italia controlada por el Eje permaneció bajo la dirección de Berlín, pero Hitler fue benévolo con el primer líder fascista europeo. Mussolini fue fusilado por partisanos italianos en abril de 1945.

16-19 DE OCTUBRE
POLÍTICA, *JAPÓN*
Las Indias Orientales Holandesas acuerdan ceder el 40% de su producción petrolífera a Japón durante seis meses, pese a los intentos británicos por impedirlo.

18 DE OCTUBRE
POLÍTICA, *FRANCIA DE VICHY*
El régimen títere de Vichy introduce leyes antisemitas.

28 DE OCTUBRE
BALCANES, *GRECIA*
Italia envía un ultimátum a Grecia exigiendo el derecho de ocupar el país durante la guerra. Antes de que expire el ultimátum, ocho divisiones, lideradas por el general Sebastiano Visconti-Prasca, atacan desde Albania. Italia desea un avance rápido para rivalizar con las conquistas de Alemania, pero el terreno montañoso y la ausencia de mapas estorpecen la invasión. El clima invernal limita el apoyo aéreo, y miles de soldados mueren de frío.

▶ *Franklin D. Roosevelt fue elegido para un tercer mandato como presidente de los Estados Unidos en 1940. Preparó a la nación para la guerra y ayudó a los aliados ampliando su producción económica.*

Las fuerzas griegas, a las órdenes del general Alexander Papagos, el comandante en jefe, ofrecen una fuerte resistencia.

30-31 DE OCTUBRE
MEDITERRÁNEO, *CRETA*
Fuerzas británicas ocupan la isla griega.

5 DE NOVIEMBRE
POLÍTICA, *ESTADOS UNIDOS*
El presidente Franklin D. Roosevelt es elegido para un tercer mandato, algo sin precedentes.

LA GUERRA MARÍTIMA, *ATLÁNTICO*
El acorazado de bolsillo alemán *Almirante Scheer* ataca a un convoy británico de 37 barcos, escoltado por el crucero mercante armado *Jervis Bay*, el cual lucha por salvar el convoy. El acorazado embiste al *Jervis Bay* y lo hunde, pero sólo se pierden otros cinco barcos. Los convoyes se suspenden hasta el día 17 mientras los aliados buscan al *Almirante Scheer*.

▲ Comandante Pietro Badoglio, el comandante en jefe italiano, resignado después del fracaso de la invasión de Grecia.

10 DE NOVIEMBRE

POLÍTICA, *ITALIA*
El general Ubaldo Soddu reemplaza al general Sabasiano Visconti-Prasca como comandante en jefe italiano en Albania.

11-12 DE NOVIEMBRE

LA GUERRA MARÍTIMA, *MEDITERRÁNEO*
En Tarento, los aviones torpederos británicos del portaaviones *Illustrious* hunden tres acorazados italianos y dañan otros dos navíos, en un ataque sorpresa a esta base italiana. El *Illustrious* pierde sólo dos aviones. Cuando la flota parte para Nápoles y Génova, tres cruceros británicos hunden cuatro barcos en el estrecho de Otranto. Este ataque aéreo sobre una flota en un puerto es estudiado atentamente por otras armadas, especialmente la japonesa.

14-22 DE NOVIEMBRE

BALCANES, *GRECIA*
Grecia lanza un gran contraataque y 3.400 soldados británicos, además de apoyo aéreo, llegan desde Alejandría, Egipto. Cuando las fuerzas griegas entran finalmente en Koritza, capturan a 2.000 italianos y expulsan a casi todos los invasores a Albania, en diciembre.

14 DE NOVIEMBRE

LA GUERRA AÉREA, *GRAN BRETAÑA*
Alemania envía 449 bombarderos para bombardear la ciudad de Coventry. El ataque acaba con la vida de 500 civiles, deja a miles sin hogar, y horroriza al público británico.

18 DE NOVIEMBRE

TECNOLOGÍA, *GRAN BRETAÑA*
Un radar británico aire-superficie, adaptado a

▲ Fotografía de reconocimiento alemana de la ciudad de Coventry, la ciudad inglesa devastada por el ataque aéreo en noviembre de 1940.

▶ Un judío polaco en el gueto de Varsovia, creado en noviembre de 1940.

un hidroavión *Sunderland*, localiza su primer *U-Boot*, durante una patrulla en el Atlántico.

20 DE NOVIEMBRE

POLÍTICA, *HUNGRÍA*
Hungría se une a las potencias del Eje. Desde la invasión italiana de Grecia, los alemanes han estado intentando asegurar sus suministros de comida y petróleo procedentes de los Balcanes, presionando a los países de la región para que se unan al Pacto Tripartito.

23 DE NOVIEMBRE

POLÍTICA, *RUMANÍA*
El primer ministro, el general Ion Antonescu, lleva a Rumanía a la alianza con el Eje.

26 DE NOVIEMBRE

LA SOLUCIÓN FINAL, *POLONIA*
Los nazis comienzan a crear un gueto en Varsovia para los judíos, que acabarán siendo internados allí en condiciones intolerables.

18 DE DICIEMBRE

POLÍTICA, *ALEMANIA*

Adolf Hitler presenta su plan para invadir la Unión Soviética, bajo el nombre clave de Operación Barbarroja. Su Directiva N° 21 conserva la idea de una ofensiva en tres puntas, pero el peso del plan de invasión se traslada ahora hacia el norte, a la zona del Leningrado y el Báltico, donde los grupos de ejércitos Norte y Centro deben aniquilar a las fuerzas enemigas, antes de atacar y ocupar Moscú.

29 DE DICIEMBRE

POLÍTICA, *ESTADOS UNIDOS*

En su mensaje de fin de año, el presidente Franklin D. Roosevelt declara que los Estados Unidos deben convertirse en el «arsenal de la democracia», ofreciendo máxima asistencia a Gran Bretaña en su lucha contra los poderes del Eje.

◀ *El general Sir Archibald Wavell* (derecha), comandante en jefe británico en el norte de **África**, que repelió el ataque italiano en diciembre de 1940.

▼ *Las tropas británicas, indias y australianas en Egipto detuvieron la ofensiva italiana, pese a la superioridad numérica de los invasores. Este éxito sólo revirtió después de la llegada de fuerzas alemanas.*

30 DE NOVIEMBRE

POLÍTICA, *JAPÓN*

Japón reconoce oficialmente al gobierno títere del presidente Wang Ching-wei en China.

6 DE DICIEMBRE

POLÍTICA, *ITALIA*

El mariscal Pietro Badoglio, comandante en jefe italiano, dimite.

9-11 DE DICIEMBRE

ÁFRICA, *EGIPTO*

El general Sir Archibald Wavell, el comandante en jefe en Oriente Medio y África del Norte, emprende la primera ofensiva británica en el Desierto Occidental. La Fuerza del Desierto Occidental del comandante general Sir Richard O'Connor, formada por 31.000 soldados británicos y de la *Commonwealth*, y apoyada por aviones y fuego de artillería naval de largo alcance, recibe órdenes de atacar los campamentos fortificados que los italianos han levantado en Egipto. Sidi Barrani es conquistada el día 10, y 34.000 italianos son hechos prisioneros cuando se retiran rápidamente desde Egipto. Se trata de una espectacular victoria contra todo pronóstico.

1941

Los aliados continuaron luchando en África del Norte, donde se enfrentaron ahora al *Africa Korps* del general Erwin Rommel, y la guerra en los Balcanes se intensificó, con la conquista de Yugoslavia y Grecia por los alemanes. En el Mediterráneo y el Atlántico, los aliados libraron una campaña encarnizada para defender sus rutas marítimas vitales. Las declaraciones de guerra de las potencias del Eje contra la Unión Soviética y los Estados Unidos marcaron un momento crítico. Alemania emprendió una implacable campaña en el Frente Oriental, mientras Japón tenía que salvaguardar sus conquistas en el Pacífico. Las potencias del Eje tuvieron que hacer frente al poder de la Unión Soviética y los Estados Unidos.

2 DE ENERO

POLÍTICA, *ESTADOS UNIDOS*

El presidente Franklin D. Roosevelt anuncia un programa para producir 200 cargueros, llamados *Liberty ships*, para dar apoyo a los convoyes aliados del Atlántico.

3-15 DE ENERO

ÁFRICA, *LIBIA*

La Fuerza de Oriente Medio del general Sir Archibald Wavell, rebautizada como 13° Cuerpo, con apoyo aéreo y naval, reanuda su ofensiva sobre Cirenaica. En la primera acción terrestre de Australia en la guerra, la 6ª División australiana encabeza el ataque para conquistar Bardia, justo al otro lado de la frontera de Libia con Egipto, el día 15. Unos 70.000 italianos son capturados, además de grandes cantidades de material.

7-22 DE ENERO

ÁFRICA, *LIBIA*

Después de que la 7ª Brigada Blindada británica rodee Tobruk, la 6ª División australiana dirige el asalto contra los defensores italianos del

◀ **Tropas italianas en Tobruk. Fuerzas aliadas y del Eje lucharon por el control del puerto, de importancia estratégica.**

▶ **El almirante Ernest King mandó la Flota Atlántica de los Estados Unidos en 1941, y ascendió para convertirse en el jefe naval de mayor rango durante la guerra.**

puerto, quienes capitulan finalmente el día 22. Unos 30.000 italianos son capturados, así como las instalaciones portuarias, y suministros vitales de gasolina, alimentos y agua. El comandante general Sir Richard O'Connor envía fuerzas inmediatamente más hacia el oeste, a lo largo de la costa, para conquistar el puerto de Bengasi.

19 DE ENERO

ÁFRICA, *ERITREA*
Fuerzas británicas en Sudán, mandadas por el general William Platt, comienzan el ataque contra las fuerzas del Eje en el África Oriental italiana, como prólogo a la campaña en esta zona del general Sir Archibald Wavell.

24 DE ENERO

ÁFRICA, *LIBIA*
La 4ª Brigada Acorazada británica combate a los blindados italianos, cerca de Mechili. Las fuerzas italianas en Libia están ahora di-

vididas, con unidades en el interior situadas alrededor de Mechili, y otras fuerzas en la costa alrededor de Derna. No se apoyan mutuamente y ambas son rodeadas.

29 DE ENERO

ÁFRICA, *SOMALIA ITALIANA*
Fuerzas británicas con base en Kenia, dirigidas por el general Sir Alan Cunningham, atacan a la guarnición de la colonia italiana en la siguiente fase de su campaña contra el África Oriental italiana.

POLÍTICA, *ESTADOS UNIDOS*
Se inicia un avance significativo en la cooperación anglo-estadounidense, con conversaciones de estado en Washington. Se decide que, en caso de que los Estados Unidos declaren la guerra, el principal objetivo aliado será la derrota de Alemania, que asume el nombre clave de ABC1. Estas charlas conducen a una misión estadounidense en marzo, que visita emplazamientos potenciales para bases militares en Gran Bretaña.

I DE FEBRERO

POLÍTICA, *ESTADOS UNIDOS*
Importantes cambios en la organización de la armada de los Estados Unidos hacen que ésta se divida en tres flotas: la Atlántica, la Asiática y la Pacífica. El almirante Ernest King liderará la nueva Flota Atlántica, y las fuerzas navales estadounidenses se reforzarán en este vital escenario de la guerra.

▼ **Una columna de tanques británicos se prepara para la acción contra las fuerzas del Eje, en Libia.**

LA GUERRA MARÍTIMA, *ATLÁNTICO*
El crucero pesado alemán *Admiral Hipper*, que opera desde Brest, en Francia, se embarca en una serie de ataques muy destructivos sobre convoyes atlánticos, que dura hasta abril.

3 DE FEBRERO – 22 DE MARZO

LA GUERRA MARÍTIMA, *ATLÁNTICO*

Los cruceros de batalla alemanes *Scharnhorst* y *Gneisenau* se embarcan en una travesía contra el comercio británico en el Atlántico. Consiguen dispersar a numero-

▼ *El príncipe Jorge de Grecia y la princesa Bonaparte charlan con soldados griegos, heridos mientras luchaban contra los invasores italianos.*

sos convoyes y hunden 22 barcos, antes de regresar a la seguridad de las aguas francesas el 22 de marzo.

5-7 DE FEBRERO

ÁFRICA, *LIBIA*

Los italianos fracasan en su intento final de escapar al envolvimiento en Beda Fomm, al sur de Bengasi, y se rinden a la 7ª División Acorazada británica. Mientras tanto, la 6ª División australiana, que avanza a través de las carreteras de la costa, obliga a las tropas de Bengasi a rendirse, el día 7.

Esto termina con una campaña de dos meses en la que los británicos han infligido una total derrota sobre un enemigo más numeroso, ejecutando una ofensiva cuidadosamente planeada y usando tropas muy bien entrenadas, respaldadas por apoyo aéreo y naval.

14 DE FEBRERO

POLÍTICA, *BULGARIA*

Bulgaria garantiza a Alemania el acceso a su frontera con Grecia. Este movimiento permite a Alemania incrementar su poder en los Balcanes, y provee de una ruta a las fuerzas destinadas a invadir Grecia.

POLÍTICA, *UNIÓN SOVIÉTICA*

El general Georgi Zhukov es nombrado jefe del Estado Mayor General y comisario del gobierno para la defensa. Previamente había comandado las fuerzas del Ejército Rojo que lucharon contra los japoneses en Mongolia, en el verano de 1939.

ÁFRICA, *LIBIA*

En respuesta a la oferta de Adolf Hitler de enviar una división blindada para asegurarse de que los italianos no retrocederán en Libia, los primeros destacamentos del *Africa Korps*, a las órdenes del general Erwin Rommel, desembarcan en Trípoli.

▲ *Tropas italianas, en acción cerca de Bengasi, durante la importante ofensiva británica en la provincia de Cirenaica, Libia.*

19-23 DE FEBRERO

POLÍTICA, *ALIADOS*

Un encuentro de líderes políticos y militares en El Cairo, Egipto, decide desplegar fuerzas sobre Grecia. Las autoridades griegas y británicas acuerdan posteriormente enviar cien mil soldados británicos para reforzar las defensas del país.

25 DE FEBRERO

ÁFRICA, *SOMALIA ITALIANA*

Tropas del África Oriental y Occidental, lideradas por los británicos, avanzan sobre Mogadiscio, la capital. Los derrotados italianos empiezan a evacuar la colonia.

1 DE MARZO

POLÍTICA, *BULGARIA*

Bulgaria se une a las potencias del Eje.

ÁFRICA, *LIBIA*

Fuerzas de la Francia Libre procedentes del Chad se apoderan de la base aérea y la guarnición italiana del oasis de Kufra, en el sudeste, después de un cerco de 22 días de duración.

▶ *El general Erwin Rommel, el audaz comandante del Afrika Korps, perfilando su estrategia para ganar una batalla contra los británicos en África del Norte.*

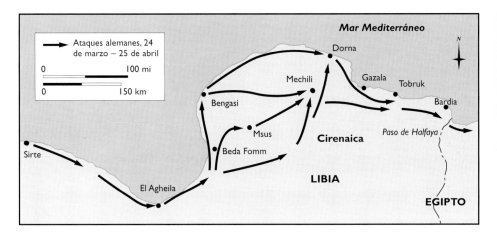

LA LEY DE PRÉSTAMO Y ARRIENDO

Tras la caída de Francia en junio de 1940, el presidente Franklin D. Roosevelt siguió una política de suministrar a Gran Bretaña el material militar que requería para luchar contra la Alemania nazi. Como su dependencia de estas importaciones crecía, en diciembre de 1940 el primer ministro británico, Winston Churchill, propuso un acuerdo para que las naciones aliadas obtuvieran mercancías esenciales y material de los Estados Unidos, pagando después de la guerra.

En marzo de 1941 el Congreso aprobó la Ley de Préstamo y Arriendo, y concedió a Roosevelt amplios poderes para proporcionar bienes y servicios a «cualquier país cuya defensa el presidente considere vital para la defensa de los Estados Unidos». En noviembre de 1941 se asignaron casi 13.000 millones de dólares.

Aunque Gran Bretaña tenía ahora la oportunidad de incrementar la cantidad de importaciones estadounidenses, su propia producción de guerra había sido acrecentada durante este período. Los alimentos y el petróleo procedentes de los Estados Unidos eran cruciales todavía para su supervivencia.

El acuerdo de Préstamo y Arriendo fue suspendido por el presidente Harry S. Truman el 24 de agosto de 1945, aunque Gran Bretaña estaba aún bajo contrato para recibir grandes cantidades de productos de los Estados Unidos, por los que tenía que pagar en dólares.

Gran Bretaña no fue la única beneficiaria del decreto ley. La *Commonwealth* británica, la Unión Soviética y otras naciones aliadas también se convirtieron en destinatarias de la ayuda estadounidense.

4 DE MARZO

FRENTE OCCIDENTAL, *NORUEGA*

Un ataque naval de un comando aliado británico y noruego sobre las islas Lofoten, destruye las fábricas de aceite de pescado, usado en la producción de explosivos, captura a 215 alemanes, rescata a 300 noruegos y hunde 10 barcos.

5 DE MARZO

BALCANES, *GRECIA*

El primer contingente de tropas británicas parte de Egipto. Hacia el 2 de abril, se habrán enviado unos 58.000 soldados para ayudar a defender el país.

9-25 DE MARZO

BALCANES, *GRECIA*

Italia lanza una ofensiva de primavera entre los ríos Devoli y Vijosë, al noroeste de Grecia, para contrarrestar los reveses que ha sufrido. El propio Mussolini viaja a Albania para supervisar el despliegue de 12 divisiones para el ataque. El servicio de información y los

▲ *La primera ofensiva del general Erwin Rommel en el desierto expulsó a los británicos de Libia y amenazó con apoderarse de Egipto.*

preparativos de defensa de los griegos aseguran que los ataques italianos desde Albania, mal planeados, sean rechazados.

11 DE MARZO

POLÍTICA, *ESTADOS UNIDOS*

El presidente Franklin D. Roosevelt firma la Ley de Préstamo y Arriendo, la cual permite a Gran Bretaña obtener suministros sin tener que pagarlos al contado inmediatamente. Durante el resto del año 1941, sin embargo, Gran Bretaña puede pagar. La ley garantiza al presidente mayores poderes para proporcionar material militar a cualquier nación que considere importante para la seguridad de los Estados Unidos.

24 DE MARZO

ÁFRICA, *LIBIA*

El general Erwin Rommel inicia su primera ofensiva en Libia, atacando a los británicos desde El Agheila. Comienza ahora una contraofensiva similar al ataque original

La construcción naval americana se incrementó dramáticamente para proveer de buques a los convoyes que navegaban hacia Gran Bretaña.

por parte de los británicos. Mientras la 21ª División *Panzer* atraviesa el desierto en dirección a Tobruk, las fuerzas italianas toman la carretera costera, más larga.

25 DE MARZO

POLÍTICA, *YUGOSLAVIA*
Yugoslavia se une a las potencias del Eje, firmando el Pacto Tripartito.

27-30 DE MARZO

POLÍTICA, *YUGOSLAVIA*
Un golpe de los oficiales de las fuerzas aéreas derroca a la administración del príncipe Pablo, partidaria del Eje. El rey Pedro II se hace cargo nominalmente del país, y el general Dusan Simovic se convierte en el jefe de gobierno. Los sucesos alarman a las potencias del Eje, principalmente a Alemania.

Adolf Hitler responde al derrocamiento del príncipe Pablo emitiendo la Directiva Nº 25 para la invasión de Yugoslavia, que comenzará al mismo tiempo que el ataque sobre Grecia, llamado en clave Operación Marita. Hitler aprueba las propuestas del ejército para las invasiones, las cuales quedan programadas para comenzar el día 6 de abril.

27 DE MARZO

ÁFRICA, *ERITREA*
La batalla de Keren, en el nordeste de Eritrea, termina con las fuerzas italianas siendo forzadas a retroceder hacia la capital, Asmara. Los italianos pierden 3.000 hombres contra 536 bajas británicas. Asmara cae cinco días después.

28-29 DE MARZO

LA GUERRA MARÍTIMA, *EGEO*
La flota italiana penetra en el mar Egeo para interceptar a los convoyes británicos que se dirigen a Grecia. Una fuerza británica liderada por el almirante Henry Pridham-Wippel combate contra algunos cruceros italianos, en un bombardeo de gran alcance. Los italianos se retiran, temiendo la presencia de más barcos enemigos.

▲ **Camiones británicos transportan tropas en la batalla de Keren, durante la campaña contra los italianos en Eritrea.**

▼ **El acorazado italiano Vittorio Veneto dispara una salva contra los británicos en el mar Egeo, durante la batalla del cabo Matapan. Los torpederos alcanzaron al buque durante la acción.**

PERSONALIDADES CLAVE

EL MARISCAL DE CAMPO ERWIN ROMMEL

Erwin Rommel (1891-1944) era un oficial condecorado de la Primera Guerra Mundial, que comandó la guardia personal de Hitler y fue el responsable de la seguridad personal del *Führer* durante la campaña de Polonia. Entonces tomó el mando de la 7ª División *Panzer*, para la invasión de Francia de 1940. Su rápido avance a través del Mosa y su ataque al canal de la Mancha le valió una reputación de audaz comandante de blindados.

Tras la fallida campaña italiana en el norte de África, fue enviado allí para liderar el *Afrika Korps*, en 1941. Rommel llegó a ser un maestro en las tácticas de guerra del desierto con su habilidad para aprovechar las oportunidades, emplear métodos poco ortodoxos y desplegar las fuerzas blindadas hasta su máximo rendimiento. Después de reconquistar Tobruk en 1942, empujó a los aliados hacia El Alamein, en Egipto. El «Zorro del Desierto» fue ascendido a mariscal de campo, habiendo conducido el *Afrika Korps* a una cadena de victorias.

Rommel fue obligado a retroceder a Túnez tras la victoria británica en El Alamein, en noviembre de 1942, y del desembarco de la Operación Torch aliada. Abandonó África del Norte en 1943. El siguiente compromiso importante de Rommel fue en Francia, donde robusteció las defensas contra la esperada invasión aliada que él mismo había propuesto a Hitler. Mandó el Grupo B de Ejércitos tras los desembarcos aliados de junio de 1944. Rommel fue gravemente herido durante un ataque aéreo y regresó a Alemania. Después de involucrarse en el fallido intento de asesinato de Hitler del mes de julio, Rommel se suicidó para evitar un juicio y represalias contra su familia.

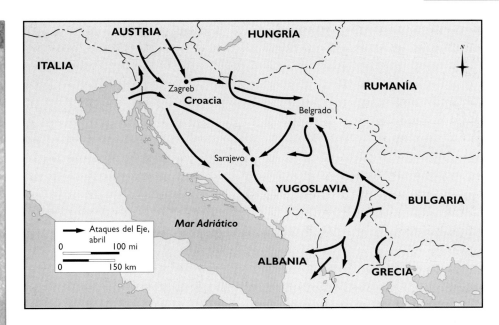

▲ *Después del fracaso de Italia en Grecia en 1940, los alemanes conquistaron los Balcanes con una exitosa campaña, en 1941.*

Sus temores se hacen realidad cuando la principal fuerza británica, liderada por el almirante Andrew Cunningham, envía dos bombarderos desde el portaaviones *Formidable*, para atacar a los barcos italianos. Dañan al acorazado *Vittorio Veneto* e inutilizan al crucero *Pola*. La batalla del cabo Matapan termina con cinco barcos italianos hundidos y 3.000 muertos. Los británicos sólo pierden un avión en la acción.

30 DE MARZO

POLÍTICA, *ESTADOS UNIDOS*
Las autoridades confiscan 65 barcos del Eje, los cuales son llevados inmediatamente a «custodia preventiva».

1-18 DE ABRIL

POLÍTICA, *IRAK*
El político nacionalista Rashid Ali y los oficiales del ejército hostiles a Gran Bretaña, deponen al regente Faisal y forman un régimen pro-Eje en Irak. Tropas británicas comienzan a llegar a Irak el día 18, para salvaguardar el acceso a los vitales suministros de petróleo.

4 DE ABRIL

ÁFRICA, *LIBIA*
Las tropas del Eje del general Erwin Rommel avanzan a través de Libia, divididas en tres grupos. Una fuerza en la costa, italiana en su mayoría, toma Bengasi. Otro grupo, en el interior, está avanzando hacia Msus, mientras más al sur una tercera fuerza se dirige también hacia el mismo objetivo.

6-15 DE ABRIL

BALCANES, *YUGOSLAVIA/GRECIA*
Treinta y tres divisiones alemanas, con apoyo italiano y húngaro, invaden Yugoslavia desde el norte, el este y el sudeste. Bombardeos aéreos, centrados sobre Belgrado, desbaratan el mando militar y la estructura de comunicaciones de la nación, y más tarde socava la ineficaz movilización de su

▼ *Prisioneros de guerra, capturados durante la invasión de Grecia, pasan por delante de diversos vehículos blindados alemanes.*

▲ *Tanques alemanes atraviesan el desierto durante la primera ofensiva del general Erwin Rommel en la guerra del desierto.*

ejército, formado por 640.000 hombres. Se apoderan rápidamente de las principales ciudades, incluyendo Zagreb, Belgrado y Sarajevo, entre los días 10 y 15.

En Grecia, las tropas alemanas atacan al 2º Ejército griego y la Línea Metaxas, una línea fortificada que recorre la frontera norte del país con Bulgaria. Los bombardeos aéreos sobre el puerto del Pireo destruyen un buque polvorín británico, que explota y hunde 13 barcos. El 2º Ejército, aislado cuando las fuerzas alemanas alcanzan el mar en Salónica, el día 9, se rinde

pronto. Los británicos, que en principio ocupan posiciones entre el monte Olimpo y Salónica, son rápidamente obligados a retroceder a una nueva línea defensiva justo al norte de la montaña, tras el derrumbamiento de las fuerzas griegas en su flanco izquierdo.

6-9 DE ABRIL

ÁFRICA, *ETIOPÍA/ERITREA*

El general británico Sir Alan Cunningham, después de un impresionante avance de unos 1.600 km desde Kenia, conquista Addis Abeba, la capital de Etiopía, y continúa entonces hostigando a las fuerzas italianas en retirada. Las fuerzas aliadas en Eritrea se apoderan después del puerto de Massawa, el día 9, y capturan a 17 mer-

▲ *Las tropas italianas estuvieron a menudo poco preparadas para cruzar terrenos helados y montañosos durante la invasión de Grecia.*

◄ *Tras la conquista de Yugoslavia por las fuerzas del Eje, las tropas italianas marchan sobre la provincia de Eslovenia.*

cantes del Eje y a otros barcos diversos en el puerto.

7 DE ABRIL

ÁFRICA, *LIBIA*

El general Erwin Rommel conquista Derna, y captura a los generales británicos Philip Neame y Sir Richard O'Connor, durante su avance hacia Tobruk.

10 DE ABRIL

POLÍTICA, *YUGOSLAVIA*

Los *Ustachi*, nacionalistas de derechas de la provincia de Croacia, declaran la formación de una república independiente, desligada de Yugoslavia.

LA GUERRA MARÍTIMA,
GROENLANDIA

Los Estados Unidos comienzan a ocupar Groenlandia, para evitar que la colonia danesa caiga en manos alemanas. Varios puntos de observación meteorológica, valiosos para Gran Bretaña, se sitúan en Groenlandia.

10-13 DE ABRIL
ÁFRICA, *LIBIA*

El general Erwin Rommel emprende el asedio de Tobruk. Los aliados, que rechazan sus primeros ataques, están decididos a conservar Tobruk, ya que es el único puerto importante entre Sfax, en Túnez, y Alejandría, en Egipto, una distancia de 1.600 km. Se trata por tanto de una base estratégica para las fuerzas que luchan en el norte de África. Tobruk cae bajo un constante ataque aéreo y terrestre, dotándola sus cuevas del único refugio auténtico, mientras la ruta marítima a Egipto se convierte en su único sustento.

13 DE ABRIL
POLÍTICA, *UNIÓN SOVIÉTICA/JAPÓN*

Se firma un pacto de no agresión, de cinco años de duración, entre la Unión Soviética y Japón, lo que permite al Ejército Rojo trasladar unidades de Siberia para reforzar

▼ *La dotación de un cañón australiano defiende Tobruk. La guarnición sitiada y los barcos que suministraban a los defensores estuvieron constantemente bajo los ataques del Eje.*

sus defensas, que se preparan para hacer frente a cualquier futuro ataque alemán.

17 DE ABRIL
POLÍTICA, *YUGOSLAVIA*

Yugoslavia firma un armisticio con Alemania. El país se encuentra ahora bajo administración militar, excepto el estado títere de Croacia. Surgen inmediatamente guerrillas para resistir a la ocupación nazi.

18-21 DE ABRIL
BALCANES, *GRECIA*

Las posiciones griegas se están derrumbando rápidamente, ante el avance de los invasores alemanes. Los británicos han retrocedido desde el monte Olimpo a las Termópilas. Parece inevitable una evacuación británica al suspenderse los refuerzos desde Egipto, el día 18. El rey Jorge asume temporalmente la jefatura del gobierno después de que el primer ministro, Alexander Papagos, el comandante en jefe griego, dándose cuenta que la situación es desesperada, recomienda la retirada, el día 21. Las fuerzas griegas que luchan en Albania se rinden el día 20.

▼ *Soldados yugoslavos se rinden a las fuerzas de conquista del Eje. Aunque el país estaba ocupado, grupos de resistencia continuaron luchando para liberar la nación.*

21-30 DE ABRIL

LA GUERRA AÉREA, *GRAN BRETAÑA*

Dos ataques contra Plymouth, en las noches del 21 al 22 y del 29 al 30, por parte de 640 bombarderos, acaban con 750 vidas y dejan sin hogar a 30.000 personas.

21-27 DE ABRIL

BALCANES, *GRECIA*

Fuerzas británicas abandonan sus líneas alrededor de las Termópilas el día 24, después de que capitulen las fuerzas griegas que se encuentran en Tracia. La operación de evacuación británica comienza ahora, y unos 43.000 hombres son rescatados por la *Royal Navy* desde los puertos y las playas del este de Grecia, bajo un constante ataque aéreo alemán. Se pierden dos destructores y cuatro barcos de transporte.

La toma del istmo de Corinto por paracaidistas alemanes, el día 26, y su avance sobre Patras, suponen una amenaza para la evacuación británica. Las fuerzas alemanas ocupan Atenas el día 27, pero el gobierno griego ha partido ya para Creta. Muertos en la campaña: 15.700 griegos; 13.755 italianos; 1.518 alemanes; y 900 británicos.

25 DE ABRIL

POLÍTICA, *ALEMANIA*

Adolf Hitler emite la Directiva Nº 28, ordenando la invasión aérea de Creta, bajo el nombre clave de Operación Mercurio.

30 DE ABRIL

ÁFRICA, *LIBIA*

Comienza el más intenso ataque del Eje en Tobruk hasta la fecha, pero se encuentra con la resuelta resistencia de los defensores. Cuatro días más tarde, las fuerzas del Eje

▲ *Paracaidistas alemanes, luchando contra los aliados en las calles de Corinto, durante la invasión de Grecia.*

▲ *Guerreros etíopes, en acción contra las fuerzas italianas durante la campaña británica para destruir el imperio del África oriental de Mussolini.*

afianzan un saliente en la zona suroccidental del perímetro defensivo. Ambos bandos se atrincheran ahora para una campaña prolongada, con la guarnición dependiendo totalmente de los suministros transportados por la *Royal Navy*. Los submarinos alemanes, las lanchas torpederas y los bombarderos medios y en picado amenazan constantemente a los barcos de suministro, los cuales son especialmente vulnerables cuando se encuentran descargando.

1-17 DE MAYO

ORIENTE MEDIO, *IRAK*

Las fuerzas iraquíes, cuatro divisiones en total, inician ataques contra las tropas británicas, los cuales se intensifican durante los días siguientes. Las fuerzas británicas reciben rápidamente el apoyo de refuerzos. Los alemanes ayudan a los iraquíes lanzando ataques aéreos.

3-19 DE MAYO

ÁFRICA, *ETIOPÍA*

En la batalla de Amba Alagi, en las montañas del norte de Etiopía, los italianos llevan a cabo su última resistencia importante contra los aliados, en defensa de su imperio del África oriental. La rendición del duque de Aosta y 7.000 soldados resume la victoria aliada en África oriental. Unos 230.000 italianos han resultado muertos o capturados. La victoria aliada protege el canal de Suez de cualquier amenaza potencial desde el este de África, y afianza también el control del mar Rojo para la flota aliada.

5 DE MAYO

POLÍTICA, *ETIOPÍA*

El emperador Haile Selassie regresa a Etiopía, después de un exilio de cinco años.

6-12 DE MAYO

LA GUERRA MARÍTIMA, *MEDITERRÁNEO*

La Operación Tigre, el primer convoy entre Gibraltar y Egipto en varios meses, transporta suministros destinados a una ofensiva británica en el desierto. Otros dos convoyes parten desde Egipto hacia Gibraltar. La Flota Mediterránea al completo apoya al convoy, formado por cinco barcos

► *Una militar británica se refugia bajo una mesa para el caso de que suceda un ataque aéreo mientras duerme. El trabajo continuó durante la Blitz, a pesar de los peligros.*

de transporte. Sufren ataques por parte de la aviación italiana, el día 8. Uno de los barcos, que transporta 57 tanques, se hunde después de chocar contra una mina. El convoy, no obstante, entrega 238 tanques y 43 cazas *Hurricane*.

10 DE MAYO

POLÍTICA, *GRAN BRETAÑA*

Rudolf Hess, lugarteniente de Hitler, vuela hacia Escocia en una extraña misión para solicitar de Gran Bretaña que deje a Alemania mano libre en Europa, a cambio de que los nazis dejen intacto el Imperio Británico. Hess viaja a Escocia para ver al duque de Hamilton, al que cree líder del partido antibelicista en Gran Bretaña. Alemania no autoriza sus acciones, y los británicos lo encarcelan. Martin Bormann, el organizador del partido, sustituye a Hess y se convierte en el principal colaborador de Adolf Hitler.

10-11 DE MAYO

LA GUERRA AÉREA, *GRAN BRETAÑA*

En el clímax de la *Blitz*, Londres es atacado por 507 bombarderos. Éste será el último ataque aéreo alemán de importancia durante tres años. El bombardeo aéreo de Gran Bretaña afecta ahora a Liverpool, Bristol y Belfast, así como a otras ciudades. Desde septiembre de 1940, 39.678 personas han muerto y 46.119 han resultado heridas a causa de los ataques de la *Luftwaffe*. La defensa civil, los bomberos, la policía y las organizaciones médicas ayudan a la población a hacer frente a los ataques. Las infraestructuras se reparan rápidamente, y los refugios proveen de alguna protección a la gente. La población en general resiste frente a las embestidas, pese a los trastornos y al cansancio causados por los bombardeos.

15-16 DE MAYO

ÁFRICA, *EGIPTO*

La Operación Brevedad, la primera operación británica contra el *África Korps*, intenta empujar a las fuerzas del Eje hacia la frontera egipcia. El paso de Halfaya y Sollum son conquistados de nuevo en la operación.

20-22 DE MAYO

MEDITERRÁNEO, *CRETA*

Una fuerza alemana de 23.000 hombres, apoyada por 600 aviones, ataca Creta. El plan alemán es lanzar un ataque aéreo que puede ser reforzado por los efectivos navales. Después de unos ataques aéreos preparatorios, los alemanes emprenden la primera gran operación aerotransportada de la historia.

Los paracaidistas entran en combate cuando están aterrizando, y encuentran la decidida resistencia de 42.000 soldados británicos, neozelandeses, australianos y griegos, que se encuentran estacionados en la isla. Cuando un batallón aliado, que ocupa el campo de aviación de Máleme, se retira erróneamente, los alemanes ganan una

▼ *Tropas de montaña alemanas en camino a Creta, donde muchos morirían en la encarnizada batalla por apoderarse de la isla.*

◄ *Rudolf Hess, el nazi que intentó firmar la paz con los británicos.*

▼ *El acorazado alemán* **Bismarck** *dispara una salva al acorazado británico* **Hood.** *El* **Hood** *fue hundido durante la feroz batalla en los estrechos de Dinamarca.*

posición para que aterricen sus refuerzos. Aunque los alemanes pueden hacer llegar algunas tropas mediante planeadores y paracaídas, se pierden alrededor de 5.000 hombres en barcos que navegan desde Grecia, los cuales son interceptados por los buques británicos. La Flota Mediterránea Británica en aguas cretenses es sometida a ataques aéreos alemanes masivos el día 22, obligándola a retirar sus barcos del norte de Creta.

23-27 DE MAYO

LA GUERRA MARÍTIMA, *ATLÁNTICO*

Dos cruceros británicos, el *Norfolk* y el *Suffolk*, asistidos por radar, encuentran al acorazado alemán *Bismarck* y al crucero *Prinz Eugen* en los estrechos de Dinamarca, entre Islandia y Groenlandia. Sin embargo, los dos barcos alemanes hunden al crucero de batalla *Hood* y dañan al acorazado *Príncipe de Gales*, que habían sido enviados para combatir con ellos. Los tanques del *Bismarck*, sin embargo, son alcanzados y comienzan a perder combustible. Esa noche, un torpedero alcanza al barco pero le inflige pocos daños.

Los barcos alemanes se dirigen a Brest, y los británicos pierden el contacto por radar durante varias horas. Finalmente, aviones procedentes del por-

▶ *Bernard Freyberg, el neozelandés que dirigió la defensa aliada de Creta.*

taaviones *Ark Royal* consiguen arrancar el timón del *Bismarck* con un torpedo el día 26, y otros barcos lo rodean. Los disparos de los acorazados *Rodney* y *King George V* despedazan al *Bismarck*.

27 DE MAYO

POLÍTICA, *ESTADOS UNIDOS*

El presidente Franklin D. Roosevelt declara que «existe ahora un estado de emergencia nacional ilimitado». El gobierno asume amplios poderes sobre la economía, y promete resistir cualquier acto de agresión alemán.

28-31 DE MAYO

MEDITERRÁNEO, *CRETA*

El comandante general Bernard Freyberg, el comandante neozelandés responsable de la defensa de Creta, decide que la isla no puede ser salvada, al intensificarse la ofensiva alemana. Sus fuerzas están ya retirándose hacia Sfakia, en la costa sur. Las pérdidas británicas son de 1.742 hombres, además de 2.011

▲ *Soldados británicos y de la* **Commonwealth,** *frente a las costas de Creta durante la evacuación de la isla.*

muertos y heridos en el mar, mientras que Alemania tiene 3.985 muertos o desaparecidos. La arriesgada evacuación naval a manos de la *Royal Navy* salva a unos 15.000 soldados aliados, pero pierde nueve barcos en el proceso. Hitler suspende las operaciones aéreas a esta escala en el futuro, después de ser informado de las devastadoras pérdidas sufridas por los paracaidistas en Creta.

30 DE MAYO

POLÍTICA, *IRAK*

Irak firma un armisticio con Gran Bretaña, según el cual el país acuerda no dar asistencia a las naciones del Eje. También se compromete a no obstruir el estacionamiento de fuerzas británicas en Irak. Un gobierno pro-aliado se instala más tarde.

31 DE MAYO

LA GUERRA AÉREA, *IRLANDA*

La *Luftwaffe* bombardea por error la capital, Dublín, matando a 28 personas.

8-21 DE JUNIO

ORIENTE MEDIO, *SIRIA*

Una fuerza aliada de 20.000 soldados franceses, británicos y de la *Commonwealth,* a las órdenes del general Sir Henry M. Wilson, invade Siria desde Palestina e Irak, en medio de los temores a una creciente influencia alemana en el país. Se enfrentan a 45.000 soldados de la Francia de Vichy, bajo las órdenes del general Henri Dentz, además de las fuerzas navales que combaten contra los aliados el día 9.

En los días siguientes los aliados rodean a las unidades enemigas, y usan la artillería pesada para vencer su resistencia. Las fuerzas de Vichy abandonan la capital, Damasco, en manos de los aliados, el día 21.

13 DE JUNIO

LA SOLUCIÓN FINAL, *FRANCIA DE VICHY*

Unos 12.000 judíos han sido internados en campos de concentración, después de ser acusados de trastornar las relaciones entre la Francia de Vichy y Alemania. Las autoridades de Vichy persiguen cada vez más intensamente a los judíos, y aprueban leyes negándoles derechos sobre la propiedad.

15-17 DE JUNIO

ÁFRICA, *LIBIA*

El general Sir Archibald Wavell emprende

▶ *Un soldado escribe un mensaje desafiante en un puesto militar, en Tobruk.*

▼ *Un camión británico empuja a un cañón antiaéreo a través de un polvoriento camino, en Siria, durante la invasión aliada del país.*

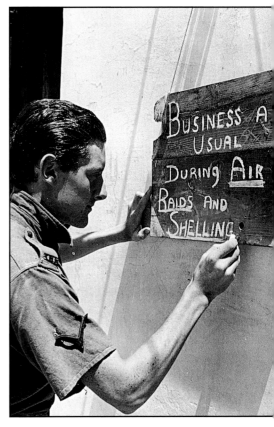

la Operación Hacha de Guerra, para liberar Tobruk y acabar con la ocupación nazi en Cirenaica. Una división blindada y de infantería cruza la frontera egipcio-libia alrededor del paso Halfaya, Forte Capuzzo y la cresta de Hafid. Los nuevos tanques británicos, traídos para reforzar la 7ª División Acorazada, han sufrido problemas mecánicos, y sus tripulaciones han tenido un entrenamiento inadecuado. Las divisiones aliadas, inferiores en número, sufren mucho contra los experimentados cañones antitanque alemanes. Wavell detiene la Operación Hacha de Guerra, tras perder 90 de sus 190 tanques.

17 DE JUNIO

POLÍTICA, *ALEMANIA*

Adolf Hitler decide lanzar la Operación Barbarroja, la invasión de la Unión Soviética, el 22 de junio. Siente un odio extremo hacia el pueblo eslavo y su gobierno comunista. Hitler pretende esclavizar a los pueblos eslavos, «inferiores», explotar sus recursos y ocupar sus tierras, como parte de su política de *Lebensraum* («espacio vital») para la raza aria.

▶ *El equipo de un lanzaminas italiano, en acción durante la campaña del desierto en Libia y Egipto, contra las fuerzas británicas y de la Commonwealth.*

22 DE JUNIO

FRENTE ORIENTAL, *UNIÓN SOVIÉTICA*

Alemania lanza la Operación Barbarroja, la invasión de la Unión Soviética, con tres millones de hombres divididos en tres grupos de ejércitos, a lo largo de un frente de 3.000 km. Hitler tiene como objetivo lograr una rápida victoria, para destrozar al Ejército Rojo antes de que acabe el verano y de que los soviéticos puedan movilizar sus inmensos recursos. El Grupo de Ejércitos del Norte, a las órdenes del mariscal de campo Wilhelm Ritter von Leeb, ataca sobre el Báltico y Leningrado. El Grupo de Ejércitos Centro, bajo las órdenes del mariscal de campo Fedor von Bock, pretende tomar Smolensko y después Moscú, así como destruir las comunicaciones. El Grupo de Ejércitos Sur, dirigido por el general Gerd von Rundstedt, avanza hacia Ucrania y el Cáucaso.

Las fuerzas soviéticas son cogidas por sorpresa y pierden una serie de bata-

▲ *Soldados soviéticos se rinden a las fuerzas invasoras alemanas. Las unidades del Ejército Rojo fueron a menudo rodeadas rápidamente y destruidas por las formaciones de tanques alemanas.*

llas en la frontera. Los ataques aéreos alemanes destruyen rápidamente 1.800 aviones rusos en tierra. Las fuerzas alemanas hacen rápidos progresos en el norte y el centro, pero encuentran una fuerte resistencia en el sur.

26-29 DE JUNIO

POLÍTICA, *FINLANDIA*

Finlandia declara la guerra a la Unión Soviética y lanza un ataque, el día 29. Los finlandeses pretenden reconquistar el territorio perdido a manos de los soviéticos durante la Guerra Ruso-Finesa. Cuando consiguen finalmente este objetivo, Adolf Hitler pide al mariscal Karl von Mannerheim, el líder finlandés, que ayude a Alemania a asediar Leningrado, pero éste rehúsa.

26-30 DE JUNIO

FRENTE ORIENTAL, *UNIÓN SOVIÉTICA*

La fortaleza de Brest-Litovsk es tomada después de una feroz resistencia, mientras que el importante cruce del río Bug, por parte del Grupo de Ejércitos del Centro, comienza el día 26. El objetivo inicial de este grupo es Minsk. Los veloces *Panzers* rodean a las unidades del Ejército Rojo en Bialystok, Novogrudok y Volkovysk, dejándolas al descubierto para que las destruyan las fuerzas de infantería que vienen detrás. Las tácticas defensivas soviéticas, lineales y faltas de imaginación, y sus débiles divisiones resultan muy vulnerables a los rápidos avances de los *panzers* alemanes, especialmente en los flancos. Además, la total superioridad aérea alemana ha causado graves pérdidas al Ejército Rojo.

27 DE JUNIO

POLÍTICA, *HUNGRÍA*
El gobierno declara la guerra a la Unión Soviética.

29 DE JUNIO

POLÍTICA, *UNIÓN SOVIÉTICA*
Josiv Stalin asume el control del ministerio de Defensa de la federación, y establece un consejo de defensa de cinco hombres.

▲ *Un tanque alemán avanza a través de las ruinas, durante la invasión de la Unión Soviética en el verano de 1941.*

◄ *Las triunfantes tropas alemanas a bordo de un tren soviético. La logística fue un elemento esencial para ambos bandos en el Frente Oriental.*

1 DE JULIO

POLÍTICA, *GRAN BRETAÑA*
El general Sir Claude Auchinleck reemplaza al general Sir Archibald Wavell como comandante de las fuerzas de Oriente Medio. El mando de Oriente Medio de Wavell ha logrado éxitos considerables contra las fuerzas italianas, numéricamente superiores, pese a la escasez de suministros. Sin embargo, los siguientes compromisos en Grecia, Irak y Siria han desperdigado sus fuerzas.

No obstante, el primer ministro Winston Churchill desea una ofensiva decisiva en el desierto occidental, y el fracaso de Wavell en lograrla ha llevado a su reemplazo.

1-11 DE JULIO

FRENTE ORIENTAL, *BIELORRUSIA/UCRANIA*
Continúa el avance alemán. El Grupo de Ejércitos Norte cruza el río Dvina. El Grupo de Ejércitos Centro atraviesa el río Beresina, y los esfuerzos se centran ahora en tender puentes sobre el río Dnieper, para evitar que los soviéticos formen una línea defensiva que pueda obstruir el avance hacia Moscú. El Grupo de Ejércitos Sur supera las fortificaciones de la Línea Stalin y continúa su progreso, el día 10 de julio. Las divisiones panzer se encuentran sólo a 15 km de Kiev, la tercera ciudad en tamaño de la Unión Soviética, hacia el día 11.

Tales unidades blindadas, no obstante, no resultan apropiadas para la lucha urbana y se arriesgan a sufrir graves pérdidas, porque Kiev se encuentra fuertemente defendida. El general Gerd von Rundstedt planea atraer a las unidades soviéticas a las estepas abiertas, con la amenaza del envolvimiento. Una vez estén expuestas, podrán ser aniquiladas.

3 DE JULIO

ÁFRICA, *ETIOPÍA*
Termina la resistencia italiana en el sur, después de rendirse 7.000 hombres.

◄ *Tropas italianas se rinden durante la campaña de las tropas aliadas para liberar Etiopía.*

JOSIV STALIN

Josiv Stalin (1879-1953), el líder de la Unión Soviética, apoyó la Revolución Bolchevique de 1917, y después fue ascendiendo en las filas del Partido Comunista. Tras la muerte de Lenin en 1924, estableció una dictadura destruyendo toda oposición política. El desarrollo de la industria y la agricultura alcanzó entonces un costo humano enorme, pero hizo de la Unión Soviética de Stalin una potencia formidable.

Cuando Europa se fue aproximando a la guerra en los años treinta, Stalin temió un ataque alemán inevitable sobre la Unión Soviética, y lo retrasó con el pacto de no agresión con Hitler de 1939. Siguió su ocupación de la mitad de Polonia, de Finlandia y de los estados bálticos, pero no se preparó para impedir el inminente ataque alemán. Stalin fue sorprendido por la invasión de Hitler en 1941, y hasta el otoño no movilizó los recursos humanos y económicos de la Unión Soviética para oponer una defensa eficaz. Stalin controlaba los asuntos civiles y militares, como presidente del Comisariado del Pueblo. En ambas esferas, desplegó una sombría determinación de maximizar el esfuerzo de guerra soviético, y se mantuvo firme cuando Alemania alcanzó las puertas de Moscú. Explotó incluso los sentimientos nacionalistas para mantener la moral entre los rusos, haciendo llamadas a la «guerra santa» para defender a la «madre Rusia».

En las conferencias celebradas por los aliados, Stalin fue un enérgico negociador que exigió el establecimiento de un segundo frente en Europa para socorrer a la Unión Soviética, así como suministros adicionales para su esfuerzo de guerra. Al avanzar la guerra, Stalin evitó las decisiones de estos encuentros en lo que se refería al perfil político de la Europa de posguerra, y los aliados observaron con nerviosismo cómo Stalin maniobraba para crear una serie de estados tapón comunistas alrededor de la Unión Soviética.

4 DE JULIO

POLÍTICA, *YUGOSLAVIA*

Joseph Broz, conocido como Tito, emerge como líder del movimiento de resistencia yugoslavo, aunque el gobierno en el exilio no lo apoya. Tito, un comunista, tiene el apoyo popular y propone una federación yugoslava que no repare en diferencias étnicas y nacionales.

7 DE JULIO

LA GUERRA MARÍTIMA, *ISLANDIA*

Tropas estadounidenses guarnecen el país para proteger a los barcos de los ataques de los *U-Boote*.

10 DE JULIO

POLÍTICA, *UNIÓN SOVIÉTICA*

Josiv Stalin, en un intento de detener el avance de los alemanes, nombra una serie de «comandantes en jefe de dirección» en tres áreas de mando (tres frentes o grupos de ejércitos). Son el mariscal Semën Budënny (Frente Sur y Sudoeste), el mariscal Semyon Timoshenko (Frente Centro-occidental) y el mariscal Kliment Voroshilov (Frente Nordeste).

▲ *Soldados de la Francia de Vichy son conducidos al cautiverio tras la rendición de Siria.*

12 DE JULIO

POLÍTICA, *ALIADOS*

Gran Bretaña y la Unión Soviética firman un Pacto de Mutua Asistencia, el cual incluye una declaración que afirma que ninguno de ellos firmará la paz por separado con las potencias del Eje.

LA GUERRA AÉREA, *UNIÓN SOVIÉTICA*

Moscú padece su primer ataque aéreo. El bombardeo se intensifica después con tres ataques gran escala este mismo mes y 73 ataques secundarios, que duran hasta el final del año.

14 DE JULIO

ORIENTE MEDIO, *SIRIA*

El general Henri Dentz desafía a las autoridades de la Francia de Vichy y entrega Siria a los aliados. Las fuerzas británicas comienzan a ocupar la colonia, y se forman admi-

◄ *Kliment Voroshilov, el comandante del Ejército Rojo en el Frente Noroeste.*

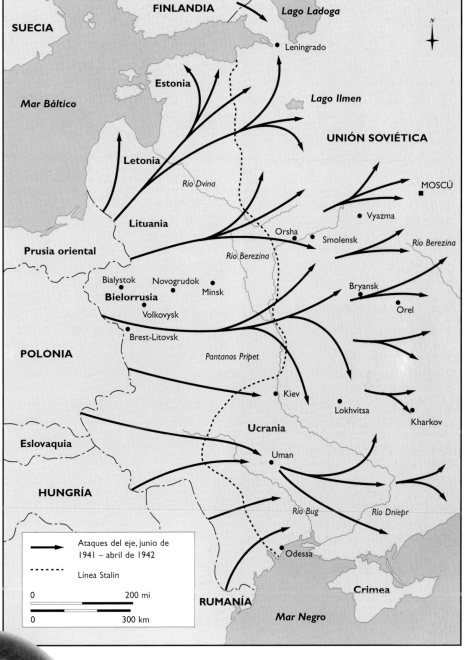

▲ La invasión alemana de la Unión Soviética fue una operación enorme que se extendió desde el mar Báltico hasta el mar Negro.

nistraciones pro-aliados en Siria y en el vecino Líbano. Los aliados han sufrido unas 2.500 bajas en la campaña, mientras las fuerzas francesas de Vichy han padecido unas 3.500, al defender las colonias de la región.

16 DE JULIO

FRENTE ORIENTAL, *UNIÓN SOVIÉTICA*

Tras el cruce de los ríos Dnieper y Dvina, comienza el envolvimiento de Smolensko por el Grupo de Ejércitos del Centro alemán. La ciudad cae después de que 300.000 soldados del Ejército Rojo y 3.200 tanques sean atrapados en sus cercanías pero, pese a esto, las fuerzas soviéticas rodeadas no son totalmente derrotadas hasta agosto.

18 DE JULIO

POLÍTICA, *CHECOSLOVAQUIA*

Gran Bretaña reconoce al gobierno checo en el exilio, liderado por Edouard Benes. Los checos hacen también un acuerdo de mutua asistencia con la Unión Soviética, y prometen formar un ejército.

▶ Edouard Benes, el líder del gobierno checo en el exilio durante la guerra.

19-29 DE JULIO

FRENTE ORIENTAL, *UNIÓN SOVIÉTICA*

El 2º Grupo *Panzer* del general Heinz Guderian, que junto con infantería de apoyo lidera el avance hacia Moscú, recibe órdenes de virar hacia el sur y ayudar a inmovilizar al 5º Ejército soviético, que se encuentra situado en los pantanos del Pripiat. Esta fuerza soviética supera ampliamente en número a las unidades alemanas enemigas, y supone una seria amenaza para las operaciones del mariscal de campo Walther von Reichenau, al sur. El ejército acorazado del Grupo de Ejércitos Centro, el 3º Grupo Panzer, es destinada a ayudar al Grupo de Ejércitos Norte a tomar Leningrado. Guderian y otros comandantes son

53

▲ *El poderío industrial japonés dependía de la importación de combustible y materias primas. La entrada de la nación en la guerra se aceleró de este modo, después de que cesaran las importaciones vitales de petróleo de los Estados Unidos.*

◄ *Combatientes soviéticos se rinden durante el envolvimiento alemán de las fuerzas del Ejército Rojo en Ucrania.*

contrarios a esta decisión, e intentan persuadir a Adolf Hitler de que no detenga el avance hacia Moscú, en vano.

21 DE JULIO

LA GUERRA MARÍTIMA,
MEDITERRÁNEO
Comienza la Operación Sustancia, el transporte británico de suministros de Gibraltar a Malta. La sitiada Malta, una base naval, ocupa una ubicación clave en la corta ruta marítima y aérea entre el norte de África e Italia.

22 DE JULIO

FRENTE ORIENTAL, BÁLTICO
El Grupo de Ejércitos Norte alemán se de-

► *Reinhard Heydrich, el infame jefe de las SS, la policía secreta, y arquitecto de la «Solución Final» para destruir a toda la población judía de Europa.*

tiene al oeste del lago Ilmen, al sur de la ciudad de Leningrado. Las tropas y equipos a lo largo de todo el frente están padeciendo los rigores del avance y de la cada vez más fuerte resistencia rusa. Durante tales períodos de descanso, los soviéticos refuerzan sus líneas, especialmente aquéllas que se encuentran frente a Moscú y Leningrado. Los recursos necesarios para tomar estas dos ciudades serán inmensos.

24 DE JULIO

FRENTE ORIENTAL, *UCRANIA*

Hitler ordena al Grupo de Ejércitos Sur, en Ucrania, cerrar la bolsa alrededor de la concentración de fuerzas soviéticas con base en Uman. La cierran quince días más tarde, aislando a tres ejércitos soviéticos de las fuerzas del Ejército Rojo alrededor de Kiev. Esto deja los frentes soviéticos Sur y Sudoeste seriamente debilitados, y Odessa es ahora accesible sólo por mar. Los alemanes atrapan a unos 100.000 hombres y 317 tanques en la bolsa.

26-29 DE JULIO

POLÍTICA, GRAN
BRETAÑA/ESTADOS UNIDOS

Gran Bretaña y los Estados Unidos congelan los activos japoneses en sus países. Japón se venga haciendo lo mismo contra ambas naciones. Los Países Bajos congelan los activos japoneses en las Indias Orientales Holandesas, el día 29. Como consecuencia, Japón pierde buena parte de su comercio exterior.

31 DE JULIO

POLÍTICA, *ALEMANIA*

Reinhard Heydrich, jefe de seguridad de

▶ *El general Heinz Guderian, el talentoso táctico de la guerra blindada, pasando revista a sus hombres en el Frente Oriental.*

Alemania y cabeza de la policía secreta SS, recibe órdenes de empezar a idear un plan para la completa destrucción de los judíos, el cual se conocerá como la «Solución Final». Heydrich se convertirá en el infame administrador del aparato del estado que persigue y asesina a millones de personas.

ÁFRICA, *LIBIA*

El general Ludwig Cruewell toma el mando del *Afrika Korps*, y el general Erwin Rommel se hace cargo del *Panzergruppe Afrika* (una unidad de infantería y dos divisiones panzer).

1 DE AGOSTO

POLÍTICA, *ESTADOS UNIDOS*

Los Estados Unidos prohíben la exportación de petróleo, excepto al Imperio Británico y a los estados americanos. Japón, que depende completamente de la importación de petróleo, se ve gravemente afectada por esta medida, y tiene que elegir entre cambiar su política exterior o apoderarse del petróleo por la fuerza.

5 DE AGOSTO

POLÍTICA, *FRANCIA DE VICHY*

El almirante Jean François Darlan asume la responsabilidad del norte de África controlado por Vichy.

FRENTE ORIENTAL, *UCRANIA*

Fuerzas rumanas y alemanas comienzan un asedio de 73 días sobre Odessa. El alto mando soviético envía refuerzos para intentar ayudar desde una línea en el banco oriental del río Dnieper. Mientras tanto, las tropas entretienen a los alemanes en el

banco occidental, mientras los recursos industriales se destruyen o se retiran a los montes Urales, a donde se está mudando la industria soviética.

6 DE AGOSTO

POLÍTICA, *POLONIA*

El teniente general Wladyslaw Anders es señalado para formar un ejército polaco en la Unión Soviética. Anders formará un ejército con el tiempo, pero carecerá de los suministros para la lucha, mientras los soviéticos no permitan a los polacos servir en el Frente Oriental.

12 DE AGOSTO

POLÍTICA, *ALEMANIA*

La Directiva Nº 34 de Adolf Hitler plantea modificaciones a la Operación Barbarroja, siendo detenido el avance sobre Moscú, mientras que se reanuda el avance sobre Leningrado. Los campos de trigo y las industrias del sur de Ucrania se han convertido también en una prioridad mayor que la capital soviética.

ÁFRICA, *LIBIA*

Tropas australianas, a petición de su gobierno, abandona Tobruk; 6.000 polacos las relevan.

14 DE AGOSTO

POLÍTICA, *GRAN
BRETAÑA/ESTADOS UNIDOS*

Una reunión entre Winston Churchill y Franklin D. Roosevelt, en Canadá, da lugar a la Carta Atlántica. Ésta impone políticas liberales que articulan sus intenciones

de no adquirir ningún territorio ni variar fronteras nacionales sin el apoyo de las poblaciones afectadas. Los pueblos deben tener también la garantía de la autodeterminación, con respecto a cómo son gobernados, y se debe dar un acceso equitativo a los recursos económicos. Los Estados Unidos garantizan también en secreto defender cualquier posesión británica, e iniciar patrullas de busca y destrucción que apoyen a los convoyes del Atlántico.

18 DE AGOSTO

FRENTE ORIENTAL, *UCRANIA*

Las fuerzas soviéticas en Ucrania comienzan a retroceder a través del río Dnieper, estratégicamente importante, para formar una línea defensiva más al norte (el Frente de Bryansk), dejando al 35º Ejército en Kiev.

Hitler planea bloquear y después destruir al grueso del Ejército Rojo antes de que se retire a través del Dnieper. Para conseguir esto, los alemanes tienen que llevar a cabo amplias maniobras de envolvimiento, para atrapar a las unidades soviéticas. Este movimiento, sin embargo, abre grandes huecos a través de los cuales las tropas del Ejército Rojo pueden escapar hacia el este.

▶ *Fuerzas británicas penetran en Irán, para proteger los suministros de petróleo del país.*

21 DE AGOSTO

LA GUERRA MARÍTIMA, *ÁRTICO*

El primer convoy de prueba de Gran Bretaña a la Unión Soviética transporta suministros vitales al puerto ruso de Arkangel. El convoy ártico llega a su destino el día 31.

23 DE AGOSTO

FRENTE ORIENTAL, *UCRANIA*

El 2º Grupo Panzer alemán, junto con el 2º Grupo de Ejércitos, ataca al sur, con el objetivo de trabar contacto con el Grupo de Ejércitos Sur, al este de Kiev.

25 DE AGOSTO

ORIENTE MEDIO, *IRÁN*

Fuerzas soviéticas y británicas comienzan a ocupar Irán, ante el temor de que los alemanes estén operando en el país. Las fuerzas aliadas se apoderan de instalaciones petrolíferas vitales, encontrando poca resistencia.

30 DE AGOSTO

FRENTE ORIENTAL, *UCRANIA*

La Unión Soviética lanza un contraataque al norte de Kiev con el 21º Ejército, pero

resulta fallido y es derrotado por el 2º Grupo *Panzer*.

1 DE SEPTIEMBRE

FRENTE ORIENTAL, *BÁLTICO*

Las fuerzas alemanas cerca de Leningrado tienen ahora la ciudad a tiro. Pronto se cortan los accesos por ferrocarril y carretera, y comienza un asedio encarnizado, que durará hasta principios de 1944. Leningrado es un centro industrial clave usado por la Flota Báltica Soviética, lo cual amenaza potencialmente los envíos de mineral de hierro sueco a Alemania.

3 DE SEPTIEMBRE

SOLUCIÓN FINAL, *POLONIA*

Se llevan a cabo experimentos usando cámaras de gas con *Zyklon-B* para matar a los judíos y a otras personas consideradas indeseables por los nazis, en el campo de concentración de Auschwitz, Polonia. Los experimentos son considerados un éxito por Alemania, y llevarán al uso generalizado del gas.

4 DE SEPTIEMBRE

LA GUERRA MARÍTIMA, *ATLÁNTICO*

Un *U-Boot* confunde al destructor estadounidense *Greer* con un barco británico, y lo ataca. Esto es presentado como un acto de agresión, y los barcos estadounidenses reciben órdenes de «disparar inmediatamente» en aguas esenciales para la defensa nacional.

6 DE SEPTIEMBRE

SOLUCIÓN FINAL, *ALEMANIA*

Se refuerzan las restricciones a los judíos,

◀ *El crucero británico* Sheffield, *navegando junto con un convoy de barcos mercantes en el Ártico, transportando suministros vitales a la Unión Soviética.*

6-15 DE OCTUBRE

FRENTE ORIENTAL, *UCRANIA*

El 2º Ejército alemán y el 2º Ejército *Panzer* rodean a tres ejércitos soviéticos al norte y al sur de Bryansk, el día 6. Las fuerzas soviéticas comienzan a evacuar a 35.000 hombres por mar, desde el puerto sitiado de Odessa, el día 15.

7-20 DE OCTUBRE

FRENTE ORIENTAL, *UNIÓN SOVIÉTICA*

Después de una lucha feroz, seis ejércitos soviéticos son rodeados alrededor de Vyazma, hacia el día 14. Las fuerzas alemanas en otros lugares cubren grandes distancias, pero la llegada de fuertes lluvias el día 8 limita seriamente su movilidad, ya que las carreteras a Moscú se convierten en cenagales. Hasta el día 20, el 2º Ejército *Panzer* tiene también que reducir la bolsa de Bryansk. Los envolvimientos en Vyazma y Bryansk atrapan a 673.000 soldados y 1.242 tanques, pero también mantienen ocupadas a las fuerzas avanzadas, dando tiempo al Ejército Rojo para establecer nuevas posiciones defensivas.

16 DE OCTUBRE

POLÍTICA, *JAPÓN*

El general Hideki Tojo, ministro de defensa y líder de la facción mi-

◀ *El líder japonés de la guerra, el general Hideki Tojo.*

con una orden que les obliga a llevar una insignia con la estrella de David. También se restringe su libertad de movimientos.

15 DE SEPTIEMBRE

FRENTE ORIENTAL, *UCRANIA*

El 2º Grupo *Panzer* de Guderian entra en contacto con el Grupo de Ejércitos Sur en Lokhvitsa, a 150 km al este de Kiev, atrapando a cuatro ejércitos soviéticos. Esto sella el destino del Frente Suroccidental Soviético y sus 500.000 hombres.

17-19 DE SEPTIEMBRE

FRENTE ORIENTAL, *UCRANIA*

Las fuerzas soviéticas inician una retirada hacia Kiev, habiendo sido retrasados en abandonar la ciudad por la insistencia de Stalin en retenerla. Este retraso permite a los alemanes cortar sus vías de escape. Los alemanes se apoderan de Kiev el día 19, matando o capturando a 665.000 hombres tras 40 días de sangriento combate. Esto sella el destino de la Ucrania occidental.

24 DE SEPTIEMBRE

LA GUERRA MARÍTIMA, *MEDITERRÁNEO*

El primer *U-Boot* entra en el Mediterráneo (la mitad de la fuerza completa de *U-Boote* estará operando allí más tarde, ese mismo año). El convoy de la Operación Halberd parte de Gibraltar con destino a Malta. Durante el viaje, de seis días, buques de guerra italianos intentan interceptar el convoy, pero un submarino italiano resulta hundido. Los británicos bombardean Pantellaria, una isla italiana situada entre Sicilia y Túnez.

29 DE SEPTIEMBRE

SOLUCIÓN FINAL, *UCRANIA*

Tropas nazis matan a 33.771 judíos en Kiev.

30 DE SEPTIEMBRE

FRENTE ORIENTAL, *UCRANIA*

El 1º Grupo *Panzer* comienza la ofensiva contra el sur de Ucrania desde los ríos Dnieper y Samara, y cortan inmediatamente una línea ferroviaria vital para los soviéticos. El avance hacia Rostov progresa detrás de tres ejércitos soviéticos. El 11º Ejército del general Erich von Manstein avanza entonces entre las dos fuerzas alemanas, para atrapar a 106.000 soldados soviéticos y 212 tanques, el 6 de octubre, en una clásica operación de envolvimiento. Una fuerza soviética, el debilitado 12º Ejército, se retira hacia el nordeste.

FRENTE ORIENTAL, UNIÓN SOVIÉTICA

La Operación Tifón, el ataque sobre Moscú, comienza oficialmente. Las 73 divisiones del Grupo de Ejércitos Centro alemán se enfrentan a 85 divisiones soviéticas, más 10 ó 15 en reserva. El 2º Grupo *Panzer* del general Heinz Guderian empuja hacia Bryansk y Orel. Dos días después, los Grupos *Panzer* 3º y 4º rodean a las fuerzas soviéticas alrededor de Vyazma.

litarista en Japón, sustituye al príncipe Fu-
mimaro Konoye, más moderado, como
primer ministro. Los intentos de Konoye
de satisfacer a la jerarquía militar a favor de
la guerra y alcanzar algún tipo de acuerdo
con los Estados Unidos han fracasado. Su
sucesor ejerce un control autoritario sobre
los ministerios de la Guerra y del Interior.

▲ *Mujeres combatientes marchan a través
de Moscú. Miles de mujeres soviéticas
ayudaron a defender la ciudad del ataque.*

▼ *La infantería soviética con sus trajes de
invierno. Las tropas alemanas carecían a
menudo de los atavíos necesarios para las
bajísimas temperaturas.*

Este cambio señala el ascenso político de
la facción probelicista en Japón, y es un
paso más hacia el conflicto con los Estados
Unidos y los aliados.

19 DE OCTUBRE

FRENTE ORIENTAL, *UNIÓN
SOVIÉTICA*
Josiv Stalin declara el estado de sitio en

Moscú. La Unión Soviética está ahora en proceso de lanzar una enorme operación defensiva. Están llegando refuerzos desde las regiones del norte y del sur, y una serie formidable de líneas defensivas están siendo construidas por los ciudadanos de Moscú, quienes también están preparados para luchar en ellas. El general Georgi Zhukov comanda el Frente del Oeste, responsable de defender Moscú.

A través de todo el Frente Oriental, los soviéticos están preparando fuertes posiciones defensivas y movilizando a toda la población para que apoye la guerra. La resistencia soviética es feroz, y las atrocidades se convierten en un lugar común en ambos bandos. Se destruyen recursos agrícolas e industriales si no se puede evitar que caigan en manos alemanas, una política deliberada de tierra quemada.

20-25 DE OCTUBRE

FRENTE ORIENTAL, *UNIÓN SOVIÉTICA*

Alemania detiene la Ofensiva Tifón original y establece objetivos más limitados, a causa del tiempo, cada vez peor, y de la resistencia soviética, cada vez más fuerte. La ofensiva sobre Ucrania ha retrasado el

avance sobre Moscú. Los alemanes corren para vencer al tiempo invernal y evitar la movilización soviética de hombres y material.

24 DE OCTUBRE

FRENTE ORIENTAL, *UCRANIA*

El 16º Ejército alemán entra en Jarkov, la cuarta ciudad más grande de la Unión So-

viética. A diferencia de lo sucedido en el sitio de Kiev, Josiv Stalin no ordena una costosa defensa de la ciudad. Los soldados soviéticos del Frente Sudoeste alrededor de Jarkov, mal equipados, escapan mediante un retroceso gradual.

31 DE OCTUBRE

LA GUERRA MARÍTIMA, *ATLÁNTICO*

El destructor estadounidense *Reuben James*, parte de un grupo de escolta que acompaña a un convoy británico, es hundido por un *U-Boot*, muriendo 100 personas.

1 DE NOVIEMBRE

FRENTE ORIENTAL, *UCRANIA*

Alemania lanza una ofensiva en Rostov, en la desembocadura del río Don. Las profundas y flexibles líneas defensivas del 9º Ejército soviético, junto con la temperatura invernal, impiden el envolvimiento. Un ataque frontal desde la costa, el día 17, es contrapesado por un ataque del 36º Ejército soviético al norte de la ciudad. Los ale-

▶ *Un motociclista alemán cubierto de lodo, en el Frente Oriental en el otoño de 1941.*

◀ *El portaaviones británico Ark Royal, el cual fue alcanzado por los torpedos y se hundió después de que se declarara un incendio.*

manes conquistan Rostov el día 21, pero los soviéticos la recuperan en el plazo de ocho días. El general Gerd von Rundstedt dimite entonces, después de haber contravenido las órdenes de Hitler sobre una retirada táctica de la ciudad.

6 DE NOVIEMBRE

POLÍTICA, *ESTADOS UNIDOS*

Se efectúa un crédito de 10.000 millones de dólares a la Unión Soviética por compras dentro de la Ley de Préstamo y Arriendo.

13 DE NOVIEMBRE

LA GUERRA MARÍTIMA, *MEDITERRÁNEO*

Dos *U-Boote* atacan a los portaaviones británicos *Argus* y *Ark Royal*, en camino hacia Gibraltar después de haber llevado cazas a Malta. El *Ark Royal* es gravemente dañado. El portaaviones navega has-

ta llegar a 40 km de Gibraltar, cuando se declara un fuego y el barco se hunde junto con 70 aviones.

15 DE NOVIEMBRE

FRENTE ORIENTAL, *UNIÓN SOVIÉTICA*

El número, la movilidad, la moral y el apoyo logístico de las fuerzas alemanas en el Frente Oriental se ven seriamente afectados por el feroz clima invernal. Hacia el 27, la vanguardia blindada se encuentra a sólo 30 km de Moscú, pero la segunda fase del avance es detenida rápidamente por los contraataques soviéticos y las heladas temperaturas. Las tropas del Ejército Rojo, muchas de ellas reequipadas con el magnífico tanque *T-34* y los lanzacohetes *Katyusha*, están también adecuadamente vestidas para las operaciones de invierno. Son reforzadas por voluntarios partisanos, cuyo odio hacia el enemigo es acrecentado por las atrocidades nazis contra los civiles soviéticos.

18-26 DE NOVIEMBRE

ÁFRICA, *LIBIA*

El 8º Ejército británico en Egipto, a las órdenes del general Sir Alan Cunningham, lanza la Operación Crusader, para liberar Tobruk atacando en Cirenaica. Los tanques ligeros británicos sufren serias pérdidas (exacerbadas por defectos técnicos y tácticos) en varios combates con los alemanes alrededor de Sidi Rezegh, al sudeste de Tobruk, desde el día 19 hasta el 23. El día

▲ *Cazas Zero japoneses despegan del portaaviones Akagi, para escoltar a los bombarderos con destino a Pearl Harbor, la base naval estadounidense.*

▼ *Tropas sudafricanas usan una granada para hacer salir a los alemanes de un edificio, durante la Operación Crusader, el intento de liberar Tobruk, en el norte de África.*

22, la guarnición de Tobruk ataca a las unidades italianas que la asedian, para unirse al 8º Ejército que avanza en su ayuda. El general Erwin Rommel ataca entonces al flanco aliado, pero sufre graves pérdidas. Finalmente se retira, aliviando la presión sobre Tobruk, aunque la lucha continúa. El día 26, el general Neil Ritchie releva a Cunningham.

26 DE NOVIEMBRE

LA GUERRA MARÍTIMA, *PACÍFICO*

La Primera Flota Japonesa, formada por seis portaaviones, dos acorazados, tres cruceros, nueve destructores, tres submarinos y ocho petroleros, parte de las islas Kurile en una misión para destrozar la Flota del Pacífico estadounidense en Pearl Harbor, Hawaii. La fuerza de portaaviones, a las órdenes del almirante Chuichi

Nagumo, avanza 5.500 km y no es detectada, ya que mantiene un estricto secreto y no hace uso de la radio. Los objetivos de guerra japoneses son destrozar la potencia naval de los Estados Unidos en la región, su única amenaza verdadera, y después apoderarse de territorios en el Pacífico y el Lejano Oriente. Estableciendo su «Esfera de Prosperidad de la Gran Asia Oriental», podrían obtener sus recursos económicos y establecer un perímetro defensivo para repeler los ataques.

Una serie de encuentros diplomáticos entre oficiales japoneses y estadounidenses han resultado infructuosos, y la guerra parece inevitable. Los Estados Unidos creen erróneamente que Japón lanzará su primera ofensiva contra las Filipinas, Borneo o la península malaya, no se cree que Hawaii sea un objetivo probable. Japón, por lo tanto, cogerá totalmente por sorpresa a la Flota del Pacífico, cuando sus fuerzas ataquen la base naval.

27-28 DE NOVIEMBRE

ÁFRICA, *ETIOPÍA*

Tras un ataque aliado sobre la ciudad de Gondar, al noroeste de Etiopía, el general Nasi, el comandante italiano local, ordena la rendición de 20.000 soldados. La liberación de Etiopía por los aliados es completa.

20 DE NOVIEMBRE

LA GUERRA MARÍTIMA, *ATLÁNTICO*

Un bombardero británico lleva a cabo el primer ataque con éxito usando el radar que detecta a los barcos en la superficie, hundiendo al *U-206* en el golfo de Vizcaya.

6 DE DICIEMBRE

POLÍTICA, *GRAN BRETAÑA*

Gran Bretaña declara la guerra a Finlandia, Hungría y Rumanía.

7 DE DICIEMBRE

LA GUERRA AÉREA, *PACÍFICO*

Una fuerza japonesa de seis portaaviones lanza dos ataques sobre la Flota del Pacífico estadounidense en Pearl Harbor, en la isla Oahu, Hawaii. Unos

▼ *Buques de guerra estadounidenses, en llamas tras el ataque aéreo sorpresa de los japoneses sobre Pearl Harbor, en la isla Oahu, Hawai en diciembre de 1941.*

▲ *El presidente Franklin D. Roosevelt se dirige al Congreso de los Estados Unidos y solicita la declaración de guerra contra Japón, en 1941.*

▲ *Miles de soldados alemanes perecieron en el Frente Oriental cuando llegó el invierno y la resistencia soviética se endureció, a finales de 1941. Morirían muchos más durante la guerra de Hitler contra la Unión Soviética.*

▼ *Una columna de suministros alemana aplastada por los soviéticos. Los problemas de suministro se hicieron críticos con la llegada del invierno.*

183 aviones japoneses destruyen seis acorazados y 188 aviones, daña o hunde otros diez barcos, y mata a 2.000 militares. Los japoneses pierden 29 aviones. Se pierden cinco submarinos enanos durante un fallido ataque bajo el agua. Un tercer ataque, planeado para destruir totalmente el puerto y las reservas petrolíferas, no se emprende por miedo a que los valiosos portaaviones japoneses sean atacados por lo que queda de la Flota del Pacífico. Japón

declara entonces la guerra a los Estados Unidos y la *Commonwealth* británica.

Pese a las informaciones recibidas por los aliados procedentes de operaciones de desciframiento de claves, fuentes diplomáticas y otras advertencias, el ataque es una sorpresa táctica. Se critica duramente el fracaso en tomar las precauciones adecuadas en la base, exacerbado por fallos en la cooperación entre las diferentes fuerzas. Pese al éxito del ataque, los portaaviones de la Flo-

▶ *Soldados australianos en Tobruk buscan refugio en una cueva, durante uno de los frecuentes ataques aéreos sobre la sitiada guarnición.*

ta del Pacífico están en el mar y por tanto sobreviven, mientras que la propia flota se repara rápidamente. En los Estados Unidos el ataque se considera un escándalo, y hay un apoyo popular a declarar la guerra.

8 DE DICIEMBRE

FRENTE ORIENTAL, *UNIÓN SOVIÉTICA*

Adolf Hitler aprueba de mala gana emitir la Directiva Nº 39, que suspende el avance sobre Moscú mientras dure el invierno. El Grupo de Ejércitos Centro comienza a retroceder a posiciones menos desprotegidas, hacia el oeste, para el enojo de Hitler.

POLÍTICA, *ALIADOS*

Los Estados Unidos, Gran Bretaña, Australia, Nueva Zelanda, Holanda, la Francia Libre, varios estados sudamericanos y Yugoslavia declaran la guerra a Japón en respuesta a Pearl Harbor. China declara la guerra a los estados del Eje.

ÁFRICA, *LIBIA*

El general Erwin Rommel decide finalmente retirar sus unidades, muy debilitadas, de los alrededores de Tobruk. Retrocede a Gazala, el día 11, y se dirige después a El Aghelia, el 16. La operación naval para apoyar a Tobruk, que termina finalmente el día 10, ha evacuado a 34.000 soldados, 7.000 bajas y 7.000 prisioneros. Se han entregado 34.000 toneladas de suministros. Unos 27 barcos aliados han sido hundidos.

▶ *Tropas británicas y de la*
Commonwealth *ocupan posiciones*
defensivas alrededor del perímetro del
puerto clave de Tobruk. La guarnición
asediada fue relevada finalmente en
diciembre de 1941, después de que
retrocedieran las fuerzas del Eje del
general Rommel.

PACÍFICO, *FILIPINAS*

Ataques aéreos japoneses destruyen cien
aviones estadounidenses en Clark Field,
mientras que una pequeña fuerza aterriza
en la isla de Luzón para construir un campo de aviación. El general Douglas Mac-
Arthur, comandando una fuerza de
130.000 soldados americanos y filipinos
en las Filipinas, pretendía que los aviones
estadounidenses atacaran a la fuerza invasora japonesa, ya que sus tropas no eran ca-

▼ *Motociclistas del* **Afrika Korps**
atraviesan el desierto a gran velocidad.
Las fuerzas alemanas intentaban expulsar
a las fuerzas británicas y de la
Commonwealth *de Libia, y atacar*
entonces Egipto.

▲ *Tropas estadounidenses en las Filipinas se preparan para enfrentarse a los invasores japoneses que desembarcaron en las islas en diciembre de 1941.*

◄ *Una familia filipina huye de su hogar después del bombardeo japonés. Miles de civiles resultaron afectados por la lucha en las islas.*

paces de impedir el aterrizaje. El día 10, Luzón es invadida y la isla de Guam cae rápidamente. Las fuerzas japonesas atacan también la isla de Wake, y la conquistan el día 24, después de dos intentos de invasión.

ORIENTE MEDIO, *HONG KONG*

La 38ª División japonesa ataca a la guarnición de Hong Kong, de 12.000 hombres. Después de que la guarnición rechace la petición de rendición de los japoneses, el día 13, se enfrenta a un intenso ataque

▲ *Tropas japonesas llegan a tierra vadeando, durante la invasión de la península malaya.*

seguido por asaltos anfibios. Hong Kong se rinde finalmente el día 25.

LEJANO ORIENTE,
MALASIA/TAILANDIA

Una fuerza japonesa de 100.000 hombres (las Divisiones 5ª y 18ª), a las órdenes del general Tomoyuki Yamashita, comienza a desembarcar en la costa nordeste de Malasia y en Tailandia, tras unos ataques aéreos iniciales. Las unidades japonesas se dirigen rápidamente hacia el sur, a ambos lados de la península malaya. Las fuerzas británicas se hallan estacionadas principalmente en el sur, habiéndose anticipado a un ataque cerca de Singapur. La aviación japonesa destruye pronto a la mayoría de los aviones británicos. Los británicos se resisten a trasladarse a la neutral Tailandia, antes de que un ataque japonés permita al general Yamashita completar su desembarco. Las fuerzas británicas avanzan finalmente sobre Tailandia el día 10, pero no pueden detener la invasión japonesa. Las tropas japonesas, experimentadas y bien equipadas, continúan empujando hacia el sur, muchas de ellas en bicicleta.

10 DE DICIEMBRE

LA GUERRA MARÍTIMA, *LEJANO ORIENTE*

Unos 90 aviones japoneses hunden al acorazado británico *Prince of Wales* y al crucero de batalla *Repulse*, cuando intentaban interceptar a los buques de guerra japoneses frente a Malasia. El ataque se lleva 730 vidas y deja a los aliados sin un solo acorazado en el escenario.

11 DE DICIEMBRE

POLÍTICA, *EJE*

Alemania e Italia declaran la guerra a los Estados Unidos. Los Estados Unidos, a su vez, declaran la guerra a los dos estados del

▲ Un soldado británico es conducido a cautividad por las tropas japonesas durante la invasión de Malasia, en diciembre de 1941.

▼ Soldados británicos preparan defensas en Hong Kong. Pese a tales medidas, la colonia fue aplastada rápidamente.

Eje. Rumanía declara la guerra a los Estados Unidos, el día 12. La declaración de guerra alemana confirma la participación de los Estados Unidos en la guerra europea.

13 DE DICIEMBRE

LA GUERRA MARÍTIMA, *MEDITERRÁNEO*

Tres destructores británicos y uno holandés hunden a los cruceros rápidos italianos *Alberico da Barbiano* y *Alberto di Giussano*, frente a Sicilia. Los buques de guerra italianos transportaban combustible al norte de África, y el ataque acaba con 900 vidas. Frente a Messina, el submarino británico *Urge* hunde dos barcos de transporte italianos y daña al acorazado *Vittorio Veneto*, que llevaba suministros a Libia.

14 DE DICIEMBRE

LA GUERRA MARÍTIMA, *ATLÁNTICO*

Un convoy británico de 32 barcos, incluyendo el portaaviones *Audacity*, parte de Gibraltar hacia Gran Bretaña. El *Audacity* es el primer portaaviones escolta británico utilizado para proveer de protección aérea constante a los convoyes aliados, interceptando a los bombarderos enemigos o a las «manadas de lobos» de *U-Boote*, cuando se encuentran fuera del ámbito operativo de los aviones estacionados en tierra. Durante el viaje, el convoy sufre ataques por parte de 12 *U-Boote*, pero destruye a cinco de

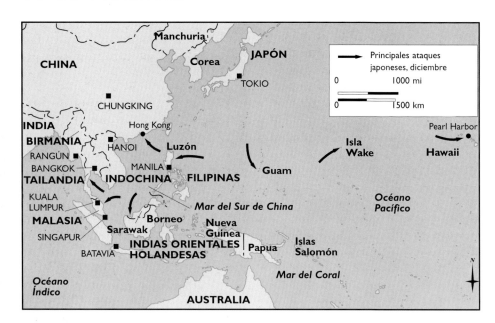

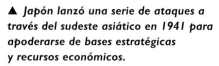
▲ *Japón lanzó una serie de ataques a través del sudeste asiático en 1941 para apoderarse de bases estratégicas y recursos económicos.*

ellos. El convoy pierde al *Audacity*, a un destructor y a dos barcos mercantes antes de llegar a Gran Bretaña, el día 23.

16 DE DICIEMBRE

LEJANO ORIENTE, *BORNEO*

La 19ª División japonesa realiza tres desembarcos en la costa de Borneo. Las fuerzas británicas y holandesas que defienden la isla incendian las instalaciones petrolíferas antes de retirarse.

17 DE DICIEMBRE

POLÍTICA, *ESTADOS UNIDOS*

El almirante Chester Nimitz sustituye al almirante Husband Kimmel como comandante de la Flota del Pacífico, después del ataque sobre Pearl Harbor del 7 de diciembre.

18-19 DE DICIEMBRE

LA GUERRA MARÍTIMA, *MEDITERRÁNEO*

La Fuerza K de la *Royal Navy*, operando desde Malta, cae sobre un campo de minas frente a Trípoli. El crucero *Neptune* y el destructor *Kandahar* son hundidos, mientras que los dos cruceros restantes resultan dañados. El ataque de un torpedo humano italiano contra la Flota Mediterránea Británica en Alejandría, Egipto, hunde a los acorazados *Queen Elizabeth* y *Valiant*. No

obstante, ambos barcos se hunden en vertical en aguas poco profundas, y más tarde son reparados. Sin embargo, su pérdida reduce fuertemente el poderío naval británico en el Mediterráneo.

El torpedo humano, un submarino enano conducido por dos operarios, es diseñado para penetrar en puertos defendidos y chocar su cabeza explosiva contra el casco de un barco. Los británicos desarrollan rápidamente su propia versión, denominada *Chariot*.

▲ *«Torpedo humano» italiano. Utilizados con grandes resultados contra los barcos británicos en el Mediterráneo.*

▶ *Los convoyes aliados se volvieron cada vez más vulnerables, cuando las fuerzas navales se vieron seriamente desperdigadas y las pérdidas aumentaron.*

▼ *El acorazado británico* Queen Elizabeth, *hundido por un «torpedo humano» italiano en Egipto.*

▲ *Adolf Hitler (centro) discute la estrategia con el mariscal de campo Walther von Brauchitsch (izquierda) y el general Franz Halder (derecha).*

19 DE DICIEMBRE

POLÍTICA, *ALEMANIA*

Adolf Hitler se nombra a sí mismo comandante en jefe del ejército, tras la dimisión del mariscal de campo Walter von Brauchitsch, el día 7. Brauchitsch dimitió tras sufrir un ataque al corazón, provocado por la tensión a causa de los contraataques soviéticos. Ya estaba bajo presión para que dimitiera. Su autoridad había sido cada vez más socavada por los planes estratégicos de Hitler.

Hitler consigue mantener a los ejércitos del Frente Oriental en posiciones defensivas durante el invierno. Desarrolla un creciente escepticismo hacia la competencia de sus comandantes. Paralelamente se amplían las *Waffen SS,* consideradas por Hitler como tropas de confianza.

POLÍTICA, *ESTADOS UNIDOS*

Una enmienda a la Ley de Reclutamiento Selectivo obliga a todos los hombres entre 18 y 64 años a inscribirse, y a los hombres entre 20 y 44 años a estar sujetos al reclutamiento.

20-26 DE DICIEMBRE

POLÍTICA, *ESTADOS UNIDOS*

El almirante Ernest King se convierte en el jefe de las operaciones navales.

PACÍFICO, *FILIPINAS*

Fuerzas japonesas invaden Mindanao, la isla más al sur, y Jolo. Las islas ofrecen a Japón la oportunidad de establecer bases aéreas y navales. La importante invasión de Luzón comienza el día 22. El general Douglas MacArthur decide no defender Manila, la capital, pero la declara ciudad abierta con el fin de retirar sus fuerzas hacia el oeste, a la península de Batán.

22 DE DICIEMBRE

POLÍTICA, *ALIADOS*

El presidente estadounidense Franklin D. Roosevelt y el primer ministro británico Winston Churchill se reúnen en la Conferencia de Arcadia, en Washington. Las conversaciones entre las respectivas delegaciones

▶ *Reclutas afroamericanos, de servicio con el ejército de los Estados Unidos.*

▲ *Manila, la capital filipina, justo después de ser abandonada por las fuerzas filipinas y estadounidenses.*

EL PRESIDENTE FRANKLIN D. ROOSEVELT

Franklin D. Roosevelt, presidente de los Estados Unidos entre 1933 y 1945, fue el único en ser elegido para tres mandatos. Se formó como abogado y después emprendió una carrera política en el Partido Demócrata, pese a estar inválido por la poliomelitis. La administración Roosevelt en tiempo de paz, que comenzó en 1932, se ganó el apoyo popular con su programa *New Deal*, cuyo propósito era verificar la reconstrucción económica y social durante la Gran Depresión de los años treinta.

Al estallar la guerra en 1939, trabajó para superar el aislacionismo americano y generar apoyo para la causa aliada. Fue el responsable de la transformación de los Estados Unidos en el «arsenal de democracia», expandiendo la capacidad económica de la nación para sustentar a los aliados con suministros de guerra, y además aumentó la capacidad militar de su país. Se realizaron acuerdos económicos con los estados aliados, mientras se imponían restricciones en el comercio con las potencias del Eje. Roosevelt también puso al país en una posición de guerra firme, con la legislación del servicio militar, que proveyó de efectivos a las fuerzas armadas.

Cuando Estados Unidos entró en la guerra en 1941, Roosevelt ignoró las críticas y tomó la decisión clave de mantener la estrategia de «Alemania primero», en lugar de dedicar un mayor esfuerzo a vencer a Japón. También tomó la decisión crucial de exigir la rendición incondicional de Japón y Alemania. Roosevelt también rechazó las sugerencias de los comandantes estadounidenses de invadir Europa en 1942, y siguió los planes británicos de atacar primero África del Norte, Sicilia e Italia.

Roosevelt adoptó una postura conciliadora con los aliados, impulsando la diplomacia entre Gran Bretaña y la Unión Soviética para vencer la desconfianza que existía entre estos dos estados políticamente divergentes. Murió el 12 de abril de 1945, tres semanas antes del fin de la guerra en Europa.

políticas y militares reafirman la prioridad estratégica de atacar primero a Alemania, y establece un Estado Mayor combinado para dirigir la acción militar aliada. Acuerdan también acumular fuerzas estadounidenses en Gran Bretaña, preparando la futura acción militar contra la Alemania nazi, y con el objetivo de continuar con los bombardeos aéreos sobre la Europa ocupada por los nazis.

26-28 DE DICIEMBRE

LA GUERRA MARÍTIMA, *MAR DEL NORTE*

Gran Bretaña lanza la Operación Archery, el ataque de un comando contra la isla de Lofoten, frente a Noruega. La primer fuerza de 260 hombres consigue destruir una planta de aceite de pescado.

El 27 de diciembre, un segundo desembarco por parte de otros 600 hombres ataca con éxito las plantas de aceite de pescado y las instalaciones de radio. Los ataques reafirman los temores de Hitler de que Gran Bretaña está planeando invadir toda Noruega.

1942

Las conquistas territoriales de Japón parecían señalar su triunfo sobre las potencias coloniales europeas en el Lejano Oriente. Los Estados Unidos encabezaban ahora la ofensiva y lograron victorias estratégicas cruciales en el mar sobre los japoneses. Éstas tuvieron serias repercusiones sobre la capacidad de Japón para mantener su poderío local y de ultramar. En África del Norte y en el Frente Oriental, las ofensivas del Eje, aunque al principio exitosas, fueron detenidas y después vencidas por contraataques aliados. El control marítimo continuó siendo un factor fundamental en la guerra.

I DE ENERO

POLÍTICA, *ALIADOS*

En la conferencia de Arcadia, en Washington, 26 países aliados firman la Declaración de las Naciones Unidas, comprometiéndose a seguir los principios de la Carta Atlántica. Estos incluyen un acuerdo para dirigir «todos sus recursos» contra las tres naciones del Eje, y para no firmar acuerdos o tratados de paz por separado. Éste es un avance clave para la formación de la Organización de las Naciones Unidas.

2-9 DE ENERO

PACÍFICO, *FILIPINAS*

Fuerzas estadounidenses y filipinas, a las órdenes del general Douglas MacArthur, preparan posiciones defensivas en la península de Batán y la isla del Corregidor, a la caída de Manila. MacArthur se da cuenta de que Japón es superior por aire y por mar. Sabe también que no se le enviarán refuerzos. Sus tropas emprenden una resistencia desesperada contra los ataques japoneses a través de la montañosa península, los cuales comienzan el día 9. Durante varios meses, los 80.000 soldados resistirán a los japoneses, pese a padecer enfermedades tropicales y a la escasez de suministros.

3 DE ENERO

POLÍTICA, *ALIADOS*

Tras la conferencia de Arcadia, el general británico Sir Archibald Wavell se hace cargo del nuevo mando conjunto americano, británico, holandés y australiano (el ABDA). Es el responsable de ocupar el sudoeste del Pacífico. El líder nacionalista chino Chiang Kai-shek es nombrado comandante en jefe de las fuerzas aliadas en su país.

5 DE ENERO

FRENTE ORIENTAL, *UNIÓN SOVIÉTICA*

Josiv Stalin ordena una ofensiva general contra los invasores alemanes, pese a las advertencias del general Georgi Zhukov, el comandante del Frente Occidental, de que la Unión Soviética carece de los recursos para un ataque en cuatro frentes (Le-

◄ *Un tanque japonés carga a través de una plantación filipina, como parte de la implacable ofensiva japonesa para conquistar las islas a los americanos.*

▲ *Chiang Kai-shek se hizo cargo de las fuerzas aliadas en China en enero de 1942.*

ningrado, Moscú, Ucrania y Crimea). Zhukov es partidario de un ataque concentrado contra el Grupo de Ejércitos Centro, que está amenazando Moscú. No obstante, la ofensiva general realiza inicialmente avances considerables y captura trenes, comida y

▼ *Tropas japonesas ocupan Kuala Lumpur, la capital de Malasia, tras la apresurada retirada de las fuerzas británicas de la ciudad.*

municiones. Las fuerzas alemanas ofrecen una dura resistencia y reciben órdenes de mantener sus posiciones. Establecen áreas defensivas («erizos») que frustran los ataques del Ejército Rojo.

5-12 DE ENERO

LEJANO ORIENTE, *MALASIA*

Después del reciente desembarco de tropas japonesas en la costa nororiental, fuerzas británicas, indias y australianas se retiran ahora hacia el sur, hacia Singapur, al ser incapaces de montar ninguna defensa significativa contra los japoneses. Los británicos han subestimado a los japoneses, que están bien entrenados y equipados. Kuala Lumpur, la capital, cae en manos japonesas el día 12.

9-21 DE ENERO

FRENTE ORIENTAL, *UNIÓN SOVIÉTICA*

Comienza la batalla de las Colinas Valdai, en el sector de Moscú. Durante los doce días de lucha, las tropas soviéticas logran una penetración de 120 km a través de las líneas alemanas, conquistando nueve ciudades entre Smolensk y el lago Ilmen.

10-11 DE ENERO

LEJANO ORIENTE, *INDIAS ORIENTALES HOLANDESAS*

Una fuerza japonesa, a las órdenes del general Tomoyuki Yamashita y el almirante Takahashi, empieza a atacar las Indias Orientales Holandesas para asegurar los re-

▶ *Un tanque japonés atraviesa un puente improvisado durante la invasión de Birmania.*

cursos petrolíferos de la cadena de islas. La Fuerza Oriental Japonesa desembarca en las Célebes y en Amboina antes de tomar Bali, Timor y Java oriental. La Fuerza Central desembarca en Tarakan y pretende tomar Borneo. La Fuerza Occidental parte de Indochina para atacar Sumatra y Java. Las tropas aliadas restantes en la región, bajo el mando conjunto ABDA, incluyendo a tropas locales de lealtad dudosa, intentan resistir la embestida japonesa.

12 DE ENERO

POLÍTICA, *YUGOSLAVIA*

El general Dusan Simovic dimite como primer ministro del gobierno yugoslavo en el exilio. El profesor Yovanovic le sustituye.

ÁFRICA, *LIBIA*

El general Erwin Rommel se aviene a un plan propuesto por sus oficiales para contraatacar a los aliados. La fuerza naval británica en el Mediterráneo ha quedado desgastada, permitiendo la llegada de nuevos suministros alemanes. Al mismo tiempo, las fuerzas aliadas han sufrido la partida de la 7ª Brigada Acorazada, además de la de dos divisiones australianas, que han sido enviadas al Lejano Oriente.

12-31 DE ENERO

LEJANO ORIENTE, *BIRMANIA*

Dos divisiones reforzadas del 15º Ejército japonés, además de apoyo aéreo, se trasladan hacia el noroeste, a Birmania, desde la vecina Tailandia. Un pequeño grupo, bajo

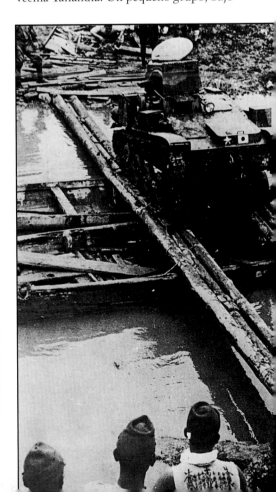

el mando del nacionalista birmano Aung Sang, apoya a Japón y alienta las sublevaciones. Tropas británicas, birmanas e indias, alrededor de la ciudad de Moulmein, combaten sin éxito contra los invasores y retroceden. Ya en el mes anterior los japoneses han tomado una base aérea clave en el

▼ *Las ofensivas japonesas para conquistar Birmania hicieron retroceder a los aliados a las fronteras india y china, en mayo de 1942.*

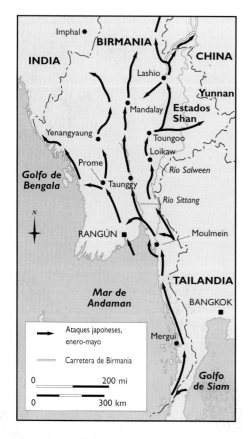

sur, en Mergui, formando parte de la ruta aérea entre la India y Malasia, que ahora han bloqueado. Estos aeródromos se utilizan para misiones de bombardeo. Birmania posee la única ruta de suministros viable para apoyar la lucha de China contra Japón. La posesión aliada de Birmania también mantiene a la región nordeste de la India segura contra los ataques.

13 DE ENERO

POLÍTICA, *ALIADOS*
En una reunión en Londres, los aliados acuerdan castigar a los líderes del Eje responsables de crímenes de guerra.

LA GUERRA MARÍTIMA, *ATLÁNTICO*
Los *U-Boote* alemanes lanzan ataques, bajo el nombre clave de Operación Redoble de Tambor, contra embarcaciones frente a la costa este de los Estados Unidos. Aproximadamente 20 barcos son hundidos en el primer mes de operaciones, como resultado del fracaso de la Armada Estadounidense en tomar medidas antisubmarinas adecuadas, pese a las advertencias británicas. Los *U-Boote* comienzan la cacería en el Caribe el mes siguiente.

16-19 DE ENERO

POLÍTICA, *ALEMANIA*
El mariscal de campo Walther von Reichenau, comandante del Grupo de Ejércitos Sur alemán en el Frente Oriental, muere en un accidente aéreo. El mariscal de campo Fedor von Bock le sustituye el

▶ *El mariscal de campo Wilhelm von Leeb, uno de los comandantes a los que Adolf Hitler culpó de los fracasos en el Frente Oriental.*

▲ *Una francotiradora soviética en el Cáucaso. Las mujeres hicieron una valiosa contribución a la máquina de guerra soviética.*

día 19. Adolf Hitler destituye al mariscal de campo Wilhelm von Leeb y lo reemplaza por el general George von Küchler como comandante del Grupo de Ejércitos Norte. Desde diciembre, el *Führer* ha destituido a unos 30 altos oficiales, incluyendo a dos comandantes de grupos de ejércitos y otros dos de grupos *Panzer,* por no soportar sus constantes llamamientos a

▲ *Prisioneros de un campo de concentración reciben raciones de un oficial de las SS, en una fotografía de propaganda cuidadosamente montada.*

efectuar retiradas ante las ofensivas soviéticas.

POLÍTICA, *ESTADOS UNIDOS*

Donald Nelson se convierte en jefe del nuevo y centralizado Consejo de Producción de Guerra.

17 DE ENERO

ÁFRICA, *LIBIA*

La guarnición del Eje en Halfaya, sitiada desde la Operación Crusader británica, cae finalmente, y 5.500 alemanes e italianos son capturados.

LA GUERRA MARÍTIMA, *ÁRTICO*

Los *U-Boote* efectúan su primer ataque sobre un convoy aliado en el Ártico. El *U-454* hunde el destructor *Matabele* y un barco mercante del convoy *PQ-8*.

18-27 DE ENERO

FRENTE ORIENTAL, *UCRANIA*

Fuerzas soviéticas de los Frentes Sur y Sudoeste, a las órdenes del mariscal Semyon Timoshenko, emprenden un ataque para cruzar el río Donets y virar después hacia el sur en dirección al mar de Azov, con el fin de capturar a unidades de los 6º y 17º Ejércitos alemanes. Cruzan el río Donets el 24, pero el avance soviético es detenido el día 27.

20 DE ENERO

LA SOLUCIÓN FINAL, *ALEMANIA*

En la conferencia de Wannsee, en Berlín, el jefe de las SS, Reinhard Heydrich, da a conocer sus planes para la «Solución Final» al llamado «problema judío». Heydrich recibe permiso para empezar a deportar a todos los judíos de las zonas controladas por los alemanes a la Europa Oriental, donde se enfrentarán a trabajos forzosos o al exter-

minio. El asesinato de judíos en la Europa Oriental es ya algo común. La ejecución por fusilamiento, no obstante, está resultando ineficaz, y demasiado agotadora para las tropas ejecutoras. Una manera de matar más eficiente, mediante gas venenoso, será extendida muy pronto.

LA GUERRA MARÍTIMA, *PACÍFICO*

En la continua ofensiva japonesa contra las posesiones aliadas en el Lejano Oriente, cuatro portaaviones inician ataques aéreos en Rabaul, Nueva Bretaña (que pronto se convertirá en una importante base naval japonesa), y dos submarinos bombardean la isla de Midway. Buques de guerra estadounidenses y australianos hunden un submarino japonés frente a Darwin. Los japoneses llevan a cabo desembarcos anfibios en Borneo, Nueva Irlanda y las Salomón, el día 23.

21-29 DE ENERO

ÁFRICA, *LIBIA*

El general Erwin Rommel emprende su segunda ofensiva del desierto en África del Norte, trasladándose desde El Agheila a Agedabia, el día 22. El 8º Ejército británico es cogido de improviso y los alemanes sacan partido de ello haciéndolo retroceder. Bengasi cae el día 29.

LA CONFERENCIA DE WANNSEE

La conferencia secreta de Wannsee, en Berlín, supuso el comienzo oficial del programa nazi para exterminar al pueblo judío, que era visto como el enemigo racial de los «arios» germanos. La previa persecución y asesinato de judíos en la Europa ocupada por los nazis se transformó en una operación de gran eficacia. Los judíos europeos fueron reunidos sistemáticamente en campos de concentración en Europa Oriental, donde eran tratados como esclavos. Millones murieron por el maltrato, el agotamiento, las enfermedades y el hambre. En los campos de exterminio se usaron cámaras de gas para asesinar a miles de personas. Muchas otras consideradas «indeseables», como los gitanos, los enemigos políticos y los discapacitados mentales y físicos, compartieron el mismo destino.

Se hicieron diversos esfuerzos por salvar a los judíos. Algunos fueron ocultados o sacados a escondidas a naciones neutrales. Los países aliados estaban demasiado preocupados en su lucha contra Alemania para proporcionar un apoyo eficaz, aunque eran conscientes de lo que estaba pasando.

Los judíos que seguían en libertad pudieron unirse a grupos de resistencia en Europa. La deportación de judíos de sus guetos en Polonia hacia el exterminio llevó a varios levantamientos. En 1943, los judíos del gueto de Varsovia, escasamente armados, resistieron a los nazis durante cuatro meses. Todos los horrores del genocidio se conocieron cuando el primer campo de exterminio fue liberado en julio de 1944.

Unos seis millones de judíos fueron asesinados. Algunos responsables fueron juzgados por crímenes de guerra, pero miles de los que sirvieron como guardias durante la Solución Final escaparon a la justicia.

El aterrador aspecto de los cadáveres del campo de concentración de Buchenwald, donde murieron muchos miles de personas.

22 DE ENERO

FRENTE ORIENTAL, *UNIÓN SOVIÉTICA*

La ciudad sitiada de Leningrado evacua a 440.000 ciudadanos en 50 días. Miles de personas mueren de hambre, tifus y otras enfermedades, debido a los insuficientes suministros que llegan a la ciudad y a los bombardeos alemanes.

23-24 DE ENERO

PACÍFICO, *FILIPINAS*

Las fuerzas estadounidenses y filipinas en Batán comienzan a retroceder a una línea que se extiende desde Bagac, al este, hasta Orión, en el oeste.

LA GUERRA MARÍTIMA, *LEJANO ORIENTE*

En la batalla del Estrecho de Macasar, cuatro destructores estadounidenses, bombarderos holandeses y un submarino atacan a un convoy japonés frente a Borneo. Japón pierde cuatro barcos de transporte.

25 DE ENERO

POLÍTICA, *TAILANDIA*

El gobierno declara la guerra a Gran Bretaña y los Estados Unidos.

▲ **Combatientes del desierto del Afrika Korps alemán hacen uso de un camión capturado, durante la segunda ofensiva de Rommel contra el 8° Ejército británico.**

▼ **Tanques T-34, en Leningrado. Miles de personas fueron evacuadas para escapar de las penalidades de la ciudad sitiada.**

26 DE ENERO

FRENTE OCCIDENTAL, *GRAN BRETAÑA*

El primer convoy de tropas estadounidenses de la guerra llega a Gran Bretaña.

LA GUERRA MARÍTIMA, *LEJANO ORIENTE*

Varios buques de tropas japoneses, que se encuentran frente a Malasia, son atacados por 68 aviones británicos, de los cuales se pierden 13. Esa noche, los británicos incrementan sus ataques. El destructor

Thanet y el destructor australiano *Vampire* son hundidos mientras atacan al convoy japonés.

29 DE ENERO

POLÍTICA, *ESTADOS UNIDOS*

El comandante general Millard Harmon sucede al general Carl Spaatz como comandante general de la Fuerza Aérea de la Armada de los Estados Unidos. Spaatz se hace cargo del mando de combate de la Fuerza Áerea.

30 DE ENERO

LEJANO ORIENTE, *SINGAPUR*

Tropas británicas y de la *Commonwealth* en retirada cruzan el estrecho de Johore, que separa Singapur del continente, y destruyen parcialmente las vías de unión que los conectan. Abandonan el resto de la península malaya, donde unidades móviles japonesas les han burlado constantemente. Las defensas de Singapur están diseñadas para repeler un ataque naval. Sus grandes cañones no poseen la munición adecuada para bombardear fuerzas terrestres, ya que los británicos creen que una invasión por tierra no es posible a través de la densa jungla, aunque la RAF ha pedido más aviones para enfrentarse a un ataque terrestre desde el norte.

I DE FEBRERO

POLÍTICA, *NORUEGA*

El colaborador nazi Vidkun Quisling se convierte en primer ministro, aunque estará controlado por Berlín.

▲ *Tropas japonesas trepan cautelosamente una colina, durante su avance a Singapur. Los británicos quedaron asombrados de que los japoneses pudieran atravesar la densa jungla.*

▼ *Tropas filipinas se preparan para luchar junto con las fuerzas de EE. UU., en Batán.*

LA GUERRA MARÍTIMA, *ATLÁNTICO*

Alemania adopta un nuevo código de radio para las comunicaciones de los *U-Boote* en el Atlántico. Aunque los británicos son incapaces de descifrar la clave hasta finales de año, la detección de los *U-Boote* se hace más fácil gracias a la tecnología de reconocimiento fotográfico y de búsqueda por radio.

LA GUERRA MARÍTIMA, *PACÍFICO*

Los portaaviones de la Armada Estadounidense *Enterprise* y *Yorktown*, junto con los cruceros *Northampton* y *Salt Lake City*, atacan las islas Marshall y Gilbert.

4 DE FEBRERO

ÁFRICA, *LIBIA*

Las fuerzas del Eje han extendido demasiado sus líneas de comunicación, y se está fraguando un estancamiento en el desierto. Las fuerza aliadas establecen una línea fortificada desde Gazala, en la costa, hasta Bir Hacheim, más hacia el interior. Ambos bandos ponen a punto sus fuerzas para una nueva ofensiva.

LEJANO ORIENTE, *SINGAPUR*

Gran Bretaña rechaza las exigencias japonesas de que Singapur se rinda. Se están enviando refuerzos para ayudar a defender la base, que es considerada inexpugnable.

5 DE FEBRERO

POLÍTICA, *ESTADOS UNIDOS*

El gobierno de los Estados Unidos declara la guerra a Tailandia.

▶ *Soldados japoneses victoriosos celebran su conquista de Singapur. Los británicos habían subestimado totalmente la capacidad militar del ejército japonés.*

8 DE FEBRERO

POLÍTICA, *FILIPINAS*

El presidente filipino Manuel Quezón propone a los Estados Unidos la independencia de su país, la retirada tanto de las fuerzas japonesas como de las estadounidenses, y la disolución del propio ejército filipino. Los Estados Unidos rechazan la propuesta.

8-14 DE FEBRERO

LEJANO ORIENTE, *SINGAPUR*

Dos divisiones japonesas, respaldadas por bombardeo aéreo y de artillería, desembarcan en el noroeste de la isla, seguidas rápidamente por una tercera. Las reparaciones en las vías de unión de Johore permiten a los tanques y a 30.000 soldados avanzar, mientras los japoneses alcanzan la supremacía en el aire. Las órdenes confusas dan como resultado que los defensores realicen retiradas innecesarias a menudo, y se pierde buena parte del equipo. El teniente general Arthur Percival, el comandante de Singapur, es obligado a rendirse el 14 de febrero, cuando se corta el suministro de agua de los residentes de Singapur y la guarnición de 85.000 hombres. Japón tiene menos de 10.000 bajas en Malasia. Las fuerzas británicas y de la *Commonwealth* han perdido 138.000 hombres, y miles más morirán en cautiverio. La campaña es una de las mayores derrotas de Gran Bretaña.

10 DE FEBRERO

LA GUERRA MARÍTIMA, *ATLÁNTICO*

Gran Bretaña ofrece a los Estados Unidos 34 buques antisubmarinos con sus tripulaciones, para luchar contra los *U-Boote*.

11-12 DE FEBRERO

LA GUERRA MARÍTIMA, *MAR DEL NORTE*

Los cruceros de batalla alemanes *Gneisenau* y *Scharnhorst*, junto con el crucero pesado *Prinz Eugen*, apoyados por destructores y cobertura aérea, parten de Brest y atraviesan el canal de la Mancha. Los ataques de la RAF y la *Royal Navy* contra los barcos alemanes son fracasos totales, y 42 aviones son derribados. Durante la «Carrera del Canal», hacia el mar del Norte, ambos cruceros de batalla chocan con minas y necesitan reparaciones. Las operacio-

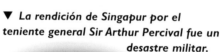

▼ *La rendición de Singapur por el teniente general Sir Arthur Percival fue un desastre militar.*

nes británicas para contener la amenaza son más fáciles mientras los barcos están en puerto. El *Gneisenau* tiene que ser reconstruido posteriormente después de ser alcanzado durante un ataque aéreo contra Kiel, el 26 de febrero, pero el proyecto no se completa antes de finalizar la guerra.

13 DE FEBRERO

POLÍTICA, *ALEMANIA*

Adolf Hitler renuncia por fin a la Operación León Marino, la invasión de Gran Bretaña.

14 DE FEBRERO

LA GUERRA AÉREA, *ALEMANIA*

Gran Bretaña emite la Orden de Bombardeo Zonal, la cual perfila los objetivos estratégicos del Comando de Bombarderos de la RAF. Los bombardeos tendrán ahora como objetivo destruir la resistencia psicológica del pueblo alemán, así como la industria de guerra del país. Los ataques aéreos se dirigirán ahora contra áreas residenciales, para desgastar la moral civil.

18-23 DE FEBRERO

LEJANO ORIENTE, *BIRMANIA*

Las tropas japonesas están en constante persecución de las fuerzas británicas.

En la batalla del Río Sittang, los británicos se retiran a través de único puente sobre el río, cuando las tropas japonesas cruzan por sorpresa por otro lugar. Los británicos vuelan rápidamente el puente, perdiendo buena parte de su equipo y habiendo cruzado sólo una porción de sus fuerzas; aquéllas que han quedado atrás tienen que usar botes. El río Sittang es el único obstáculo físico importante en el camino de las fuerzas japonesas que se dirigen a Rangún, la capital.

19 DE FEBRERO

POLÍTICA, *ESTADOS UNIDOS*

El prácticamente desconocido general Dwight D. Eisenhower se convierte en jefe de la División de Operaciones de Guerra del Estado Mayor General del ejército de los Estados Unidos. En este puesto se mostrará partidario de la intensificación de la Operación Bolero, el incremento de las fuerzas estadounidenses en Gran Bretaña, y presionará para la puesta en marcha de la

◀ *El general Dwight D. Eisenhower, quien se convirtió en una figura clave de la planificación estratégica de los Estados Unidos, y comandó los desembarcos norteafricanos de 1942.*

▼ *El crucero pesado alemán Prinz Eugen, uno de los corsarios que eludieron a los británicos y navegaron desde Francia hasta el mar del Norte.*

PERSONALIDADES CLAVE

EL MARISCAL DEL AIRE SIR ARTHUR HARRIS

Arthur Harris (1892-1984) sirvió como jefe del Estado Mayor del Aire (1940-1941) antes de hacerse cargo del Comando de Bombarderos, en 1942. Creía que los bombardeos de precisión eran ineficaces, y promovió los bombardeos masivos contra Alemania, además de asegurarse el apoyo del primer ministro Winston Churchill para aumentar el tamaño del Mando de Bombardeo. Así, enormes flotas de bombarderos saturaron regiones enteras con explosivos incendiarios, para destrozar tanto la industria como la moral pública.

La determinación y la inspiración mostradas por Harris animaron a sus pilotos a emprender peligrosas misiones de bombardeo. Los ataques aumentaron en intensidad, se llevaron a cabo más ataques nocturnos para impedir las arriesgadas misiones diurnas, y el reconocimiento fotográfico mejoró la precisión de los bombardeos. Pese a la iniciativa de Harris, sin embargo, todavía existen dudas sobre el éxito de su estrategia.

El impacto sobre los civiles y la economía alemana ha llevado a algunos a cuestionar la moralidad de la estrategia de «Bombardero» Harris. El propio Harris, no obstante, defendió su estrategia, alegando que salvó muchas vidas, al acortar la guerra.

Un bombardero británico **Halifax,** *en una misión sobre Alemania.*

Operación Sledgehammer, una invasión de Europa desde Gran Bretaña, a través del canal de la Mancha.

LA GUERRA MARÍTIMA, *LEJANO ORIENTE*

En la batalla del Estrecho de Lombok, al este de Bali, barcos holandeses y estadounidenses emprenden varias acciones contra los japoneses. Un crucero y un destructor holandeses son hundidos, mientras que un destructor japonés recibe daños.

LA GUERRA AÉREA, *AUSTRALIA*

Aparatos procedentes de un portaaviones y bombarderos con base en tierra japoneses atacan Darwin, en el norte de Australia. El ataque hunde o daña a 16 barcos, se lleva 172 vidas y provoca el pánico general.

RETAGUARDIA, *ESTADOS UNIDOS*

El presidente Franklin D. Roosevelt firma la Orden Ejecutiva 9.066, otorgando poderes al secretario de guerra para excluir a personas de las áreas militares. La ley se dirige a la población de origen japonés del país, que se enfrenta a una creciente hostilidad pública desde Pearl Harbor. El ejército estadounidense retira posteriormente a 11.000 de ellos de la costa del Pacífico para enviarlos a campamentos en Arkansas y Texas, por el

▲ *Escenas de devastación en Darwin, después de un ataque aéreo japonés sobre el puerto. Este ataque en el continente australiano trastornó a la población.*

tiempo que dure la guerra (hay temores de que puedan ayudar a un ataque japonés en la costa oeste, algo que muchos ven como una posibilidad real). No obstante, ni un solo japonés-americano es condenado por espiar para Tokio durante la guerra. Otros continuarán sirviendo en las fuerzas armadas estadounidenses, logrando muchas condecoraciones al valor.

20 DE FEBRERO

POLÍTICA, *FRANCIA DE VICHY*
Líderes políticos de la Tercera República son juzgados por la Corte Suprema de Vichy, acusados de ser responsables de la humillante derrota francesa de 1940. Los antiguos primeros ministros Léon Blum, Paul Reynaud y Edouard Daladier defienden sus expedientes con gran destreza. El juicio, que pronto se convierte en motivo de broma popular, nunca se completa.

22 DE FEBRERO

POLÍTICA, *GRAN BRETAÑA*
El mariscal del aire Sir Arthur Harris se hace cargo del Mando de Bombardeo.

23 DE FEBRERO

POLÍTICA, *ALIADOS*
Gran Bretaña, Australia, los Estados Unidos y Nueva Zelanda ratifican el Acuerdo de Asistencia Mutua.

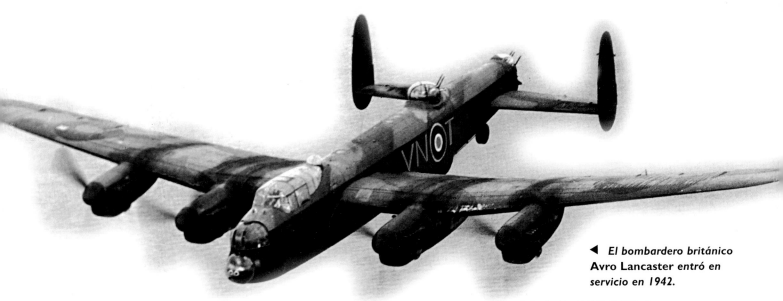

◀ *El bombardero británico Avro Lancaster entró en servicio en 1942.*

24 DE FEBRERO

LA GUERRA MARÍTIMA, *PACÍFICO*

El portaaviones estadounidense *Enterprise* lidera un comando combinado para atacar a los japoneses en la isla de Wake.

25 DE FEBRERO

POLÍTICA, *ALIADOS*

El ABDA es disuelto y su comandante, el general británico Sir Archibald Wavell, se convierte en comandante en jefe en la India.

RETAGUARDIA, *ESTADOS UNIDOS*

Una falsa alarma aérea en Los Ángeles provoca el desencadenamiento de una fuerte barrera antiaérea.

27-29 DE FEBRERO

LA GUERRA MARÍTIMA, *LEJANO ORIENTE*

Bajo el mando del Contraalmirante holandés Karel Doorman, cinco cruceros y nueve destructores de cuatro naciones aliadas combaten contra una fuerza japonesa de cuatro cruceros y 13 destructores, en el mar de Java. Después de un combate inicial sin resultado, los japoneses infligen graves pérdidas utilizando sus torpedos de largo alcance, más veloces. Cinco cruceros y cinco destructores aliados son hundidos. Doorman muere. Japón pierde dos barcos de transporte, un crucero es hundido, y seis destructores reciben daños.

28 DE FEBRERO

FRENTE OCCIDENTAL, *FRANCIA*

Un ataque de paracaidistas británicos destruye una estación de radar alemana en Bruneval, cerca de Le Havre. La fuerza escapa entonces por mar, con los equipos capturados.

1-7 DE MARZO

LA GUERRA MARÍTIMA, *LEJANO ORIENTE*

Dos unidades mixtas japonesas, incluyendo cuatro portaaviones, infligen serias pérdidas a los barcos aliados mientras navegan hacia Java, en las Indias Orientales Holandesas. Los japoneses rodean a los aliados y hunden nueve buques de guerra y 10 barcos mercantes, con fuego a corta distancia.

2 DE MARZO

POLÍTICA, *AUSTRALIA*

Todos los civiles adultos australianos se consideran aptos para el servicio en filas.

3 DE MARZO

LA GUERRA AÉREA, *ALEMANIA*

El bombardero británico *Lancaster* lleva a cabo su primera operación, dejando caer minas en la bahía de Heligoland, en el mar del Norte.

5 DE MARZO

POLÍTICA, *GRAN BRETAÑA*

El general Sir Alan Brooke sustituye al almirante Sir Dudley Pound como presidente del Comité del Estado Mayor General responsable del desarrollo diario de la guerra y de la planificación para el futuro. Gran Bretaña también amplía la edad de reclutamiento a varones entre los 41 y los 45 años.

5-7 DE MARZO

LEJANO ORIENTE, *BIRMANIA*

El teniente general Sir Harold Alexander

◀ *Tropas chinas cruzando el río Sittang durante la campaña para salvar su vital vía de suministros a través de Birmania.*

reemplaza al teniente general Thomas Hutton como comandante británico en Birmania. Dos divisiones británicas han estado intentando resistir a los avances japoneses hacia Rangún. Su puerto es el principal punto de entrada para los suministros y las tropas británicos. Alexander, no obstante, evacua Rangún al darse cuenta de que sus dispersas fuerzas no pueden ocuparla. Él mismo escapa por poco, antes de que los japoneses la tomen el día 7.

9 DE MARZO

POLÍTICA, *ESTADOS UNIDOS*

El almirante Harold Stark reemplaza al vicealmirante Robert Ghormley como comandante naval de los Estados Unidos en aguas europeas. El almirante Ernest King asume la posición de Stark como jefe de Operaciones Navales, el día 26.

LEJANO ORIENTE, *INDIAS ORIENTALES HOLANDESAS*

Japón toma posesión de su «Zona Sur de Recur-

sos» con la rendición de los combatientes aliados en las Indias Orientales Holandesas. La conquista de esta zona rica en recursos y de Malasia permite a Japón considerar ofensivas contra la India y Australia.

11 DE MARZO

PACÍFICO, *FILIPINAS*

El general Douglas MacArthur abandona su comando del Lejano Oriente para convertirse en el comandante en jefe de las fuerzas estadounidenses en Australia. Al partir, pronuncia su famoso «¡Volveré!».

LEJANO ORIENTE, *BIRMANIA*

El general estadounidense Joseph Stilwell asume el mando de los Ejércitos 5º y 6º chinos, en la provincia oriental de Shan y la ciudad de Mandalay. Su objetivo es proteger la ruta de Birmania a China. Las fuerzas terrestres aliadas cuentan con el apoyo de un escuadrón de la RAF y de hasta 30 aviones *Tigres Voladores*, pilotados por una fuerza voluntaria estadounidense. Se enfrentan a unos 200 aviones enemigos.

12 DE MARZO

PACÍFICO, *NUEVA CALEDONIA*

Fuerzas estadounidenses, incluyendo el primer despliegue de ingenieros *Seabee*, empiezan a establecer una base en Numea, en Nueva Caledonia, al sudoeste del Pacífico.

13-30 DE MARZO

LEJANO ORIENTE, *BIRMANIA*

El teniente general Sir Harold Alexander forma una línea aliada por debajo de las ciudades centrales de Prome, Toungoo y

◄ **El general Douglas MacArthur, el comandante estadounidense en las Filipinas, quien dirigió la defensa de las islas.**

Loikaw, cerca del río Salween, y continuando hacia el este. El comandante general William Slim asume el mando del Cuerpo de Birmania, las tropas principales de las fuerzas británicas en la zona, el 19 de marzo. Los ataques japoneses comienzan el 21, dirigidos contra la fuerzas chinas en Toungoo y las británicas en Prome.

14 DE MARZO

POLÍTICA, *AUSTRALIA*

Gran número de tropas estadounidenses comienzan a llegar a Australia.

22-23 DE MARZO

LA GUERRA MARÍTIMA, *MEDITERRÁNEO*

Una fuerza italiana superior combate a un convoy británico que navega desde Alejandría a Malta. Una escolta relativamente pequeña de cinco cruceros ligeros y 17 destructores resiste inicialmente un ataque liderado por el acorazado *Littorio*, en la batalla de Sirte. Una tormenta, sin embargo, da lugar a la pérdida de dos destructores italianos. El convoy se enfrenta posteriormente a ataques aéreos, y sólo llegan 5.000 toneladas de suministros, de las 25.000 originales. Las pérdidas navales y los compromisos británicos en el Mediterráneo han reducido el número de barcos disponibles para las escoltas de los convoyes.

27 DE MARZO

POLÍTICA, *GRAN BRETAÑA*

El almirante Sir James Somerville asume el mando de la Flota del Lejano Oriente en Ceilán (la actual Sri Lanka).

POLÍTICA, *AUSTRALIA*

El general australiano Sir Thomas Blamey se convierte en comandante en jefe de las fuerzas australianas y comandante de las

◄ *Tropas japonesas cruzan un puente ferroviario destruido, al entrar en Birmania desde la vecina Tailandia.*

fuerzas terrestres aliadas en Australia, bajo el mando supremo del general estadounidense Douglas MacArthur.

28-29 DE MARZO

LA GUERRA AÉREA, *ALEMANIA*
Bombarderos de la RAF, incluyendo al nuevo *Lancaster*, atacan Lübeck, en la costa báltica. El ataque sobre las históricas casas de madera de la ciudad señala un cambio en la estrategia del Mando de Bombardeo, que se concentra ahora en la población civil.

LA GUERRA MARÍTIMA, *GOLFO DE VIZCAYA*
El Mando de Operaciones Combinadas de Gran Bretaña lanzan una operación para destruir el dique seco de St. Nazaire, en Francia, con una fuerza de 611 hombres. El objetivo es impedir que el acorazado alemán *Tirpitz* (en ese momento, en Noruega) pueda utilizar el único dique lo suficientemente grande para permitirle emprender operaciones con el fin de destruir el comercio en el Atlántico. Un viejo destructor, el *Campbeltown*, es cargado con explosivos y destruye las puertas de las esclusas tras chocar contra ellas. Un comando ataca las instalaciones del puerto de St. Nazaire, pero mueren 144 hombres y unos 70 más son capturados.

29 DE MARZO

POLÍTICA, *GRAN BRETAÑA/INDIA*
Gran Bretaña anuncia su propósito de conceder a la India un status de semi-independencia cuando acabe la guerra.

2-8 DE ABRIL

LA GUERRA MARÍTIMA, *LEJANO ORIENTE*
La Primera Flota Aérea japonesa ataca las bases aéreas y navales británicas de Trincomalee y Colombo, en Ceilán. No consi-

gue alcanzar a la flota principal, sin embargo, la cual se encuentra en el mar. Un ataque aéreo británico contra la fuerza japonesa fracasa. En el plazo de unos días, la aviación japonesa destruye el portaaviones *Hermes*, dos cruceros pesados, un destructor australiano y varios barcos mercantes.

3-9 DE ABRIL

PACÍFICO, *FILIPINAS*
Japón lanza su ofensiva final sobre Batán, comenzando con bombardeos aéreos y de artillería. Penetran la línea estadounidense el día 4. El comandante general Jonathan Wainright, que está al mando de las fuerzas estadounidenses y filipinas, no puede montar un contraataque eficaz con sus diezmadas unidades. Después de la rendición del día 9, unos 78.000 soldados estadounidenses y filipinos son obligados a realizar una marcha de 100 km sin sustento, y siendo golpeados constantemente. Muchos mueren en el camino. Wainright escapa con 2.000 hombres a la isla del Corregidor, frente a Batán.

10-23 DE ABRIL

LEJANO ORIENTE, *BIRMANIA*
Japón inicia una ofensiva tras llegar los refuerzos. El teniente general William Slim

▲ *Tropas japonesas establecen el control en las Indias Orientales Holandesas, ricas en recursos tras su conquista.*

▼ *Tropas de los Estados Unidos capturadas por los japoneses tras la capitulación de las fuerzas estadounidenses y filipinas en Batán, Filipinas.*

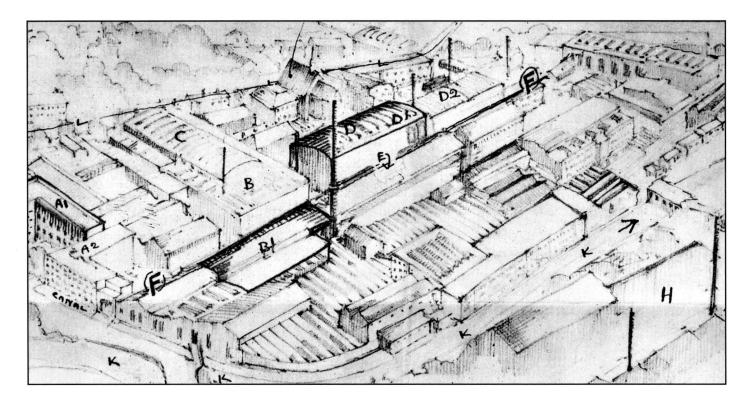

▲ *Un plano dibujado a mano de la fábrica de motores diesel de Augsburgo, preparado para los informes de la tripulación antes del ataque para destruirlo.*

▶ *James Doolittle, el piloto que dirigió el primer ataque aéreo estadounidense sobre Tokio, entrega condecoraciones a otros pilotos de la Fuerza Aérea del ejército de los Estados Unidos.*

no logra impedir que los japoneses avancen sobre los yacimientos petrolíferos de Yenangyaung, en el sur, y prende fuego a grandes cantidades de crudo. El 65º Ejército chino entra en Birmania para reforzar la vacilante defensa contra los japoneses. Alrededor de las ciudades centrales de Loikaw y Taunggyi, la 56ª División japonesa aplasta al 6º Ejército chino, el día 23.

17 DE ABRIL

LA GUERRA AÉREA, *ALEMANIA*
La RAF lanza uno de los ataques de bombarderos más arriesgados de la guerra, atacando una fábrica de motores diesel en Augsburgo. Siete de los 12 bombarderos *Lancaster* asignados al ataque diurno se pierden, y los otros cinco sufren daños.

18 DE ABRIL

POLÍTICA, *FRANCIA DE VICHY*
Pierre Laval vuelve a encabezar el gobierno; Henri-Philippe Pétain continúa como jefe de estado. Laval está impaciente por mejorar las relaciones franco-alemanas y so-

cava el acercamiento más vacilante abogado por Pétain.

LA GUERRA AÉREA, *JAPÓN*
El teniente coronel James Doolittle dirige a 16 bombarderos *B-25*, lanzados desde el portaaviones *Hornet*, en una arriesgada misión para golpear a objetivos en Japón, incluyendo la capital, Tokio. El daño infligido por el ataque diurno es menos importante que el impacto en los líderes japoneses, quienes se asustan porque la aviación estadounidense puede atacar en el corazón de su patria. Esto refuerza su decisión de buscar un combate decisivo para

destruir el poderío naval estadounidense en el Pacífico.

23 DE ABRIL

LA GUERRA MARÍTIMA, *ATLÁNTICO*
El primer submarino «vaca lechera» (el *U-459*) envía combustible y suministros a los *U-Boots* alemanes, los cuales no sufren por más tiempo la restricción de tener que volver a la base para reponer combustible.

24 DE ABRIL

LA GUERRA AÉREA, *GRAN BRETAÑA*
Alemania bombardea Exeter en el inicio

de una campaña aérea contra ciudades históricas, tras el ataque británico sobre Lübeck. Hitler ha ordenado ataques contra toda ciudad inglesa que figure en las famosas guías turísticas *Baedeker*.

29 DE ABRIL

LEJANO ORIENTE, *BIRMANIA*

Los japoneses cortan la carretera de Birmania después de sitiar la ciudad de Lashio, donde termina la ruta. Los nacionalistas chinos dependen ahora casi por completo del suministro aéreo. Los japoneses, que reciben refuerzos por el puerto de Rangún, ascienden por los valles de los ríos y planean rodear a los Aliados en la zona de Mandalay. Los aliados tendrán entonces que luchar dando la espalda al río Irawadi. El Cuerpo de Birmania pretende retroceder a la India, cuya defensa es la principal prioridad. Rápidos avances japoneses, sin embargo, obligan a los británicos a realizar una retirada apresurada (y potencialmente desastrosa), en lugar de un retroceso organizado.

30 DE ABRIL

POLÍTICA, *UNIÓN SOVIÉTICA*

El primer ministro Josiv Stalin declara que la URSS no tiene ambiciones territoriales, excepto arrebatar sus propios territorios perdidos a los nazis.

▲ **Un U-B**oot en puerto. Los submarinos de abastecimiento «vaca lechera» permitieron a los **U-B**oots recibir suministros en el mar, y por lo tanto operar durante largos periodos de tiempo lejos de la base.

▼ *El bombardeo alemán de Bath dañó a muchos hermosos edificios. Éste era uno de los objetivos de los «Ataques Baedeker» sobre ciudades británicas históricas.*

I DE MAYO

LEJANO ORIENTE, *BIRMANIA*

La ciudad de Mandalay cae en manos de los japoneses. Los aliados están ahora en retirada, con el 6º Ejército chino dirigiéndose a la provincia china de Yunnan. Unidades de los ejércitos 5º y 65º se retiran a Yunnan, en el norte de Birmania. El general Joseph Stilwell lidera un grupo de 100 hombres en un viaje de 600 km a Imphal, India. Las fuertes lluvias estorban la retirada aliada.

▲ *El general Joseph Stilwell (derecha), el comandante estadounidense de las fuerzas chinas, lidera a su equipo en un épico viaje desde Birmania hasta India, para escapar de las tropas japonesas en avance.*

RETAGUARDIA, *UNIÓN SOVIÉTICA*

Comienza una evacuación que durará seis meses, con el objetivo de trasladar a los ciudadanos sitiados de Leningrado a un lugar seguro, a través del lago Ladoga. Unas 448.700 personas son evacuadas de la ciudad.

2 DE MAYO

LA GUERRA MARÍTIMA, *PACÍFICO*

Japón despliega una gran fuerza de portaaviones para sorprender a la Flota del Pacífico estadounidense en el mar de Coral, como parte de su plan para establecer un mayor control en las islas Salomón. Un objetivo

▼ *Las fuerzas de la Armada Japonesa se reúnen para la batalla contra la Tropa del Pacífico estadounidense en el mar del Coral.*

▲ *El comandante general Jonathan Wainright anuncia por radio la rendición de las fuerzas estadounidenses y filipinas en Corregidor, Filipinas.*

clave es apoderarse de Port Moresby, en la isla del Pacífico Sudoriental de Papúa-Nueva Guinea, lo que facilitaría los ataques de bombarderos en Australia y ayudaría a cortar sus comunicaciones con los Estados Unidos. Los japoneses tienen una Fuerza de Ataque de Portaaviones que contiene los portaaviones *Shokaku* y *Zuikaku*, a las órdenes del vicealmirante Takeo Takagi. También tienen un Grupo de Apoyo que incluye al portaaviones *Shoho*, además de a cuatro cruceros pesados a las órdenes del contraalmirante Aritomo Goto. Cuentan también con el Grupo de Invasión de Port Moresby y una fuerza de respaldo. El desciframiento de claves permite al almirante Chester Nimitz, el comandante de la Flota del Pacífico de los Estados Unidos, preparar a sus fuerzas. Retrocede deliberadamente desde Tulagi, en las Salomón, antes de un ataque japonés, con el fin de reforzar su creencia de que sólo hay un portaaviones estadounidense operando en la zona.

▶ *Soldados de marina británicos se preparan para desembarcar en Madagascar, en el océano Índico.*

3 DE MAYO

LA GUERRA MARÍTIMA, *PACÍFICO*

El Grupo de Operaciones 17 del contraalmirante estadounidense Frank Fletcher, que incluye al portaaviones *Yorktown*, inflige daños a un destructor japonés, tres dragaminas y cinco aviones frente a Tulagi, durante el combate en el mar de Coral.

5-7 DE MAYO

ÁFRICA, *MADAGASCAR*

Gran Bretaña lanza la Operación Ironclad, la invasión de Madagascar, perteneciente a la Francia de Vichy, con un acorazado y dos portaaviones transportando a una fuerza de desembarco. La ocupación tiene la intención de impedir a las fuerzas del Eje el acceso a la isla. Vichy pierde un crucero mercante armado y un submarino. Un barco británico es minado. La base naval de Diego Suárez se rinde el día 7.

5-10 DE MAYO

PACÍFICO, *FILIPINAS*

Las fuerzas estadounidenses y filipinas en Corregidor se rinden finalmente, después de un desembarco japonés en la isla. Unos 12.495 soldados estadounidenses y filipinos (incluyendo a los comandantes generales Jonathan Wainright y Edward King) son capturados. La campaña de las Filipinas se ha llevado 140.000 vidas estadounidenses y filipinas, además de 4.000 japonesas.

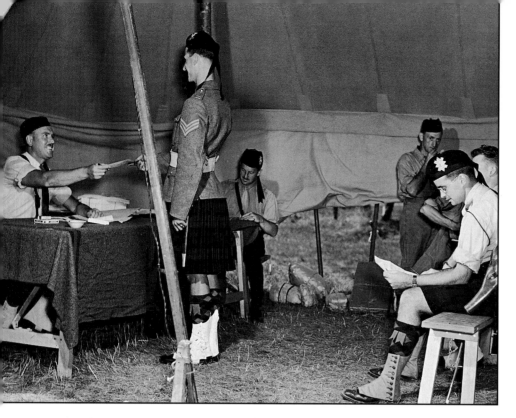

abierta lleva al grupo a regresar a su base de Rabaul, el día 7. Aviones japoneses hunden al destructor estadounidense *Sims*, y el petrolero *Neosho* es barrenado, al ser confundido con un portaaviones. Las fuerzas estadounidenses consiguen destrozar al *Shoho* y a 21 aviones que intentan combatir contra los portaaviones americanos.

8 DE MAYO

LA GUERRA MARÍTIMA, *PACÍFICO*

Aviones estadounidenses infligen daños en el *Shokaku*, mientras que las pérdidas de aviones del *Zuikaku* son muy serias, en la batalla del mar de Coral. La aviación japonesa golpea al *Lexington*, que más tarde explota, y dañan al *Yorktown*. Esta es la primera batalla de la historia que se disputa exclusivamente con la aviación de los portaaviones. La Armada Estadounidense pierde un portaaviones, pero las reparaciones al *Yorktown* son muy rápidas. Japón pierde un portaaviones más pequeño, mientras que los otros dos portaaviones del mar de Coral no estarán aptos para la acción en la próxima batalla de Midway. También se ha perdido un buen número de aviones japoneses y de pilotos experimentados. La renuncia al desembarco en Port Moresby es el primer golpe importante al expansionismo japonés.

8-15 DE MAYO

FRENTE ORIENTAL, *CRIMEA*

El 11º Ejército alemán lanza su ataque contra el Frente de Crimea. Los soviéticos reanudan su intento de rodear a las unidades alemanas contra el mar de Azov, en una batalla alrededor de Jarkov. El 11º Ejército alemán conquista la península de Kerch, en Crimea, el día 15, y continúa luchando a lo largo del río Donets.

11 DE MAYO

POLÍTICA, *CANADÁ*

Se introduce el pleno reclutamiento después de un referéndum sobre el asunto, encontrándose la única oposición significativa en la provincia de Quebec.

LEJANO ORIENTE, *BIRMANIA*

Tropas británicas y de la *Commonwealth*

6-7 DE MAYO

LA GUERRA MARÍTIMA, *PACÍFICO*

Aunque los grupos de portaaviones enemigos japoneses y estadounidenses se encuentran separados por sólo 110 km, los vuelos de reconocimiento no consiguen que se localicen mutuamente. Los cruceros australianos y estadounidenses de la Grupo de Operaciones 44, a las órdenes del contraalmirante británico Sir John Crace, son enviados entonces a encontrar al Grupo de Invasión de Port Moresby. Aunque el mal tiempo impide un ataque, la batalla

▲ **Una unidad blindada alemana, durante la ofensiva de Rommel contra el 8º Ejército británico en Libia, en 1942.**

▼ **Marinos estadounidenses abandonan el *Lexington* durante la batalla del mar del Coral.**

disputan una última y encarnizada batalla en Kalewa, antes de que las fuerzas que quedan en Birmania entren por fin en la región fronteriza con la India, y más tarde lleguen a Imphal. Japón tiene ahora el control sobre un 80% de Birmania.

LA GUERRA MARÍTIMA, *MEDITERRÁNEO*
Una fuerza especial de bombarderos alemana localiza y hunde los destructores británicos *Kipling*, *Lively* y *Jackal*, al oeste de Alejandría, Egipto.

14 DE MAYO

ESPIONAJE, *ESTADOS UNIDOS*
Los estadounidenses, que están descifrando la clave de los mensajes japoneses por radio, obtienen la primera noticia sobre la inminente operación japonesa para destruir la Flota del Pacífico estadounidense en el océano Pacífico central, entrando en acción alrededor de Midway.

15 DE MAYO

LEJANO ORIENTE, *INDIA*
Fuerzas británicas y de la *Commonwealth*, retirándose de Birmania, comienzan a llegar a la India. Unos 13.463 soldados bri-

tánicos, indios y birmanos han muerto en la campaña de Birmania hasta ahora. La fuerza china, de 95.000 hombres, ha sido diezmada, mientras que la estimación de bajas por parte de Japón es de 5.000-8.000 hombres hasta la fecha.

18 DE MAYO

POLÍTICA, *GRAN BRETAÑA*
El almirante Harwood asume el mando de la Flota Mediterránea británica.

22 DE MAYO

POLÍTICA, *MÉXICO*
El gobierno mexicano declara la guerra a Alemania, Italia y Japón.

25 DE MAYO

POLÍTICA, *AUSTRALIA*
Tres personas son arrestadas por la conspiración de establecer un gobierno fascista para negociar términos de paz con Japón.

26-31 DE MAYO

ÁFRICA, *LIBIA*
El general Erwin Rommel ataca la Línea Gazala, en Libia. Los blindados italianos atacan en Bir Hacheim, a 60 km de la costa, pero son rechazados por las tro-

▲ *Una vista de la ciudad alemana de Colonia, después del ataque británico de los «1.000 bombarderos».*

pas de la Francia Libre. Los tanques del Eje intentan flanquear las líneas aliadas más allá de Bir Hacheim. Aunque el 8° Ejército británico tiene 850 tanques (además de 150 en reserva), las fuerzas del Eje despliegan sus 630 tanques con más eficacia, y sus cañones antitanque suponen una seria amenaza. Los blindados y aviones británicos combaten contra los tanques del Eje en las encrucijadas de Knightsbridge, detrás de la Línea Gazala. Los tanques del Eje sufren graves problemas de combustible, hasta que los italianos atraviesan la Línea Gazala llevándoles nuevos suministros, el día 31.

27 DE MAYO

RETAGUARDIA, *CHECOSLOVAQUIA*
Agentes checos entrenados por los británicos tratan de asesinar a Reinhard Heydrich, el jefe de las SS, quien ha sido nombrado gobernador de la Checoslovaquia ocupada. Heydrich viaja en un coche sin capota y sin escolta cuando los agentes le atacan.

30 DE MAYO

LA GUERRA AÉREA, *ALEMANIA*
Gran Bretaña lanza su primer ataque de «1.000 bombarderos». El objetivo es Colonia. Unas 59.000 personas se quedan sin hogar. Los británicos pierden 40 aviones.

31 DE MAYO

LA GUERRA AÉREA, *ALEMANIA*
Los bombarderos Mosquito británicos, construidos en madera, realizan el primero de muchos ataques sobre Alemania.

derarse de la base estadounidense de Midway, y destruir después a la Flota del Pacífico, comandada por el almirante Chester Nimitz. Japón despliega 165 barcos, incluyendo ocho portaaviones, pero se encuentran demasiado dispersos como para proveerse de apoyo mutuo. Los descifradores de claves estadounidenses son capaces de advertir a la Flota del Pacífico, que se une entonces para repeler el ataque de Midway, y no se desvía a causa de un ataque sobre las islas Aleutianas. La Armada de los Estados Unidos posee una fuerza más pequeña, pero se las ha arreglado para reunir tres portaaviones.

La operación de reconocimiento por parte de los 29 grandes submarinos de crucero japoneses no consigue establecer los movimientos de la Flota del Pacífico. Nagumo no tiene ni idea de la organización esta-

◄ **Los bombarderos estadounidenses en picado, en acción contra los japoneses durante la decisiva batalla de Midway.**

I DE JUNIO

LA GUERRA AÉREA, *ALEMANIA*

Gran Bretaña lanza un ataque de «1.000 bombarderos» contra Essen y la zona industrial del Ruhr.

4 DE JUNIO

LA GUERRA MARÍTIMA, *PACÍFICO*
Comienza la batalla de Midway. El almirante japonés Chuichi Nagumo pretende apo-

▼ **Una mujer alemana coge agua de una fuente callejera. Los suministros de agua, gas y electricidad quedaron cortados a causa del bombardeo.**

▲ *El crucero japonés Mogami, después de sufrir un ataque de la aviación estadounidense, durante la batalla de Midway.*

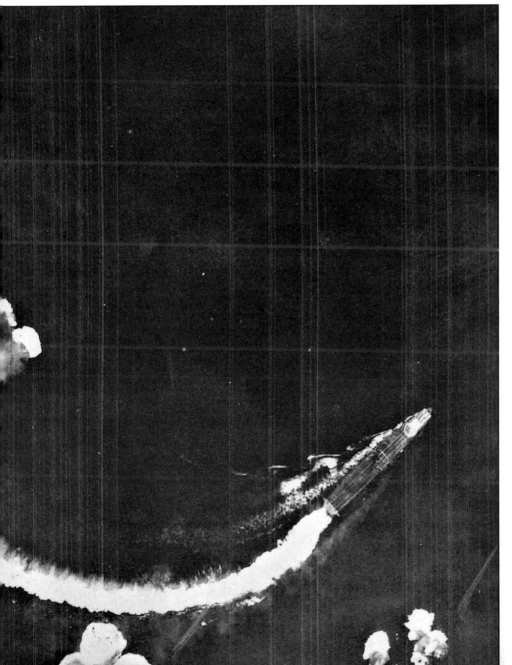

dounidense cuando ataca por primera vez en Midway. La 1ª Fuerza de Ataque de portaaviones japonesa es diezmada por los aviones estadounidenses, y se pierden tres portaaviones pesados. El cuarto portaaviones japonés, el *Hiryu*, inutiliza entonces al portaaviones estadounidense *Yorktown*, antes de ser alcanzado fatalmente él mismo. El intento de Japón de destruir al enemigo con sus fuerzas superiores, atrayéndole a una batalla de superficie, ha fracasado. La pérdida de la mitad de su fuerza de portaaviones, además de 275 aviones, pone a Japón a la defensiva en el Pacífico.

7 DE JUNIO

FRENTE ORIENTAL, *UCRANIA*
El asedio de Sebastopol se intensifica, con ataques masivos por parte del 11º Ejército alemán. Sebastopol se encuentra bajo un fuerte bombardeo de la artillería de asedio alemana, que incluye al cañón *Dora*, el mayor mortero del mundo. Los defensores soviéticos continúan resistiendo, pese al intenso bombardeo.

10 DE JUNIO

RETAGUARDIA, *CHECOSLOVAQUIA*
Reinhard Heydrich, el gobernador de la

◄ *Una fotografía aérea del portaaviones japonés Hiryu, durante la batalla de Midway. El barco fue incendiado por un ataque aéreo estadounidense, y más tarde estalló.*

91

Checoslovaquia ocupada y arquitecto del programa de genocidio nazi, muere a consecuencia del atentado perpetrado por agentes checos llevado a cabo el 27 de mayo. Como represalia, unos 1.000 checos acusados de actividades anti-nazis son ejecutados, 3.000 judíos checos son deportados al exterminio, y 150 judíos berlineses son asesinados. La aldea checa de Lidice es arrasada. Sus hombres son ejecutados; sus mujeres y niños son enviados a campos de concentración.

10-13 DE JUNIO

ÁFRICA, *LIBIA*

Las fuerzas del Eje han creado una zona fortificada (la «Caldera») dentro de las líneas enemigas. Después de la retirada de los soldados de la Francia Libre de Bir Hacheim los días 10 y 11, los tanques del Eje avanzan hacia el este desde la Caldera para amenazar al 8º Ejército al completo. El comandante británico, el general Neil Ritchie, ordena la retirada el día 13.

18 DE JUNIO

POLÍTICA, *ALIADOS*

En la segunda conferencia de Washington, en los Estados Unidos, el primer ministro británico Winston Churchill y el presidente estadounidense Franklin D. Roosevelt intentan acordar una estrategia en Europa para 1942-1943. Las condiciones parecen inapropiadas para un «Segundo Frente» en Francia, así que Churchill propone una invasión en África del Norte. En julio, Roosevelt acepta que Europa no puede ser atacada todavía y se aviene a la alternativa norteafricana de Churchill, denominada más tarde bajo el nombre clave de Operación

▲ *Tropas británicas se rinden al* **Afrika Korps** *tras la caída de Tobruk.*

Torch. Se acuerda también la cooperación en la investigación nuclear.

LA GUERRA AÉREA, *ALEMANIA*

Gran Bretaña lanza un ataque de «1.000 bombarderos» sobre Bremen.

21 DE JUNIO

ÁFRICA, *LIBIA*

Tras la retirada aliada a Egipto, la guarnición de Tobruk cae repentinamente, después de una serie de ataques alemanes por tierra y aire. Se apoderan de unos 30.000 hombres, raciones y combustible. El recientemente ascendido mariscal de campo Erwin Rommel

▼ *Refuerzos soviéticos son enviados a Sebastopol. Pese a la feroz resistencia, el puerto fue tomado por los alemanes.*

continúa persiguiendo a las tropas aliadas en retirada, tomando Mersa Matruh el día 28. El general Sir Claude Auchinleck, el comandante británico en Oriente Medio, se hace cargo personalmente del 8° Ejército y establece una línea fortificada. Ésta discurre hacia el interior a lo largo de unos 60 km, desde El Alamein en la costa hasta la intransitable depresión de Quattara. Rommel no logra penetrar la posición, y el frente se estabiliza ya que sus líneas de suministro en el Mediterráneo están siendo atacadas por los británicos por mar y aire, con la ayuda de las informaciones proporcionadas por los descifradores de claves.

25 DE JUNIO

POLÍTICA, *ESTADOS UNIDOS*
El comandante general Dwight D. Eisenhower asume el mando de las fuerzas estadounidenses en Europa.

28 DE JUNIO

FRENTE ORIENTAL, *UCRANIA*
Alemania lanza su ofensiva de verano, con su Grupo de Ejércitos Sur atacando al este de Kursk y hacia Voronezh, que cae nueve días después.

4-10 DE JULIO

FRENTE ORIENTAL, *CRIMEA*
Termina el asedio de Sebastopol, con la captura de 90.000 soldados soviéticos.
LA GUERRA MARÍTIMA, *ÁRTICO*
El almirante británico de la Flota Sir Dudley Pound da una desastrosa orden de retirada al convoy *PQ-17*, tras un ataque aéreo y de *U-Boote*. Las escoltas se retiran, por tanto, dejando vulnerables a los aislados barcos mercantes del convoy. El *PQ-17* pierde 23 barcos de 33 y enormes can-

tidades de suministros durante los renovados ataques alemanes.

13 DE JULIO

FRENTE ORIENTAL, *CÁUCASO*
Adolf Hitler ordena ataques simultáneos sobre Stalingrado y el Cáucaso, pese al esfuerzo que esto supone a sus ejércitos. El avance del Grupo B de Ejércitos hacia Stalingrado es retrasado, después de que Hitler disponga de nuevo del 4° Ejército *Panzer* para el ataque del Grupo A de Ejércitos en el Cáucaso. Cree que el Grupo A de Ejércitos no será capaz de cruzar el río Don sin refuerzos. El mariscal de campo Fedor von Bock, jefe del Grupo B de Ejércitos, será destituido más tarde por oponerse a esto. La separación de los dos grupos abre una brecha a través de la cual las fuerzas soviéticas pueden escapar.

▲ *Un barco británico del convoy ártico* **PQ-17** *se hunde después de ser torpedeado por un* **U-Boot**. *La decisión de dispersar el convoy llevó a que sufriera graves pérdidas.*

21 DE JULIO

POLÍTICA, *ESTADOS UNIDOS*
El almirante William Leahy se convierte en el jefe del estado mayor personal del presidente. En este papel, queda implicado muy de cerca en decisiones militares clave.

23 DE JULIO

FRENTE ORIENTAL, *UCRANIA*
La ciudad de Rostov es tomada por el Grupo A de Ejércitos alemán, el cual cruza en-

tonces el río Don y realiza un amplio avance sobre el Cáucaso.

I DE AGOSTO

FRENTE ORIENTAL, *UCRANIA*

Adolf Hitler traslada al 4º Ejército *Panzer* de nuevo a Stalingrado, para acelerar el avance alemán. El 11º Ejército recibe órdenes similares. Esto tensa seriamente el avance del Cáucaso.

7-21 DE AGOSTO

PACÍFICO, *ISLAS SALOMÓN*

La 1ª División de Marines estadounidense desembarca en la isla de Guadalcanal para aplastar a la guarnición japonesa, de 2.200 hombres, y hacerse con el aeródromo, parcialmente construido, que permitiría a los bombarderos atacar las rutas marítimas aliadas. También se toma Tulagi. Las fuerzas navales estadounidenses son sometidas a ataques aéreos y posteriormente retroceden. Los marines sufren escasez de suministros, pero son auxiliados más tarde por mar y aire. Japón hunde cuatro cruceros el día 9, y empieza a desembarcar fuerzas por la noche, para acosar a los marines. Las fuerzas estadounidenses destruyen los primeros ataques japoneses importantes en el río Tenaru, el día 9. La lucha se centra ahora en la pista de aterrizaje conocida como «Henderson Field».

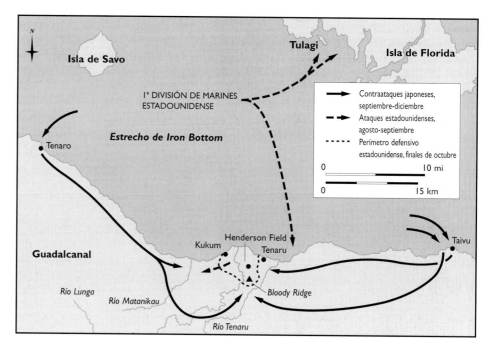

14 barcos, es devastada por los ataques enemigos con barcos de superficie, *U-Boote* y aviones. Sólo cuatro barcos llegan a Malta, pero hacen que la isla asediada pueda sobrevivir.

9 DE AGOSTO

LA GUERRA MARÍTIMA, *PACÍFICO*

En la batalla de la Isla de Savo, entre Guadalcanal y Tulagi, la Armada Estadounidense sufre una de sus derrotas más serias. Un escuadrón de cruceros japoneses, intentando atacar a barcos de transporte que descargan frente a Guadalcanal, sorprende a cinco cruceros estadounidenses y australianos. Su superioridad en la lucha nocturna y la eficacia de su artillería permite a los japoneses hundir cuatro cruceros y dañar al que queda. Los japoneses se retiran, temiendo un ataque aéreo, mientras que los buques de transporte estadounidenses retroceden dejando a las tropas de Guadalcanal con serios problemas de suministro.

10-15 DE AGOSTO

LA GUERRA MARÍTIMA, *MEDITERRÁNEO*

La Operación Pedestal, un convoy de Gibraltar a Malta formado por

▼ *Un soldado alemán entra en acción cerca de Stalingrado.*

▲ *La lucha en Guadalcanal fue una de las más salvajes de la Guerra del Pacífico, especialmente en las cercanías de Henderson Field.*

12 DE AGOSTO

POLÍTICA, *ALIADOS*

Winston Churchill se encuentra por primera vez con Josiv Stalin, en conversaciones centradas principalmente en la decisión de retrasar la formación de un segundo frente en Europa.

13 DE AGOSTO

POLÍTICA, *GRAN BRETAÑA*

El teniente general Bernard Montgomery reemplaza al general Neil Ritchie como comandante del 8º Ejército. El general Sir Harold Alexander sustituye al general Sir Claude Auchinleck como comandante en Oriente Medio, el día 18.

17 DE AGOSTO

LA GUERRA AÉREA, *FRANCIA*

El primer ataque en Europa efectuado en su totalidad por bombarderos estadounidenses golpea a objetivos en Francia.

19 DE AGOSTO

FRENTE OCCIDENTAL, *FRANCIA*

Una fuerza de 5.000 soldados canadienses, 1.000 británicos y 50 estadounidenses ataca el puerto de Dieppe. Es un «reconocimiento en masa» para adquirir experiencia e información sobre el desembarco de una fuerza en el continente. El ataque es desas-

▲ *Personal de tierra americano prepara un avión para la acción, durante las ofensivas estadounidenses contra los japoneses en Guadalcanal.*

troso. Las pérdidas aliadas alcanzan casi los 4.000 hombres muertos o capturados.

19-24 DE AGOSTO

FRENTE ORIENTAL, *UNIÓN SOVIÉTICA*

Ataques decididos hacia Stalingrado, por parte del Grupo B de Ejércitos, logran alcanzar finalmente el río Volga. La feroz resistencia de las fuerzas soviéticas comienza a una distancia de unos 45 km de la ciudad de Stalingrado.

22 DE AGOSTO

POLÍTICA, *BRASIL*

El gobierno declara la guerra a Alemania e Italia.

22-25 DE AGOSTO

LA GUERRA MARÍTIMA, *PACÍFICO*

En la batalla de las Salomón Orientales, el grupo de operaciones de tres portaaviones del almirante Frank Fletcher se enfrenta a un convoy japonés con destino a Guadalcanal, además de a otros tres portaaviones que operan en dos grupos separados. El portaaviones ligero japonés *Ryujo*, un destructor y 90 aviones son destruidos. El portaaviones estadounidense *Enterprise* recibe daños y 17 aviones son abatidos.

23 DE AGOSTO

LA GUERRA AÉREA, *UNIÓN SOVIÉTICA*

Un ataque por parte de 600 bombarderos

alemanes sobre Stalingrado se cobra miles de vidas.

30 DE AGOSTO

ÁFRICA, *EGIPTO*

Los tanques alemanes tratan de flanquear la línea aliada en El Alamein, pero se encuentran con densos campos de minas y una feroz resistencia. La ofensiva se desintegra a causa de los ataques aéreos y los problemas de suministro.

2 DE SEPTIEMBRE

LA SOLUCIÓN FINAL, *POLONIA*

Los nazis «limpian» el gueto judío de Varsovia. Unos 50.000 judíos han sido asesinados con gas venenoso, o enviados a campos de concentración. Las SS (*Schutzstaffel* o escuadras de protección), una organización fanática nazi militar y de seguridad, es la principal responsable de la persecución de los judíos y de otras personas consideradas enemigas ideológicas o raciales del Tercer Reich.

9 DE SEPTIEMBRE

POLÍTICA, *ALEMANIA*

Adolf Hitler destituye al mariscal de campo Wilhelm List, comandante del Grupo A de Ejércitos que está cercando Stalingrado, por criticar su estrategia para el Frente Oriental. El general Paul von Kleist lo reemplaza.

12 DE SEPTIEMBRE

LA GUERRA MARÍTIMA, *ATLÁNTICO*

El trasatlántico *Laconia*, que transporta a 1.800 prisioneros italianos y a familiares de soldados aliados, es hundido por el *U-156*. Un bombardero estadounidense ataca al *U-156* cuando intenta ayudar a los supervi-

ARMAS DECISIVAS

LOS CONVOYES

Los convoyes proveyeron de escoltas protectoras a los barcos mercantes contra los ataques enemigos de superficie, sumergidos o aéreos. Los convoyes aliados, a menudo formados por unos 50 barcos, navegaban en columnas y zigzagueaban a través de las rutas marítimas. En el Atlántico y el Ártico, el tiempo atroz reducía la visibilidad, helaba a las tripulaciones y creaba enormes olas que hacían a los barcos vulnerables a las colisiones.

La principal amenaza para los convoyes aliados eran los U-boote, los cuales infligieron pérdidas gravísimas a los barcos. Las medidas antisubmarinas aumentaron gradualmente, sin embargo, con la mejora de la coordinación entre mar y aire, las nuevas tácticas y las innovaciones científicas. La construcción naval creció también, para sustituir a los barcos perdidos. La intercepción de las transmisiones alemanas por radio, el radar centimétrico, los portaaviones de escolta, la tecnología de detección de *U-boote* (el asdic y el sonar), mejores cargas de profundidad y lanzadores ayudaron a proteger a los convoyes.

La campaña de Alemania para destruir el control aliado sobre las rutas marítimas del Atlántico fue especialmente crítica cuando Gran Bretaña vino a depender de la ayuda norteamericana. Sólo en el Atlántico Norte, unos 2.232 barcos fueron hundidos, pero la destrucción de 785 *U-boote* garantizó el dominio aliado sobre las rutas marítimas.

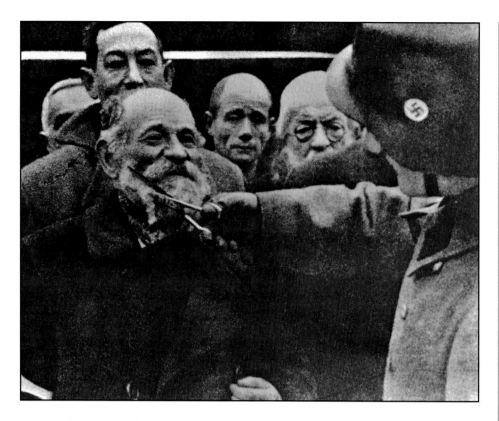

vientes. Como resultado, el almirante Karl Doenitz, jefe de la flota alemana, ordena al *U-156* que suspenda el rescate. En el futuro, los *U-Boote* no realizarán ningún intento de salvar vidas después de un ataque.

13 DE SEPTIEMBRE

PACÍFICO, *ISLAS SALOMÓN*
En la batalla de Bloody Ridge, 6.000 japoneses intentan apoderarse de Henderson Field, Gudalcanal, pero son repelidos.

15 DE SEPTIEMBRE

LA GUERRA MARÍTIMA, *PACÍFICO*
Dos submarinos japoneses interceptan una fuerza de portaaviones que se halla escoltando a buques de transporte que llevan tropas a Guadalcanal. Se pierde el portaaviones estadounidense *Wasp* y un destructor, pero los buques de transporte con las tropas llegan seguros.

24 DE SEPTIEMBRE

POLÍTICA, *ALEMANIA*
El general Franz Halder, jefe del Estado Mayor General, es sustituido por el general Kurt Zeitzler. Haider ha cometido el error de criticar la estrategia de Adolf Hitler en el Frente Oriental, que exige que las tropas alemanas no se retiren.

18 DE OCTUBRE

POLÍTICA, *ESTADOS UNIDOS*
El vicealmirante William Halsey reemplaza al vicealmirante Robert Ghormley como comandante del área del Pacífico Sur.

▲ *Un soldado alemán corta la barba de un judío en el gueto de Varsovia. Acosar y aterrorizar a los judíos por toda Europa fue la política nazi.*

22 DE OCTUBRE

LA GUERRA AÉREA, *ITALIA*
Gran Bretaña lanza una serie de ataques contra las zonas industriales alrededor de Turín, Milán y Génova.

23 DE OCTUBRE

ÁFRICA, *EGIPTO*
Comienza la batalla de El Alamein. Los ataques cuidadosamente preparados del general Bernard Montgomery, por parte de 195.000 soldados aliados, y contra 104.000 soldados del Eje, se inician con un enorme bombardeo de la artillería y numerosas medidas de engaño. Un gran número de operaciones de retirada de minas permite a las formaciones de tanques aliadas avanzar y dejar a la infantería ensanchar las brechas. El mariscal de campo Erwin Rommel se encuentra en Alemania, pero regresa inmediatamente después de que el comandante provisional, el general Georg Stumme, muera repentinamente. Los primeros informes confirman que los Aliados han logrado un comienzo excelente, aunque la resistencia del Eje es feroz.

26 DE OCTUBRE

LA GUERRA MARÍTIMA, *PACÍFICO*
En la batalla de Santa Cruz, los portaaviones japoneses se aproximan a Guadalcanal y da-

EL MARISCAL DE CAMPO SIR BERNARD MONTGOMERY

Bernard Montgomery (1887-1976) comenzó la Segunda Guerra Mundial liderando una división británica con destino a Francia, en 1939. Después de Dunkerque, pasó a comandante de cuerpo, antes de que el primer ministro Winston Churchill lo designara para mandar al 8° Ejército en África del Norte.

Aprovechando la llegada de más hombres y suministros, detuvo el avance alemán sobre Egipto, en 1942. Con una cuidadosa planificación y su habilidad para inspirar confianza en sus hombres, infligió la primera victoria británica sobre el ejército alemán, en El Alamein. Esto elevó la moral popular y reforzó su reputación. Tras el desembarco de ejércitos aliados en África del Norte, ayudó a afianzar la derrota de las fuerzas del Eje.

Después de comandar al 8° Ejército británico en las invasiones de Sicilia e Italia, en 1943, fue reclamado a Gran Bretaña en enero de 1944. Tenía ahora la tarea de preparar la operación para invadir el noroeste de Europa. Durante los desembarcos del Día D, en junio de 1944, fue el comandante de las fuerzas terrestres, bajo el mando del general Dwight D. Eisenhower. Desde agosto, se convirtió en el comandante del 21° Grupo de Ejércitos. Su relación con los comandantes estadounidenses no fue siempre armoniosa. Discrepaba de Eisenhower en la estrategia para vencer a Alemania, abogando por un empuje con todas las fuerzas en lugar de por el plan más cauteloso que se adoptó, desarrollado en un amplio frente. En la batalla de las Ardenas, en diciembre de 1944, Montgomery comandó temporalmente dos ejércitos estadounidenses, pero regresó después al 21° Grupo de Ejércitos, para atravesar el Rin y sellar la derrota del Alemania en 1945.

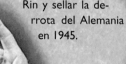

ñan fatalmente al portaaviones estadounidense *Hornet* (dejando a la Flota del Pacífico estadounidense con un solo portaaviones). El crucero japonés *Yura* es hundido y el portaaviones *Shokaku* queda inutilizado, a causa de los ataques de la aviación.

2-24 DE NOVIEMBRE

ÁFRICA, *EGIPTO/LIBIA*

El mariscal de campo Erwin Rommel, con una grave escasez de suministros, decide retirarse de El Alamein. Retrasa la retirada 48 horas, después de que Adolf Hitler le ordene mantenerse firme, pero entonces continúa, tras nuevos ataques aliados. Los aliados le empujan hasta Tobruk, Bengasi y por fin El Agheila, el día 24. Alemania e Italia pierden 59.000 hombres, muertos, heridos o capturados. Los aliados han sufrido bajas por 13.000 muertos, heridos o capturados. La victoria del general Bernard Montgomery salva el canal de Suez y levanta la moral aliada. La de El Alamein es la primera derrota de importancia de las fuerzas alemanas en la guerra.

5 DE NOVIEMBRE

ÁFRICA, *MADAGASCAR*

Fuerzas de la Francia de Vichy, que tienen el control de la isla, se rinden.

8-11 DE NOVIEMBRE

ÁFRICA, *MARRUECOS/ARGELIA*

Tres grupos de operaciones aliados, incluyendo cinco portaaviones, desembarcan a 34.000 soldados estadouni-

▶ **Gurkhas del 8° Ejército británico se lanzan al ataque durante la batalla de El Alamein.**

▲ *Un bombardero japonés, en acción contra los buques de guerra estadounidenses durante la batalla de Santa Cruz.*

denses cerca de Casablanca, a 39.000 soldados estadounidenses y británicos cerca de Orán (acompañados por una unidad de asalto de paracaidistas), y a 33.000 soldados cerca de Argel. El general Dwight D. Eisenhower, el comandante supremo, pretende hacerse con el África del Norte perteneciente a la Francia de Vichy como trampolín para futuras operaciones para limpiar el Norte de África de fuerzas del Eje. El almirante Jean François Darlan, comisario de Vichy en África, causa turbulencias diplomáticas acordando un alto el fuego y aviniéndose a apoyar a los aliados. La invasión sorpresa es producto de una eficiente planificación entre las diferentes fuerzas, y Rommel se halla ahora luchando en dos frentes.

11 DE NOVIEMBRE

FRENTE OCCIDENTAL, *FRANCIA DE VICHY*

Fuerzas alemanas e italianas ocupan la Francia de Vichy para evitar una invasión aliada desde los antiguos territorios de Vichy en el norte de África.

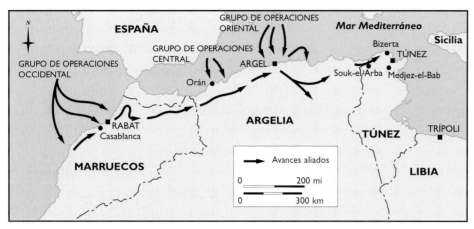

12-14 DE NOVIEMBRE

PACÍFICO, *ISLAS SALOMÓN*

Un escuadrón estadounidense de cruceros y destructores inflige serias pérdidas a una fuerza naval japonesa, formada por 18 acorazados, que intenta bombardear Henderson Field, en Guadalcanal, y desembarca también a 11.000 soldados.

17-28 DE NOVIEMBRE

ÁFRICA, *TÚNEZ*

Paracaidistas británicos aterrizan en Souk-el-Arba y se unen a un pequeño avance aliado hacia Bizerta. Miles de refuerzos alemanes están llegando diariamente, y los aliados no están listos todavía para una gran ofensiva. El día 28, se encuentran a 30 km de Túnez, pero son detenidos por los contraataques del Eje. Los refuerzos aliados de Argel son retrasados por la lluvia y el barro. Se desarrolla un estancamiento en buena parte de Túnez.

19 DE NOVIEMBRE

FRENTE ORIENTAL, *UCRANIA*

El general Georgi Zhukov lanza una contraofensiva soviética en Stalingrado, con 10 ejércitos, 900 tanques y 1.100 aviones, que debe llevarse a cabo a lo largo de un frente de 400 km. Las fuerzas soviéticas al norte y al sur de

▲ *Los desembarcos aliados en África del Norte precipitaron la rendición de las fuerzas de la Francia de Vichy allí estacionadas.*

▶ *Tropas alemanas atrapadas fuera de Leningrado miran al cielo esperando la llegada de suministros traídos por la aviación.*

Stalingrado deben bloquear a los alemanes en un movimiento de pinza. El ataque se realiza durante la helada, que ayuda a la movilidad de los tanques. También coincide con los desembarcos aliados en el norte de África, que distraen la atención de los alemanes. Los suministros aliados han equipado a las fuerzas soviéticas para el avance. El frente alemán se tambalea.

25 DE NOVIEMBRE

FRENTE ORIENTAL, *UCRANIA*

Se inicia el puente aéreo para aprovisionar al 6º Ejército alemán, atrapado alrededor de Stalingrado, con 320 aviones. La operación, que requiere finalmente 500 aviones, durará hasta febrero de 1943.

27 DE NOVIEMBRE

LA GUERRA MARÍTIMA, *MEDITERRÁNEO*

Fuerzas navales de la Francia de Vichy, que

▼ *Tropas alemanas, en acción durante la lucha desesperada contra las fuerzas soviéticas a las afueras de Stalingrado.*

1 DE DICIEMBRE

POLÍTICA, *GRAN BRETAÑA*

Un informe del economista liberal Sir William Beveridge perfila los proyectos para la Gran Bretaña de posguerra, cuyo objetivo es proveer de una pensión del estado y de cobertura médica a todos. Esto refleja las aspiraciones de justicia social para acabar con los problemas de la sociedad.

2 DE DICIEMBRE

TECNOLOGÍA, *ESTADOS UNIDOS*

Se realiza la primera reacción en cadena nuclear controlada con éxito. Se trata de un paso clave para la construcción de una bomba atómica. En esta reacción, los neutrones de la división de los átomos de uranio se desgajan en otros átomos de uranio, liberando rápidamente una enorme energía en forma de explosión masiva.

6-9 DE DICIEMBRE

ÁFRICA, *TÚNEZ*

Dos columnas de tanques alemanas intentan retomar Medjez-el-Bab, a 50 km al sudoeste de Túnez. Sin embargo, tanques y

▼ *Un avión de transporte alemán Junkers Ju 52 se reabastece de combustible durante el puente aéreo que intentó sustentar al ejército atrapado en la ciudad de Stalingrado.*

aviones aliados bloquean a una columna en su avance, mientras que el fuego de artillería detiene a la segunda.

9 DE DICIEMBRE

POLÍTICA, *ESTADOS UNIDOS*

El general Alexander Patch sucede al teniente general Alexander Vandegrift como comandante de operaciones en Guadalcanal. La 1ª División de Marines es reemplazada por el 14º Cuerpo estadounidense.

10 DE DICIEMBRE

PACÍFICO, *ISLAS SALOMÓN*

Los japoneses establecen un frente bien defendido a unos 9 km al oeste de Henderson Field, Guadalcanal. Japón tiene una fuerza de 20.000 hombres, sin embargo, mientras que en la isla hay 58.000 soldados estadounidenses mejor equipados y aprovisionados. Las esperanzas japonesas son escasas.

11 DE DICIEMBRE

LA GUERRA MARÍTIMA, *FRANCIA*

Un comando británico de 10 hombres asciende en canoa por el río Gironde e inutiliza a seis barcos en el puerto de Burdeos, en un arriesgado ataque.

19 DE DICIEMBRE

FRENTE ORIENTAL, *UCRANIA*

La tentativa del mariscal de campo Erich

se encuentran en Toulon, son barrenadas por sus tripulaciones, con la pérdida de 72 barcos, incluyendo tres acorazados, antes de que los alemanes puedan apoderarse de ellos.

30 DE NOVIEMBRE

LA GUERRA MARÍTIMA, *PACÍFICO*

En la batalla de Tassafaronga, cinco cruceros pesados y siete destructores estadounidenses atacan a un convoy japonés de ocho destructores, con destino a Guadalcanal. Japón pierde un destructor, los Estados Unidos cuatro cruceros.

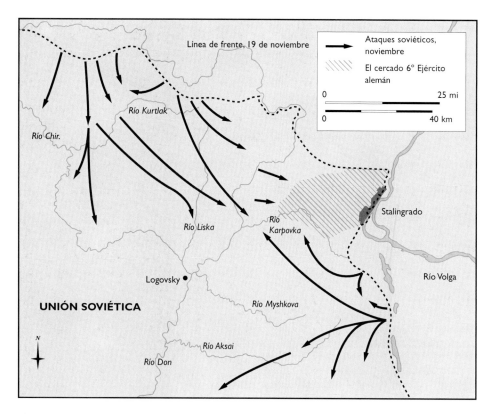

Línea de frente, 19 de noviembre

Ataques soviéticos, noviembre

El cercado 6° Ejército alemán

0   25 mi
0   40 km

Río Kurtlak

Río Chir.

Río Liska

Río Karpovka

Stalingrado

Logovsky •

Río Volga

UNIÓN SOVIÉTICA

Río Myshkova

N

Río Aksai

Río Don

▲ **Soldados japoneses muertos yacen en un río de Guadalcanal. Miles de soldados japoneses murieron en la isla.**

▲ *El Ejército Rojo rodeó completamente al 6° Ejército alemán a las afueras de Stalingrado. Una contraofensiva alemana no consiguió romper el cerco soviético.*

▼ *Tropas soviéticas intentan abrirse camino hacia las ruinas de Stalingrado, mientras el Ejército Rojo extiende el cerco sobre la ciudad. Los edificios dañados dan idea de lo salvaje de la lucha.*

von Manstein de socorrer al 6° Ejército alemán con un ataque del Grupo de Ejércitos del Don (13 divisiones extraídas del Grupo A de Ejércitos, en el norte), avanza hasta llegar a 55 km de Stalingrado, frente a una fuerte resistencia. Pese a las peticiones de Manstein al 6° Ejército del general Friedrich von Paulus para que emprenda una evasión, Adolf Hitler le ordena que no se retire, aunque de todos modos la escasez de combustible limita cualquier posible ac-

ción. El año termina con las ofensivas soviéticas empujando a la fuerza de relevo alemana hacia el oeste. En Stalingrado, las tropas alemanas están sufriendo penosamente, principalmente debido al tiempo y a la escasez de suministros.

24 DE DICIEMBRE

POLÍTICA, *FRANCIA DE VICHY*
El almirante Jean François Darlan, alto comisario en África del Norte, muere al ser disparado por un joven francés que le acusa de traicionar al régimen de Vichy.

30-31 DE DICIEMBRE

LA GUERRA MARÍTIMA, *ÁRTICO*
En la batalla del mar de Barents, el acorazado de bolsillo alemán *Lützow*, el crucero pesado *Admiral Hipper* y seis destructores intentan destruir el convoy aliado en el Ártico *JW-51B*. Aunque superados en número, los británicos utilizan tácticas mejores y explotan la cautela alemana, que proviene de las órdenes de no re-

cibir daños serios. Alemania pierde un destructor, mientras que los británicos pierden también un destructor y otro sufre graves daños. La batalla enfurece a Adolf Hitler, que cree que la flota alemana está utilizando una enorme cantidad de soldados y recursos a cambio de muy pocos resultados. Ciertamente, la batalla del mar de Barents supondrá el fin de las salidas significa-

▲ *Henri-Philippe Pétain (izquierda), con el almirante François Darlan, quien ordenó a las fuerzas de la Francia de Vichy en el Norte de África que se rindieran, tras la invasión aliada.*

tivas de los principales barcos de superficie alemanes en lo que queda de guerra.

1943

Los éxitos aliados en Papúa-Nueva Guinea y las islas Salomón, junto con los avances británicos y chinos en Birmania, duramente conseguidos, pusieron a los japoneses a la defensiva en el Pacífico y el Lejano Oriente. Las fuerzas aliadas triunfaron también en África del Norte y continuaron con la invasión de Italia, provocando la caída de Mussolini, mientras que en la Unión Soviética el choque entre las fuerzas blindadas en Kursk terminó en una crucial derrota alemana.

1-3 DE ENERO

FRENTE ORIENTAL, *CÁUCASO*

Tropas soviéticas lanzan ofensivas para rodear a las fuerzas alemanas en el norte de la región. Desde agosto de 1942, los alemanes han estado intentando conquistar esta zona, rica en recursos, así como alcanzar los suministros petrolíferos de Oriente Próximo y Medio. El Frente Sur soviético se dirige hacia Rostov y el río Terek, desde donde los alemanes retroceden el día 3.

2 DE ENERO

PACÍFICO, *PAPÚA-NUEVA GUINEA*

Fuerzas estadounidenses encuentran una feroz resistencia por parte de los japoneses, después de atacar Buna, en la costa oriental.

3 DE ENERO

LA GUERRA MARÍTIMA, *MEDITERRÁNEO*

Torpedos humanos británicos *Chariot* causan daños al crucero italiano *Ulpio* y a un petrolero en el puerto de Palermo, Sicilia.

3-9 DE ENERO

LA GUERRA MARÍTIMA, *ATLÁNTICO*

Los *U-Boote* destruyen siete petroleros, de los nueve que

▼ *Pilotos del Cuerpo de Marines de los Estados Unidos parten para atacar a las fuerzas japonesas en Guadalcanal.*

transportaban 100.000 toneladas de petróleo en el convoy *TM-1*, que navega desde el Caribe hacia el mar Mediterráneo.

5 DE ENERO

ÁFRICA, *TÚNEZ*

Se forma el 5° Ejército estadounidense, a las órdenes del teniente general Mark Clark. Las fuerza aliadas forman una línea desde el cabo Serrat en el Mediterráneo hasta Gafsa, en el sur. Se llega a un estancamiento en Túnez, hasta la ofensiva del mariscal de campo Erwin Rommel, en febrero.

6 DE ENERO

POLÍTICA, *ALEMANIA*

El almirante Erich Raeder dimite como comandante en jefe de las fuerzas navales, tras los errores cometidos en la batalla del mar de Barents, en diciembre. El almirante Karl Doenitz lo reemplaza.

6-9 DE ENERO

LA GUERRA MARÍTIMA, *PACÍFICO*

En la batalla del Golfo de Huon, los aliados reúnen aviones del sudoeste del Pacífico para lanzar repetidos ataques sobre los convoyes japoneses que transportan tropas a Papúa-Nueva Guinea. Tres barcos de transporte y unos 80 aviones japoneses caen. Las bajas aliadas durante la acción son comparativamente pequeñas.

▲ **Un U-Boot va a la búsqueda de barcos aliados en el Mediterráneo.**

▼ **El almirante Karl Doenitz (tercero por la izquierda) reemplazó a Erich Raeder como comandante en jefe de las fuerzas navales alemanas.**

9 DE ENERO

POLÍTICA, *CHINA*

El gobierno títere japonés declara la guerra tanto a Gran Bretaña como a los Estados Unidos.

10 DE ENERO

FRENTE ORIENTAL, *CÁUCASO*

Los ataques soviéticos desde el norte, el sur y el este de Stalingrado dividen al 6° Ejército alemán en grupos, y los aísla de cualquier tipo de socorro. Las fuerzas del Eje en el sur de Rusia se hallan bajo una intensa presión.

10-31 DE ENERO

PACÍFICO, *GUADALCANAL*

Una fuerza de 50.000 soldados estadounidenses lanza una ofensiva hacia el oeste para destruir las fuertes posiciones japonesas en la jungla. Los 15.000 soldados japoneses, minados por la enfermedad y el hambre, oponen una feroz resistencia y emprenden una acción de retaguardia en Tassafaronga Point. Los japoneses han decidido evacuar Guadalcanal.

13 DE ENERO

PACÍFICO, *PAPÚA-NUEVA GUINEA*

Los japoneses en Nueva Guinea pierden finalmente el control del camino de Kokoda, una importante ruta a través de la sierra de Owen Stanley y hacia Port Moresby, que pretendían utilizar como base aérea. La lucha entre las tropas australianas y estadounidenses del general Douglas MacArthur y los japoneses viene desarrollándose desde marzo de 1942.

14-23 DE ENERO

POLÍTICA, *ALIADOS*

El primer ministro británico Winston Churchill y el presidente estadounidense Franklin D. Roosevelt se reúnen en Casablanca, Marruecos. La conferencia subraya diferencias entre ellos en lo que se refiere a la victoria sobre Hitler.

Los británicos quieren continuar luchando en el Mediterráneo antes del ataque principal sobre Europa, a través del canal de la Mancha. Proponen las invasiones de Sicilia e Italia como un medio para sacar a las reservas alemanas de Francia y los Países Bajos, lo cual precipitará la caída de Mussolini; y para establecer bases aéreas en Italia, desde donde pueden ser bombardeadas las fábricas de armamento alemanas y las instalaciones de producción de petróleo rumanas.

Los americanos creen que esto sólo logrará disipar los recursos para la invasión a través del canal y utilizar las fuerzas para una función secundaria. Creen que el camino más rápido para vencer a Hitler es una invasión del norte de Francia. Sin embargo, como una invasión a través del canal no es posible en 1943, aceptan de mala gana la invasión de Sicilia (aunque no se planea ninguna invasión de Italia).

Otra fuente de desacuerdo es la llamada de Roosevelt a una «rendición incondicional». Churchill quiere dividir el Eje tratando a Italia de manera diferente, pero es convencido tras considerar que un tratamiento más indulgente a Italia sólo provocará el antagonismo de Grecia y Yugoslavia.

15-22 DE ENERO

ÁFRICA, *LIBIA*

El 8° Ejército británico ataca a las fuerzas del mariscal de campo Erwin Rommel en Buerat, y las persigue hasta la zona de Homs y Tarhuna, aproximadamente a 150 km de Trípoli, la capital. Las fuerzas británicas llegan a Homs el día 19, y Rommel reanuda su

▲ *Combatientes judíos refuerzan un puesto fortificado en el gueto de Varsovia, al principio de su levantamiento contra los alemanes.*

retirada hacia Túnez. Aunque Rommel ha recibido órdenes de defender Trípoli, decide salvar a sus tropas y abandona la ciudad el día 22 para resistir alrededor de Mareth.

▼ *El primer ministro Churchill y el presidente Roosevelt en la conferencia de Casablanca, donde surgieron diferencias en cuanto a la estrategia entre Gran Bretaña y los Estados Unidos.*

16-17 DE ENERO

FRENTE ORIENTAL, *CÁUCASO*

El 56º Ejército soviético inicia un ataque para tomar la ciudad de Krasnador. Las fuerzas del Frente Sur son detenidas por la resistencia alemana entre el curso alto del Donets y el Manych.

18 DE ENERO

FRENTE ORIENTAL, *POLONIA*

Combatientes judíos del gueto de Varsovia comienzan a atacar a las tropas alemanas. La resistencia se desencadena a causa de la reanudación de las deportaciones a campos de exterminio, que habían sido suspendidas en octubre de 1942.

21 DE ENERO

PACÍFICO, *PAPÚA-NUEVA GUINEA*

Después de conquistar Sanananda, en Nueva Guinea, los aliados preparan un avance hacia el noroeste para expulsar a los japoneses de Salamua y Lae. El control aliado sobre el mar y el aire alrededor de Papúa-Nueva Guinea obligará a los japoneses a abandonar finalmente la isla.

29 DE ENERO

PACÍFICO, *PAPÚA-NUEVA GUINEA*

Las tropas aliadas obligaron a los japoneses a retroceder desde Wan al principio de Bulldog Track, la segunda ruta usada por los japoneses en su ofensiva contra Port Moresby.

30 DE ENERO

LA GUERRA AÉREA, *ALEMANIA*

En la ofensiva aérea aliada, cada vez más intensa, los bombarderos británicos efectúan el primer bombardeo aéreo diurno sobre Berlín.

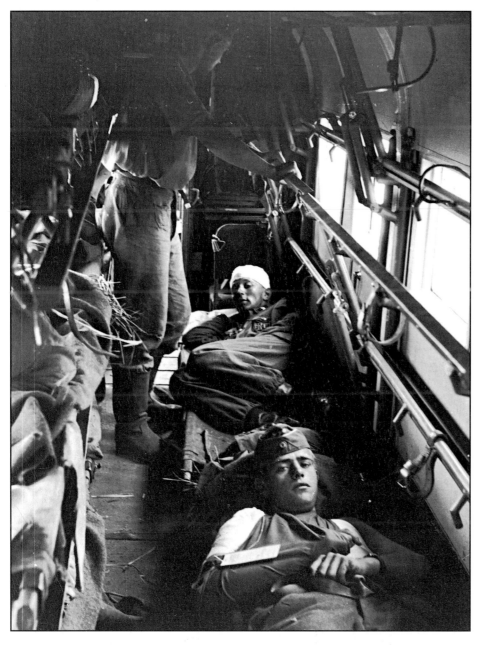

PERSONALIDADES CLAVE

EL GENERAL DOUGLAS MACARTHUR

Douglas MacArthur (1880-1964) fue nombrado comandante de las tropas estadounidenses en el Lejano Oriente en julio de 1941. Después de que los japoneses declararan la guerra en diciembre, dirigió la defensa de las Filipinas desde las islas. Finalmente partió para Australia en marzo de 1942, para asumir el mando del Pacífico Sudoccidental.

MacArthur dirigió entonces la campaña para liberar Papúa-Nueva Guinea, antes de comandar las operaciones de «salto entre las islas» del Pacífico que finalmente alcanzaron las Filipinas en octubre de 1944. En abril de 1945, MacArthur se convirtió en jefe del ejército estadounidense en el Pacífico, y después comandante supremo de los aliados para la ocupación de Japón. En este papel, aceptó la rendición japonesa.

Este extravagante general siempre presumió de alcanzar sus objetivos con pocas bajas. Su autopropaganda, sin embargo, ha llevado a algunos historiadores a dudar de las presunciones que hizo de sus campañas.

1-9 DE FEBRERO

PACÍFICO, *GUADALCANAL*

Barcos de guerra de la Armada japonesa evacuan a 13.000 soldados de las islas, en operaciones nocturnas. Su abandono de Guadalcanal señala la primera gran derrota terrestre de Japón. Los japoneses han tenido 10.000 muertos; los americanos, unos 1.600.

◄ *Algunos de los afortunados: los heridos alemanes son evacuados de Stalingrado antes de la derrota del 6º Ejército.*

▶ *Los bombarderos pesados británicos* **Avro Lancaster** *fueron utilizados contra los* **U-Boote** *alemanes en el golfo de Vizcaya.*

2 DE FEBRERO

FRENTE ORIENTAL, *CÁUCASO*

Termina el asedio de Stalingrado: el mariscal de campo Friedrich von Paulus y 93.000 soldados alemanes se rinden. El 6º Ejército se ha derrumbado finalmente bajo el peso de la escasez de suministros y los constantes ataques planeados por el mariscal Georgi Zhukov.

4 DE FEBRERO

LA GUERRA AÉREA, *FRANCIA*

Bombarderos británicos y estadounidenses lanzan la Operación Góndola, con una serie de ataques dirigidos a destruir los *U-Boote* del golfo de Vizcaya. Los bombarderos utilizan reflectores tremendamente potentes para iluminar a los submarinos durante los ataques.

▼ *Algunos de los* **Chindits de Orde Wingate** *que operaron detrás de las líneas japonesas en Birmania en febrero de 1943.*

8 DE FEBRERO

FRENTE ORIENTAL, *UCRANIA*

En la continuación de su ofensiva, las fuerzas soviéticas toman la ciudad de Kursk, que será el escenario de una importante batalla.

9 DE FEBRERO

LA GUERRA MARÍTIMA, *MEDITERRÁNEO*

Un convoy del Eje que transporta refuerzos a Túnez parte de Italia. Los aviones aliados con base en Malta hunden 10 barcos entre el 9 de febrero y el 22 de marzo. Los campos de minas y los submarinos británicos también destruyen varios de los barcos.

12-14 DE FEBRERO

FRENTE ORIENTAL, *CÁUCASO*

Los soviéticos conquistan Krasnodar, el día 12, y Rostov, sobre el río Don, dos días después.

14-22 DE FEBRERO

ÁFRICA, *TÚNEZ*

El mariscal de campo Erwin Rommel lanza un ataque hacia el noroeste, desde su área fortificada de Mareth, para abrirse paso a través de las fuerzas aliadas que se encuentran entre el frente del Eje y Bône, en la costa. En la batalla del Paso de Kasserine, sus fuerzas atacan al 2º Cuerpo estadounidense y causan el pánico entre sus filas.

Las fuerzas estadounidenses se encuentran a 160 km de Gabès, un punto clave de la Línea Mareth alemana por su cruce de carreteras, su puerto y su aeródromo. Las fuerzas alemanas sacan partido de la escasa coordinación entre tierra y aire de los estadounidenses, la mala disposición de sus unidades y la inexperiencia de algunos de sus soldados. Los ataques alcanzan Thala, hasta que pierden ímpetu y Rommel ordena la retirada. Pierde 2.000 hombres; los americanos, 10.000.

15 DE FEBRERO

FRENTE ORIENTAL, *UCRANIA*

Jarkov y otras ciudades son liberadas cuando las fuerzas soviéticas recuperan el territorio ocupado por los alemanes. Stalin ha empezado a considerar una victoria total en 1943.

16-21 DE FEBRERO

RETAGUARDIA, *ALEMANIA*

En Munich tienen lugar manifestaciones de los estudiantes contra el régimen de Hitler. Suceden entonces protestas en otras ciudades universitarias alemanas y austríacas. Hans y Sophie Scholl, líderes del grupo estudiantil anti-nazi *Rosa Blanca* de la universidad de Munich, son decapitados el día 21.

18 DE FEBRERO

LEJANO ORIENTE, *BIRMANIA*

El brigadier Orde Wingate emprende la primera misión *Chindit* británica. La fuerza de penetración, formada por 3.000 hombres, pretende operar detrás de las líneas japonesas e interrumpir las comunicaciones. Los *Chindits* deben recibir suministros por vía aérea. La misión, de seis semanas, tiene un éxito militar limitado, pero el primer ministro Winston Churchill queda impresionado por los métodos poco ortodoxos de

▲ *Un barco mercante aliado atrapado en una marejada, formando parte de un convoy que atraviesa el Atlántico.*

Wingate. Como resultado, se aprobarán nuevas operaciones *Chindit* en Birmania.

18-27 DE FEBRERO

FRENTE ORIENTAL, *UCRANIA*

El mariscal de campo Erich von Manstein, comandante del Grupo de Ejércitos del Don, lanza una contraofensiva contra el Ejército Rojo, para aniquilar el empuje enemigo hacia el río Dnieper. Utilizando cuatro cuerpos motorizados, aísla a tres ejércitos soviéticos, infligiendo graves pérdidas al Ejército Rojo.

20-25 DE FEBRERO

LA GUERRA MARÍTIMA, *ATLÁNTICO*

Durante los ataques de los *U-Boote*, el convoy aliado *ON-166* pierde 15 de sus 49 barcos. Sólo un submarino alemán resulta hundido.

21 DE FEBRERO

PACÍFICO, *ISLAS SALOMÓN*

Fuerzas estadounidenses desembarcan en la isla Russell. Este es su primer movimiento en la campaña para conquistar la cadena de islas. La operación, bajo el nombre clave de Cartwheel («Rueda de Carro»), pretende más tarde obturar la base aérea y marítima japonesa de Rabaul, en Nueva Bretaña. Los comandantes estadounidenses del Pacífico, el almirante Chester Nimitz y el general Douglas MacArthur, han ideado una estrategia de «salto entre

◀ *Las cartas desde el hogar provocan la sonrisa en las caras de estos dos soldados alemanes del Grupo de Ejércitos del Don, en el Frente Oriental.*

◄ Las tropas italianas en Túnez colocan una mina cuando las unidades del Eje intentan detener el avance del 8° Ejército británico.

▼ Serpenteando y girando en un esfuerzo desesperado por escapar, un destructor japonés es alcanzado por las bombas en el mar de Bismarck.

las islas» según la cual se retoma un cierto número de islas seleccionadas, mientras que se evitan las posiciones japonesas, fuertemente defendidas. La potencia aérea y naval aliada aislará después estos puestos fortificados, los cuales, en lugar de ser una amenaza, se «marchitarán en la vid».

23-24 DE FEBRERO

LA GUERRA MARÍTIMA, *ATLÁNTICO*
Siete petroleros del convoy aliado *UC-1* son hundidos por un grupo de *U-Boote*.

26-28 DE FEBRERO

ÁFRICA, *TÚNEZ*
El 5° Ejército *Panzer* del coronel general Jürgen von Arnim, al nordeste de Túnez,

▼ Un buque de transporte japonés es bombardeado durante la batalla del mar de Bismarck.

lanza finalmente un contraataque desde la Línea Mareth, que debería haberse emprendido durante la anterior serie de ataques. No tiene éxito.

28 DE FEBRERO

POLÍTICA, *ALEMANIA*
El general Heinz Guderian es nombrado inspector general de las tropas motorizadas, y recibe amplios poderes para reforzar las unidades de tanques alemanas.
FRENTE OCCIDENTAL, *NORUEGA*
Nueve paracaidistas noruegos, procedentes de Gran Bretaña, sabotean la estación hidráulica de Norsk, donde se fabrica agua pesada para investigaciones nucleares.

2-5 DE MARZO

LA GUERRA MARÍTIMA, *PACÍFICO*
En la batalla del mar de Bismarck, ocho buques de transporte y ocho destructores japoneses son atacados mientras navegan

◀ *Tropas y tanques alemanes esperan órdenes de avanzar contra Jarkov, en febrero de 1943.*

parativos del general Bernard Montgomery para una ofensiva final en Medenine, al sur de la Línea Mareth. Atacan a través de un amplio frente, pero no consiguen concentrarse y son repelidos con decisión. El mariscal de campo Erwin Rommel, cuya moral y salud se están deteriorando, abandona África del Norte.

6-20 DE MARZO

LA GUERRA MARÍTIMA, *ATLÁNTICO*
Dos convoyes atlánticos (el *HX-229* y el

PERSONALIDADES CLAVE

EL ALMIRANTE CHESTER NIMITZ

El almirante Chester Nimitz (1885-1966) fue nombrado comandante de la Flota del Pacífico de los Estados Unidos justo después del ataque a Pearl Harbor, en diciembre de 1941. Desde abril de 1942, ocupó el cargo de comandante de todas las fuerzas navales y aéreas en el área del océano Pacífico.

Ayudado por los esfuerzos estadounidenses de desciframiento de códigos, fue capaz de anticiparse y vencer los planes japoneses en las batallas del mar del Coral, en mayo, y de Midway, en junio. Estas acciones afianzaron la superioridad naval estadounidense en el Pacífico, infligiendo decisivas derrotas sobre los portaaviones japoneses. Nimitz continuó entonces liderando una serie de ataques contra la Armada Japonesa, y apoyó las operaciones de «salto entre las islas» para establecer el control aliado sobre la región del Pacífico. Fue un gran partidario de la estrategia anfibia, que hizo retroceder a los japoneses a través del océano hasta Japón. Fue nombrado almirante de la Flota en 1944, y estuvo presente en la rendición japonesa en 1945. Uno de sus puntos fuertes fue ser capaz de alcanzar sus metas sin provocar el antagonismo de sus colegas.

▲ *La Plaza Roja de Jarkov, con las señales de la batalla, tras la brillante conquista de la ciudad por Manstein, en marzo de 1943.*

desde Rabaul hacia Lae, en Nueva Guinea. Aviones y barcos torpederos estadounidenses y australianos hunden todos los buques de transporte y cuatro destructores. Los aliados pierden seis aviones; los japoneses, 25. Este es el último intento japonés de reforzar su presencia en Nueva Guinea.

5 DE MARZO

LA GUERRA ÁEREA, *ALEMANIA*
Los británicos emprenden una ofensiva de cuatro meses contra el área industrial del Ruhr. Una fuerza de 367 bombarderos golpea las fábricas *Krupp* de Essen en el primer ataque; se pierden 14 aviones.

6-9 DE MARZO

ÁFRICA, *TÚNEZ*
Los alemanes intentan interrumpir los pre-

SC-122) combaten contra 20 *U-Boote* de una «manada de lobos», en el Atlántico. Aunque 21 barcos son hundidos, sólo se pierde un *U-Boote*. Los aliados no pueden afrontar una pérdida tal.

13 DE MARZO

RETAGUARDIA, *ALEMANIA*
Oficiales alemanes intentan asesinar a Hitler, sin éxito. Colocan una bomba en su avión, pero no explota.

14 DE MARZO

FRENTE ORIENTAL, *UCRANIA*
Después de que la vanguardia de su ejército llegue al río Donets, las fuerzas de Manstein atrapan y destruyen al 3º Ejército Blindado soviético. En total, el Ejército Rojo ha abandonado cerca de 9.500 km² de territorio recién conquistado, ante la brillante contraofensiva de Manstein, que ha logrado estabilizar el frente alemán en el sur de Rusia. Manstein ha impedido el derrumbamiento total del Eje.

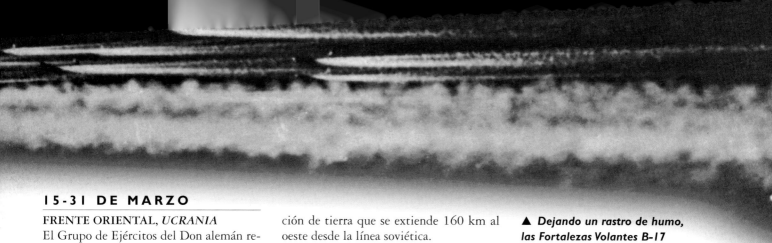

15-31 DE MARZO

FRENTE ORIENTAL, *UCRANIA*

El Grupo de Ejércitos del Don alemán reconquista Jarkov, y Belgorod tres días después. A finales de mes, el Frente de Voronezh soviético ha retrocedido hasta la orilla oriental del curso alto del Donets. La fase final de la ofensiva de Manstein, un ataque combinado con el 2º Ejército *Panzer* del Grupo de Ejércitos Centro, que se dirige hacia el sur, desde Orel a Kursk, es interrumpida por el deshielo de primavera. Esta victoria anima al alto mando alemán a lanzar la Operación Zitadelle, un ambicioso plan para destruir los Frentes Central y de Voronezh en el saliente de Kursk, al norte de Jarkov. Unos 500.000 soldados del Ejército Rojo ocupan Kursk y una por-

▼ *Soldados italianos en la Línea Mareth.*

ción de tierra que se extiende 160 km al oeste desde la línea soviética.

20-28 DE MARZO

ÁFRICA, *TÚNEZ*

Las fuerzas aliadas, a las órdenes del general Bernard Montgomery, lanzan un ataque cuidadosamente planeado contra la Línea Mareth. Las principales defensas de la línea, a lo largo de los bancos de Wadi Zigzaou, son penetradas los días 21 y 22, pero la 15ª División *Panzer* contraataca con éxito. Montgomery, no obstante, emprende un movimiento de flanqueo hacia una importante ofensiva, y para el día 26 las fuerzas del Eje han retrocedido hacia el norte, a la llanura de El Hamma. Las debilitadas fuerzas alemanas se retiran a Wadi Akarit el día 28, mientras que muchos de sus aliados italianos se rinden.

26 DE MARZO

LA GUERRA MARÍTIMA, *PACÍFICO*

En la batalla de las islas Kommandorsky, en el mar de Bering, dos cruceros y cuatro destructores estadounidenses combaten contra cuatro cruceros y cinco destructores japoneses. Los japoneses abandonan la acción justo antes de poder explotar su superioridad numérica. Ambos bandos acaban con un crucero gravemente averiado.

27 DE MARZO

ÁFRICA, *TÚNEZ*

El general Sir Harold Alexander envía la 34ª División de Infantería de los Estados Unidos a apoderarse del paso Foundouk, pero un fuerte fuego de artillería detiene su avance.

30 DE MARZO

LA GUERRA MARÍTIMA, *ÁRTICO*

Gran Bretaña suspende los convoyes árticos a la Unión Soviética, porque no puede proveerlos de la escolta suficiente para protegerlos contra el creciente número de buques de guerra alemanes en Noruega.

5-6 DE ABRIL

ÁFRICA, *TÚNEZ*

El 8º Ejército británico ataca la Línea de Wadi Akarit, una posición defensiva situada a través de la ruta hacia Túnez. La línea no puede ser flanqueada. Mientras que el

▲ *Dejando un rastro de humo, las Fortalezas Volantes B-17 estadounidenses bombardean la ciudad alemana de Dresde a plena luz del día.*

ataque tiene éxito, los británicos no consiguen sacar partido de su avance, y las fuerzas del Eje aprovechan para reagruparse.

7-10 DE ABRIL

ÁFRICA, *TÚNEZ*

El 9º Cuerpo británico, que incluye a la 34ª División de Infantería de los Estados Unidos, ataca el paso Foundouk, pero las fuerzas del Eje retienen la zona hasta que logran retirar al grueso de sus unidades de la batalla.

▼ *Miembros de la Comisión Polaca observan una prueba de la masacre del bosque de Katyn.*

7-13 DE ABRIL

LA GUERRA AÉREA, *ISLAS SALOMÓN*

Unos 180 aviones japoneses comienzan la Operación I, atacando a los barcos aliados frente a Guadalcanal. El día 11, los japoneses atacan a los buques que se encuentran frente a las costas de Nueva Guinea, y el día 12 asaltan el campo aéreo de Port Moresby, y a los británicos en la bahía de Milne al día siguiente. Hunden un destructor, una corbeta, un petrolero, dos buques de carga, y destruyen unos 20 aviones. La masiva operación aérea contra los barcos y los aeródromos, sin embargo, no consigue el grado de éxito que los japoneses habían previsto.

8 DE ABRIL

POLÍTICA, *JAPÓN*

El general Kawbe sucede al general Iida como comandante de las fuerzas japonesas que operan en Birmania.

10-12 DE ABRIL

ÁFRICA, *TÚNEZ*

Tropas británicas entran en Sfax, uno de los puertos vitales para reducir las grandes líneas de suministro desde Trípoli, y se detienen finalmente en Enfidaville, al sudeste de Túnez. Las fuerzas del Eje se encuentran ahora establecidas en su línea defensiva definitiva, que se extiende desde el cabo Serrat, en el Mediterráneo, hasta Enfidaville. La derrota de las fuerzas del Eje es inevitable. El control aéreo y naval aliado les niega cualquier refuerzo. Están decididos a seguir luchando, sin embargo, con el fin de retrasar el plan aliado de invadir Italia hasta el otoño, cuando es probable que el deterioro del tiempo impida cualquier desembarco aliado.

12 DE ABRIL

RETAGUARDIA, *POLONIA*

Las autoridades alemanas comunican que han encontrado una fosa común en el bosque de Katyn. Afirman que contiene los cuerpos de unos 10.000 oficiales polacos ejecutados por la policía secreta soviética en 1939. Los soviéticos responden que se trata de una propaganda intencionada de los alemanes para desacreditarles. Investigaciones posteriores revelan que, verdaderamente, los soviéticos fueron los responsables de la masacre de 4.500 oficiales en el bosque de Katyn.

17 DE ABRIL

LA GUERRA AÉREA, *ALEMANIA*

La 8ª Fuerza Aérea de los Estados Unidos ataca las fábricas de aviones de Bremen desde su base en el este de Inglaterra. Se trata de uno de sus mayores ataques hasta la fecha. Se pierden 16 de las 115 *Fortalezas Volantes* B-17 que participan en el ataque.

▶ **Un combatiente judío se entrega en el gueto de Varsovia, cuando las SS se abren camino a través de la ciudad, calle por calle.**

▲ *El almirante Minichi Koga, comandante de la Flota Combinada japonesa.*

18 DE ABRIL

LA GUERRA AÉREA, TÚNEZ

Una operación de 100 aviones de transporte alemanes que llevan suministros a las fuerzas del Eje en África del Norte sufre un ataque devastador por parte de los cazas estadounidenses. Alrededor de la mitad de los aviones de transporte, así como 10 cazas, son derribados.

19-22 DE ABRIL

ÁFRICA, TÚNEZ

El general Bernard Montgomery, deseoso de que su 8° Ejército selle la victoria en Túnez, lanza una ofensiva hacia Enfidavi-lle. El ataque conquista poco terreno, y las bajas son graves.

19 DE ABRIL

FRENTE ORIENTAL, *POLONIA*

Comienza la destrucción del gueto de Varsovia, con las tropas alemanas de las SS realizando un ataque a gran escala. Los combatientes judíos construyen una red de lugares para ocultarse, y luchan con armas cortas o con armamento improvisado. Hasta 310.000 judíos han sido ya deportados del gueto, para ser ejecutados o encerrados en campos de trabajo.

21 DE ABRIL

POLÍTICA, *JAPÓN*

El almirante Minichi Koga sucede al almirante Isoroku Yamamoto como comandante en jefe de la Flota Combinada. Los descifradores de claves estadounidenses habían averiguado que Yamamoto estaba visitando las bases del sudoeste del Pacífico, y desplegaron sus aviones para interceptar a la Flota. El almirante resultó muerto después de que su avión fuera destrozado por los cazas estadounidenses, el día 18.

22 DE ABRIL

ÁFRICA, *TÚNEZ*

El 1° Ejército británico y el 2° Cuerpo de los Estados Unidos se preparan para ani-

▼ *Cañones y vehículos del Regimiento Real de Artillería británico, en la ruta a Túnez durante la última fase de la guerra en África.*

quilar la serie de puestos fortificados que se encuentran entrelazados a través de las tierras altas sobre las vías de acceso a Túnez. El 1° Ejército ataca entre Medjez-el-Bab y Bou Arada, mientras que el 2° Cuerpo ataca más al norte, hacia Mateur y Bizerta. El principal empuje lo realiza el 5° Cuerpo del 1° Ejército, a lo largo de una línea directa hacia Túnez, desde Medjez-el-Bab. Para lograr esto, tienen que conquistar dos importantes posiciones del Eje en los territorios elevados de Peter's Corner y Longstop Hill, en el río Medjerda.

26-30 DE ABRIL

ÁFRICA, *TÚNEZ*

El 5° Cuerpo del 1° Ejército conquista Longstop Hill, y llega a Djebel Bou Aoukaz. Del 28 al 30 de abril, los alemanes contraatacan y toman Djebel Bou Aoukaz. Mientras tanto, el 2° Cuerpo estadounidense lucha una batalla encarnizada para conquistar la Colina 609. El avance del 1° Ejército está siendo bloqueado por los prolongados combates contra las fuertes posiciones del Eje. Para conseguir un avance a través del valle del Medjerda, el 8° Ejército envía dos divisiones y una brigada para respaldar la ofensiva.

28 DE ABRIL

LA GUERRA MARÍTIMA, *ATLÁNTICO*

El convoy aliado *ONS-5* comienza una batalla de siete días de duración contra 51 *U-Boote*. El convoy logra un éxito considerable, pese al limitado apoyo aéreo que recibe. Siete *U-Boote* son hundidos y 17 re-

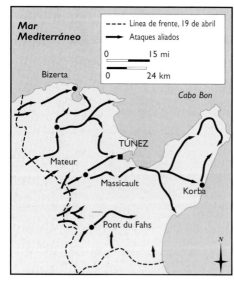

▲ *La victoria aliada final en Túnez puso fin a la campaña del norte de África. Las bajas totales del Eje fueron de 620.000 hombres, un tercio de ellos alemanes. El Tercer Reich no podía permitirse tales pérdidas.*

ciben daños. El convoy pierde 13 de sus 42 barcos.

30 DE ABRIL

ESPIONAJE, *GRAN BRETAÑA*

Los británicos arrojan un cadáver al mar Mediterráneo, vestido como un oficial y portando documentación falsa, como parte de una operación de engaño para desviar la atención de los alemanes de los planes aliados para invadir Sicilia. El cadáver es rescatado por los alemanes, quienes encuentran los documentos falsos que contienen detalles sobre un ataque aliado sobre Grecia y Cerdeña. En consecuencia, los alemanes envían refuerzos a estas zonas.

3 DE MAYO

POLÍTICA, *ESTADOS UNIDOS*

El general Frank Andrews, comandante estadounidense en el escenario europeo, muere en un accidente aéreo. El general Jacob Devers es nombrado su sustituto.

5-7 DE MAYO

ÁFRICA, *TÚNEZ*

Los refuerzos enviados por el 8° Ejército ayudan al 1° Ejército a reconquistar Djebel Bou Aoukaz, y permiten a la 7ª División Acorazada británica avanzar a un «territorio de tanques» abierto. El general Sir Harold Alexander puede ahora explotar la superioridad numérica y material de sus ejércitos contra las fuerzas del Eje

que defienden Túnez. El día 6 llegan a Massicault, y los tanques entran en Túnez el día 7. El 3° Cuerpo de los Estados Unidos alcanza Bizerta el mismo día. Las fuerzas del Eje en África del Norte se enfrentan a una derrota inmediata, sin ninguna posibilidad de huir de los aliados.

11-29 DE MAYO

PACÍFICO, *ISLAS ALEUTIANAS*

Una fuerza anfibia estadounidense, formada por 12.000 hombres, ataca la isla de Attu, una de las posiciones fortificadas de Japón en el Atlántico Norte. Durante la encarnizada ofensiva, sólo sobreviven 29 de los 2.500 japoneses. Las fuerzas estadounidenses sufren 561 víctimas mortales y 1.136 soldados heridos.

▲ *Escapes de agua en la presa de Möhne, tras el exitoso ataque de la* **Royal Air Force** *británica.*

12-25 DE MAYO

POLÍTICA, *ALIADOS*

Se lleva a cabo la conferencia *Trident* aliada en Washington. Churchill y Roosevelt refuerzan la estrategia de «Alemania primero», acordando intensificar los bombardeos en Europa. Se fija una fecha para la invasión a través del canal de la Mancha (el 1 de mayo de 1944), y Gran Bretaña presiona para que el ataque sobre Sicilia se extienda al continente italiano. Los británicos tienen la sensación de que los Estados Unidos están enviando cada vez más tropas al Pacífico, a costa de las operaciones militares europeas.

13 DE MAYO

ÁFRICA, *TÚNEZ*

Las fuerzas del Eje se rinden de manera oficial. Alemania e Italia han sufrido unas 620.000 bajas entre muertos y prisioneros. Pérdidas de los aliados en la campaña: 20.000 franceses, 19.000 británicos y 18.500 estadounidenses.

16-17 DE MAYO

LA GUERRA AÉREA, *ALEMANIA*

Las presas de los ríos Möhne y Eder son asaltadas por 19 aviones *Lancaster* británicos, que transportan

◄ *Eisenhower (centro) y el general Montgomery, felices tras la victoria aliada en África.*

◀ Un bombero alemán lucha por apagar las llamas después de un fuerte ataque británico sobre Dortmund, a finales de mayo.

23-29 DE MAYO

LA GUERRA AÉREA, *ALEMANIA*

Los británicos efectúan un ataque masivo sobre Dortmund. Otra ofensiva sobre Wuppertal, el día 29, mata a 2.450 personas. Los bombarderos británicos están intensificando sus ataques nocturnos a gran escala contra centros industriales.

26 DE MAYO

BALCANES, *YUGOSLAVIA*

Una fuerza del Eje de 120.000 hombres ataca a 16.000 guerrilleros comunistas en Montenegro. Una misión militar británica llega el día 27 para encontrarse con el líder guerrillero Joseph Tito, quien confirma sus informes de que el grupo de resistencia rival de los *chetniks* apoyan ahora a las fuerzas del Eje. Desde el otoño de 1941, Tito ha dirigido una gran campaña en la provincia de Serbia, pero ha resistido ya a varios ataques importantes por parte de las fuerzas de ocupación del Eje. Los guerrilleros se han protegido retirándose a las montañas, y ahora van a recibir un gran apoyo por parte de los aliados.

1-11 DE JUNIO

LA GUERRA AÉREA, *ITALIA*

Un bombardeo naval y aéreo ininterrumpido sobre la isla de Pantellaria la obliga a rendirse el día 11. La propaganda italiana la había aclamado falsamente como una fortaleza inexpugnable y, en consecuencia, los aliados la habían considerado un obstáculo a sus planes para invadir Sicilia y la tierra firme.

«bombas rebotadoras» especialmente diseñadas. Las presas generan electricidad y proveen de agua a la región del Ruhr. El escuadrón, liderado por el teniente coronel de aviación Guy Gibson, pierde ocho aviones. El ataque causa cierto trastorno en la industria, y estimula la moral en Gran Bretaña. Las bajas alemanas son altas, especialmente entre los trabajadores forzados extranjeros.

16 DE MAYO

RETAGUARDIA, *POLONIA*

Termina la rebelión del gueto de Varsovia. Unos 14.000 judíos han muerto, 22.000, enviados a campos de concentración, y 20.000, a campos de trabajo.

22 DE MAYO

LA GUERRA MARÍTIMA, *ATLÁNTICO*

El almirante Karl Doenitz suspende las patrullas en el Atlántico Norte. Unos 56 submarinos han sido destruidos sólo desde abril, en una campaña de agotamiento que los alemanes no pueden afrontar.

▶ Guerrilleros comunistas de camino a Montenegro, cuando una fuerza del Eje de 120.000 hombres lanza una campaña para liquidarlos. La ofensiva fracasó.

Las crecientes pérdidas, tanto en barcos como en tripulaciones experimentadas, le obligan a desplegar las fuerzas que le quedan en las aguas, menos peligrosas, del mar Caribe y las Azores. Las tácticas mejoradas, el radar, el desciframiento de claves, la cobertura aérea y las escoltas cada vez mayores se han combinado para reforzar las defensas de los convoyes.

mientos porque ha perdido confianza en sus capacidades y desea limitar sus funciones militares.

20-24 DE JUNIO

LA GUERRA AÉREA, *ALEMANIA/ITALIA*

Los aliados lanzan su primer ataque «lanzadera». Los bombarderos británicos atacan Friedrichshafen, en Alemania, y después van a repostar al norte de África. En su vuelo de regreso a Gran Bretaña, atacan la base naval de La Spezia, en Italia.

21 DE JUNIO

PACÍFICO, *ISLAS SALOMÓN*

Las fuerzas estadounidenses inician una ofensiva contra el grupo de islas de Nueva Georgia. El aeródromo de Munda es el principal objetivo. Las ofensivas en las Salomón tienen el apoyo vital de la información de reconocimiento proporcionada por los observadores aliados encargados de vigilar la costa, que tienen su base en estas islas poco conocidas y están equipados con radios de gran potencia. Los aeródromos de Nueva Georgia sufren bombardeos aéreos y navales mientras los buques de guerra estadounidenses minan las aguas a su alrededor para destruir a los barcos que traen refuerzos y suministros.

5 DE JULIO

POLÍTICA, *POLONIA*

El general Wladyslaw Raczkiewicz, primer

3 DE JUNIO

POLÍTICA, *FRANCIA LIBRE*

Los líderes rivales, los generales Charles de Gaulle y Henri Giraud, acuerdan compartir la presidencia del Comité de Liberación Nacional.

10 DE JUNIO

LA GUERRA AÉREA, *ALEMANIA*

Se emprende a Operación Pointblack. La ofensiva, a manos de las fuerzas de bombarderos británicas y estadounidenses, durará hasta la invasión a través del canal de la Mancha de 1944. La estrategia estadounidense se concentra en ataques diurnos de precisión para destrozar la industria aeronáutica alemana, así como su fuerza aérea. Los ataques británicos se enfocan a bombardeos nocturnos de saturación para socavar la eco-

nomía y la moral civil alemanas. Las tripulaciones aéreas son asistidas por el sistema *Pathfinder*, mediante el cual los objetivos son fijados por radar y marcados por bengalas.

18 DE JUNIO

POLÍTICA, *GRAN BRETAÑA*

El mariscal de campo Sir Archibald Wavell se convierte en virrey de la India. El general Sir Claude Auchinleck le sucede como comandante en jefe en la India, aunque un nuevo Comando de Asia Oriental reduce su importancia. Churchill ha hecho estos nombra-

► *El casco en llamas de un barco japonés alcanzado por los aviones estadounidenses frente a las islas Salomón.*

▶ *Ambos bandos sufrieron graves pérdidas en Kursk. El equipo de este tanque soviético fue alcanzado por un cañón antitanque y por las granadas de los Panzers alemanes.*

ministro del gobierno polaco en el exilio, muere en un accidente aéreo. Su segundo, Stanislaw Mikolajczyk, lo reemplaza.

5-6 DE JULIO

PACÍFICO, *ISLAS SALOMÓN*

La 43ª División de Infantería de los Estados Unidos dirige el principal desembarco en Nueva Georgia. Esa noche, destructores estadounidenses y japoneses se encuentran en la batalla del Golfo de Kula. Un destructor japonés es hundido.

6 DE JULIO

FRENTE ORIENTAL, *UCRANIA*

La inteligencia soviética ha descubierto los planes para la ofensiva contra Kursk por parte de 900.000 soldados alemanes. Los alemanes creen que una victoria en el Frente Oriental reforzará la moral doméstica y preservará la coalición del Eje, mientras que demostrará además a los aliados que los nazis todavía pueden lograr la victoria.

Desde marzo hasta julio, reúnen 900.000 soldados, pero el Ejército Rojo consigue establecer una superioridad numérica en hombres (1,3 millones) y material. En consecuencia, las unidades alemanas se exponen al bombardeo aéreo y terrestre mientras el Ejército Rojo se prepara para el ataque.

El 9º Ejército alemán del Grupo de Ejércitos Centro, al sur de Orel, y el 4º Ejército *Panzer* del general Erich von Manstein, al norte de Jarkov, abren la Ope-

ración Zitadelle con una ofensiva contra el saliente. El 9º Ejército, a las órdenes del mariscal de campo Gunther von Kluge, sólo penetra 9 km y pierde 250.000 hombres. Unos 6.000 tanques y cañones de asalto soviéticos y alemanes toman parte en la mayor batalla de blindados de la guerra. Los soviéticos prestan especial atención a los cañones y obstáculos antitanque. Los alemanes despliegan 200 aviones en la operación y los soviéticos, 2.400.

6-9 DE JULIO

FRENTE ORIENTAL, *UCRANIA*

Un creciente número de tropas alemanas refuerza la ofensiva de Kursk, pero el Ejér-

▼ *El presidente polaco Wladyslaw Raczkiewicz, aquí pasando revista a los marinos, murió en un accidente de avión el 5 de julio.*

cito Rojo se mantiene firme. Los soviéticos contrarrestan a los alemanes con una profunda red defensiva, mientras que las unidades antitanque, fuertemente armadas, envían fuego concentrado contra los blindados alemanes. Los soviéticos consiguen rápidamente la superioridad aérea, y los cazas proporcionan un valioso apoyo táctico. Estas medidas se combinan para evitar que los ataques alemanes penetren las defensas soviéticas.

7-13 DE JULIO

PACÍFICO, *PAPÚA-NUEVA GUINEA*

El puesto fortificado japonés en Mumbo, a 15 km hacia el interior de Salamaua, es tomado por los australianos. Las fuerzas estadounidenses y australianas están luchando por expulsar a los japoneses de las tierras altas a las que se han retirado. Los refuer-

▼ *La Royal Navy desembarca a sus tropas, cuando las unidades aliadas penetran tierra adentro, en Sicilia.*

zos aliados están a punto de desembarcar, con el fin de echar a los japoneses del nordeste de Nueva Guinea.

9 DE JULIO

MEDITERRÁNEO, *SICILIA*

Caóticos asaltos aerotransportados británicos y estadounidenses son el principio del ataque sobre Sicilia, Cerdeña y la península. Mussolini espera que el ataque aliado sea sobre Cerdeña. Los principales objetivos estratégicos son despejar las rutas marítimas del Mediterráneo, desviar a las tropas del Eje del Frente Oriental, y posiblemente, hacer presión sobre Italia para acelerar su capitulación.

10 DE JULIO

MEDITERRÁNEO, *SICILIA*

Una flota de invasión de 2.500 barcos transporta al 8º Ejército del general Bernard Montgomery y al 7º Ejército del general George Patton al sur de Sicilia. Los italianos son sorprendidos, ya que no esperaban un ataque durante la tormenta. Los aliados desem-

▲ *Tanques alemanes portadores de personal y cañones de asalto (obsérvense los faldones blindados) se dirigen a la batalla de Kursk.*

barcarán finalmente 160.000 hombres para luchar contra el 6º Ejército del General Guzzoni (230.000 soldados italianos y 40.000 alemanes). Los desembarcos tienen la ayuda de un nuevo transporte anfibio, el *DUKW*.

11-12 DE JULIO

MEDITERRÁNEO, *SICILIA*

La División *Panzer* alemana *Hermann Goering* llega casi hasta las fuerzas estadounidenses en la costa cerca de Gela y Licata, pero el ataque es obstaculizado por los paracaidistas estadounidenses. El general Sir Harold Alexander, comandante general de la operación, espera que el 8º Ejército avance en dirección norte por la costa oriental hacia las bases clave de Catania y Messina. El 7º Ejército, menos experimentado, debe proteger el flanco y la retaguardia británicas.

▲ *La invasión aliada de Sicilia supuso el mayor ataque por mar emprendido hasta la fecha. Durante el ataque inicial siete divisiones, un equipo de combate blindado, dos comandos y una brigada de asalto fueron desembarcados contra un enemigo casi igual en número.*

12-13 DE JULIO

FRENTE ORIENTAL, *UCRANIA*

En Kursk, los soviéticos lanzan una contraofensiva alrededor de Prokhorovka, y tiene lugar una enorme batalla de tanques. El 4º Ejército *Panzer* del mariscal de campo von Manstein avanza 40 km, pero pierde 10.000 hombres y 350 tanques. Más al norte, el Frente Oeste y el de Bryansk comienzan una ofensiva alrededor de Orel. Adolf Hitler suspende la Operación Zitadelle el día 13. La última ofensiva alemana importante en el Frente Oriental ha sido un costoso fracaso, con la pérdida de unos 550 tanques y 500.000 hombres muertos, heridos o desaparecidos. Es un desastre muy importante para Alemania, más aún cuando sus reservas blindadas, cuidadosamente reunidas, han sido aniquiladas en la batalla.

LA GUERRA MARÍTIMA, *PACÍFICO*
En la batalla de Kolombangara, frente a

PERSONALIDADES CLAVE

EL MARISCAL DE CAMPO ERICH VON MANSTEIN

Erich von Manstein (1887-1973) era jefe del Estado Mayor del general Gerd von Rundstedt en 1939, antes de ser relegado por poner en duda la estrategia del alto mando para la invasión de Francia, en 1940. Era partidario de un ataque por sorpresa a través de las Ardenas, y cuando Hitler adoptó este plan, su suerte cambió. Manstein dirigió de forma sobresaliente un cuerpo de infantería durante la invasión de Francia, y después tomó el mando de un cuerpo blindado, al cual dirigió al principio de la Operación Barbarroja.

En septiembre de 1941, había ascendido a comandante del 11° Ejército en el Frente Oriental. Su conquista de Crimea le mereció la reputación de excelente comandante de campo, y se convirtió en mariscal de campo en 1942. Su utilización de los tanques para apoderarse de Jarkov, en febrero de 1943, cuando cedió territorio ante la superioridad numérica de los soviéticos, antes de contraatacar con su cuerpo motorizado cuando el enemigo estaba agotado y al final de sus líneas de suministro, fue la mayor contraofensiva alemana de la guerra.

Su reconocimiento de la necesidad de una estrategia defensiva flexible le puso en conflicto con Hitler. La estrecha visión estratégica del *Führer* en el Frente Oriental se basaba en retener los territorios. Los planes del mariscal de campo se consideraban, por tanto, un abandono del frente alemán. Como resultado de este conflicto sobre estrategia, Manstein fue destituido en 1944.

▲ *Soldados del 8° Ejército británico en Catania, Sicilia, en julio de 1943. Palermo, la capital, cayó a finales de mes.*

Nueva Georgia, un escuadrón japonés liderado por el almirante Izaki combate contra tres cruceros ligeros y 10 destructores estadounidenses. Un destructor estadounidense es hundido, y un crucero neozelandés y dos estadounidenses reciben daños. Los japoneses pierden un crucero.

15-23 DE JULIO

MEDITERRÁNEO, *SICILIA*
El 7° Ejército de los Estados Unidos avanza hacia el oeste, con el objetivo de apoderarse de la capital, Palermo, con un ataque de los blindados.

17 DE JULIO

FRENTE ORIENTAL, *UCRANIA*
El frente soviético de Voronezh, justo al sur de Kursk, y el Frente de la Estepa, al oeste de Jarkov, empiezan a perseguir a las fuerzas alemanas, que se están retirando ahora con cierta confusión.

17-18 DE JULIO

MEDITERRÁNEO, *SICILIA*
El 8° Ejército británico ataca en dirección norte, hacia la fortaleza del Eje de Catania, pero encuentra la resuelta resistencia de la División *Hermann Goering*, en la llanura bajo el monte Etna. Los británicos deciden por tanto dirigirse hacia el monte Etna, mientras el 7° Ejército estadounidense recorre la costa norte hacia Messina.

19 DE JULIO

POLÍTICA, *EJE*
Benito Mussolini y Adolf Hitler se reúnen en Fletre, en el norte de Italia. El dictador italiano no le dice a Hitler que su país va a dejar de luchar, y en cambio aprueba la

propuesta de Alemania de asumir el control militar en Italia. El primer ataque aéreo importante de los aliados se lleva a cabo sobre la capital italiana, Roma, ese mismo día, por parte de los bombarderos estadounidenses.

23 DE JULIO

MEDITERRÁNEO, *SICILIA*

El 7º Ejército de los Estados Unidos entra en Palermo, así como en los puertos de la costa oeste de Trapani y Marsala.

23-24 DE JULIO

FRENTE ORIENTAL, *UCRANIA*

Los ejércitos alemanes se han retirado ahora a las líneas que ocuparon al iniciar la Operación Zitadelle, en Kursk.

23-30 DE JULIO

MEDITERRÁNEO, *SICILIA*

Los aliados se dirigen a Messina, mientras las fuerzas alemanas intentan salvar la cabeza de puente y los campos de aviación alrededor de Catania. Las fuerzas estadounidenses avanzan hacia el interior a lo largo de la costa norte y la carretera 120.

24 DE JULIO

POLÍTICA, *ITALIA*

El Gran Consejo Fascista, el cuerpo constitucional para debatir las decisiones del gobierno y del partido, se reúne por primera vez desde 1939. Dino Grandi, antiguo ministro de justicia, propone que la autoridad militar sea ostentada por el rey, y no por Mussolini. Su moción es aprobada.

24 DE JULIO – 2 DE AGOSTO

LA GUERRA AÉREA, *ALEMANIA*

Se emprende una serie de ataques británicos masivos sobre Hamburgo. Los ataques se efectúan durante cuatro noches y duran hasta el 2 de agosto. El lanzamiento de tiras de aluminio para confundir a los equipos de radar alemanes (el sistema «Window»), ayuda a los bombarderos. Mueren unas 50.000 personas, y 800.000 se quedan sin hogar. El ataque del día 27 al 28 crea una tormenta de fuego, que arde con tanta intensidad que las llamas absorben el oxígeno del área de alrededor. Esto crea un efecto «huracán» que alimenta las llamas, las cuales se extienden a gran velocidad.

25 DE JULIO

POLÍTICA, *ITALIA*

El rey de Italia releva a Benito Mussolini de su cargo. Mussolini es arrestado, y el mariscal Pietro Badoglio forma un nuevo gobierno que dura sólo seis semanas. El go-

bierno impide que Alemania ocupe todo el país, prometiendo seguir luchando. Badoglio espera, sin embargo, que los aliados desembarquen y ocupen la mayor parte de Italia rápidamente, y así limitar toda lucha al norte del país.

26 DE JULIO

FRENTE ORIENTAL, *UCRANIA*

El alto mando alemán ordena a sus fuerzas alrededor de Orel que se retiren a la Línea Hagen, previamente preparada, al este de Bryansk.

I DE AGOSTO

LA GUERRA AÉREA, *RUMANÍA*

Una fuerza estadounidense de 178 bombarderos realiza un vuelo de 1.500 km desde Libia para atacar los yacimientos petrolíferos de Ploesti, que proporcionan suministros esenciales a las fuerzas del Eje. El ataque, a poca altura, se encuentra con un feroz fuego antiaéreo, y se pierden 54 aviones. El daño

a los yacimientos petrolíferos es superficial, pero aumentan los temores de Hitler acerca de la vulnerabilidad de la zona a los ataques aéreos y terrestres.

2 DE AGOSTO

FRENTE ORIENTAL, *UCRANIA*

Adolf Hitler ordena al mariscal de campo Erich von Manstein que retenga firmemente la línea alrededor de Jarkov. Hitler quiere evitar a toda costa que el Frente Oriental sea empujado aún más hacia el oeste por parte de la probable ofensiva de verano soviética. No obstante, las fuerzas alemanas de la región carecen de los efectivos, los tanques y la artillería necesarios para detener permanentemente al Ejército Rojo.

▼ *Las consecuencias de los ataques sobre la ciudad de Hamburgo. Los bombardeos y las tormentas de fuego mataron a unas 50.000 personas.*

3 DE AGOSTO

POLÍTICA, *ITALIA*

El régimen italiano sondea la paz con los aliados. En respuesta, los aliados ponen las condiciones siguientes para un armisticio: que la flota se entregue; que todos los territorios italianos estén disponibles para operaciones militares aliadas; que los prisioneros aliados en Italia sean liberados y no se permita que caigan en manos de los alemanes; y el desarme de todas las fuerzas aéreas y terrestres.

3-16 DE AGOSTO

MEDITERRÁNEO, *SICILIA*

Las fuerzas italianas se retiran de Sicilia. Catania se rinde a los británicos el día 5.

4-11 DE AGOSTO

FRENTE ORIENTAL, *UCRANIA*

Unidades del Ejército Rojo reconquistan Orel y Belgorod, el día 5. Los frentes Voronezh y de la Estepa se encuentran cerca de Jarkov.

5-22 DE AGOSTO

PACÍFICO, *ISLAS SALOMÓN*

Fuerzas estadounidenses conquistan el importante aeródromo de Munda, en la isla de Nueva Georgia. La resistencia japonesa en la isla se desintegra, y los defensores no reciben refuerzos. Se efectúa una evacuación por mar, desde el norte de la isla a la vecina Kolombangara, el día 22.

6 DE AGOSTO

MEDITERRÁNEO, *ITALIA*

Comienzan a llegar refuerzos alemanes a Italia. Hitler ordena cuatro operaciones: el rescate de Mussolini de su encarcelamiento por parte del nuevo gobierno italiano, la formación de una sólida línea de defensa italiana, el reavivamiento del fascismo, y la incautación de la flota italiana. Hitler desea también ocupar todo el territorio italiano posible, usándolo como un bastión para mantener la guerra lo más alejada que pueda de Alemania.

6-7 DE AGOSTO

LA GUERRA MARÍTIMA, *PACÍFICO*

Cuatro destructores japoneses que transportan tropas y suministros a Kolombangara, en Nueva Georgia, emprenden una acción nocturna contra seis destructores estadounidenses, en la batalla del Golfo de Vela. Los torpedos hunden tres destructores japoneses y acaban con 1.210 vidas. Ningún barco estadounidense resulta dañado.

8-17 DE AGOSTO

MEDITERRÁNEO, *SICILIA*

Las fuerzas estadounidenses que avanzan por la costa reciben la ayuda de los desembarcos anfibios al este de San Stefano. Tropas británicas, canadienses y marroquíes

▼ *Bombarderos estadounidenses se disponen a atacar los yacimientos petrolíferos de Ploesti, Rumanía, a principios de agosto.*

▲ *Conferencia de Quebec, donde se acordó un plan británico para la invasión de Europa a través del canal de la Mancha, previsto para mediados de 1944.*

de la Francia Libre han librado una serie de acciones encarnizadas para superar la resuelta resistencia alemana al sudoeste del monte Etna. Los alemanes empiezan a retroceder finalmente el día 11, y evacuan a 100.000 soldados del Eje antes de que las fuerzas estadounidenses entren en Messina, el día 17.

Alrededor de 10.000 alemanes han muerto o han sido capturados durante la campaña. Los italianos han perdido 132.000 hombres, principalmente prisioneros. Las fuerzas británicas y estadounidenses han sufrido 7.000 bajas y 15.000 hombres han resultado heridos. La conquista de Sicilia significa que los aliados poseen un trampolín para la invasión de Italia.

13-24 DE AGOSTO

POLÍTICA, *ALIADOS*

El primer ministro británico Winston Churchill y el presidente de los Estados Unidos, Franklin D. Roosevelt, acuden a la primera conferencia de Quebec, en Canadá. Gran Bretaña reafirma el control estadounidense sobre el escenario del Pacífico, donde se están intensificando las operaciones. Se proponen más operaciones *Chindit* para Birmania, y también continuará la ayuda a Chiang Kai-shek en China. El vicealmirante Lord Louis Mounbatten se hace cargo del mando del Asia Suroriental.

La lucha en Italia se intensificará para sacar partido de la caída de Mussolini. Adoptan el plan del general británico Sir Frederick Morgan para la invasión a través del canal, la Operación Overlord, programada para el 1 de mayo de 1944. Se construirán puertos flotantes artificiales (los puertos Mulberry) en Gran Bretaña, que se remolcarán hasta las playas francesas. El comandante supremo de la invasión será un veterano general estadounidense.

15 DE AGOSTO

PACÍFICO, *ISLAS ALEUTIANAS*

Un asalto anfibio estadounidense y canadiense sobre la isla de Kiska se encuentra con que la guarnición japonesa ha sido evacuada.

17-18 DE AGOSTO

LA GUERRA AÉREA, *ALEMANIA*

El centro de investigación de cohetes de Peenemünde, en el mar Báltico, es atacado por 597 bombarderos británicos. El centro ha estado desarrollando una «bomba volante» (la *V1*) impulsada a reacción y con control remoto, y un modelo con combustible líquido, más rápido (el *V2*), como armas de terror para socavar la moral de las poblaciones enemigas. El ataque mata a 732 personas y hace que las pruebas con el *V2* se demoren. Los británicos pierden 40 aviones. Se efectúa un ataque de los 230 bombarderos estadounidenses sobre las fábricas de rodamientos en Schweinfurt y Regensburg. Alrededor del 20% de los bombarderos son destruidos.

19 DE AGOSTO

PACÍFICO, *PAPÚA-NUEVA GUINEA*

Las fuerzas aliadas toman por fin el puesto fortificado japonés del monte Tambu. Las tropas japonesas están ahora arrinconadas entre Salamaua y el río Francisco.

22-23 DE AGOSTO

FRENTE ORIENTAL, *UCRANIA*

Jarkov es reconquistada por el Ejército Rojo. Los soviéticos amenazan ahora seriamente la zona sur del frente

alemán en Ucrania, y se encuentran bien situados para avanzar hacia el río Dnieper. Los soviéticos han logrado victorias en Kursk, Orel y Jarkov agotando al enemigo con feroces acciones defensivas seguidas de decididos contraataques.

26 DE AGOSTO

FRENTE ORIENTAL, *UCRANIA*

Las fuerzas soviéticas comienzan su ofensiva para apoderarse de la Ucrania oriental y cruzar el río Dnieper. El río forma una parte clave de las defensas alemanas establecidas para detener los avances del Ejército Rojo.

28 DE AGOSTO

POLÍTICA, *DINAMARCA*

El gobierno danés dimite tras rechazar la exigencia alemana de que reprima a los «saboteadores». Las autoridades danesas han intentado impedir la colaboración con Alemania. Se declara la ley marcial el día 29, el ejército es desarmado pero muchos buques de guerra daneses son barrenados o enviados a Suecia antes de que los alemanes puedan apoderarse de ellos.

3 DE SEPTIEMBRE

MEDITERRÁNEO, *ITALIA*

El 8º Ejército del general Bernard Montgomery cruza desde Sicilia para hacerse con una cabeza de puente en Calabria. Los británicos encuentran poca oposición, ya que los alemanes en el sur de Italia tienen órdenes de retirarse.

4-5 DE SEPTIEMBRE

PACÍFICO, *PAPÚA-NUEVA GUINEA*

Se emprende una ofensiva aliada para conquistar el más importante pueblo y ae-

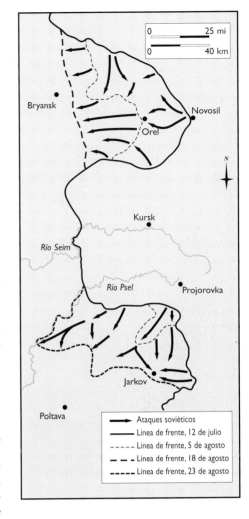

▲ **El Ejército Rojo reconquistó rápidamente Jarkov, después del fracaso alemán de la Operación Zitadelle.**

▶ *La artillería del Ejército Rojo dispara contra las unidades alemanas a las afueras de Jarkov, en el avance soviético hacia el río Dnieper.*

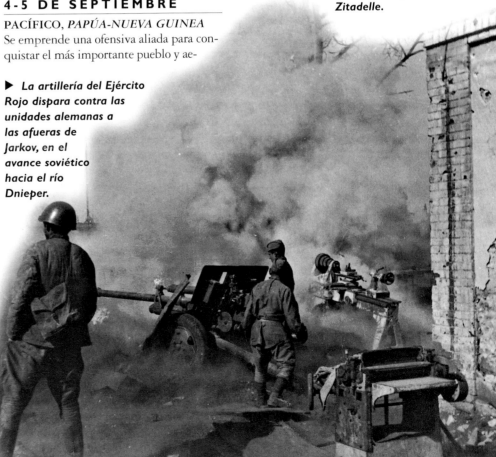

ESTRATEGIA Y TÁCTICAS

EL BOMBARDEO ESTRATÉGICO

El bombardeo estratégico –ofensivas aéreas contra los centros industriales y la población enemiga– utilizando flotas de bombarderos había sido considerado como una fórmula para ganar la guerra antes de que ésta comenzara. Sin embargo, después de que Alemania iniciase sus primeros ataques importantes contra Gran Bretaña en 1940, sus limitaciones se pusieron de manifiesto.

Aunque los ataques eran altamente destructivos, no conseguían paralizar la economía o socavar la moral; ciertamente, parecía más bien lo contrario, ya que la población se crecía ante la masacre. Los ataques aliados sobre Alemania encontraron resultados similares, ya que sufrieron grandes pérdidas durante los ataques diurnos, durante los cuales eran un blanco más fácil, y se vieron obligados a realizar ataques nocturnos, menos certeros. La respuesta de Gran Bretaña fue usar bombardeos de saturación para destrozar casas y fábricas.

Los bombarderos estadounidenses comenzaron sus operaciones sobre Europa en 1942, y fueron entrenados primordialmente para ataques diurnos y con un alto nivel de precisión. Pronto se encontraron con que los cazas enemigos y el mal tiempo minaban su efectividad. Los cazas, el fuego antiaéreo y el radar se combinaban para que los ataques de los bombarderos fueran cada vez más arriesgados. Los aliados contrarrestaron con innovaciones tecnológicas para mejorar la navegación y la puntería. También se mejoró el fuego defensivo y la escolta de los cazas. Sin embargo, las pérdidas de tripulación aérea eran graves: el Mando de Bombardeo británico perdió 55.573 hombres, mientras que la 8ª Fuerza Aérea del Ejército de los Estados Unidos (con base en Gran Bretaña) sufrió 43.742 bajas.

Mientras que el bombardeo aliado de la industria petrolífera y del sistema de transportes alemanes jugó un papel clave para finalizar la guerra, los bombarderos nunca fueron capaces de derrotar al enemigo, como sus partidarios de la preguerra habían predicho (el rendimiento industrial de Alemania mejoró durante la ofensiva aliada).

Los ataques contra Japón comenzaron en 1944 en 65 ciudades y consiguieron destruir y matar a miles de peronas, pero no capitularon hasta los ataques de 1945.

El discutible impacto que tales ataques tenían en la capacidad económica y psicológica de una población, y las inquietudes morales por la muerte de civiles, llevaron a muchos a cuestionar esta manera de librar la guerra.

▶ *Soldados de la Francia Libre vislumbran Córcega por primera vez, cuando llegan a la isla en un buque de tropas.*

ródromo, Lae. Se efectúan desembarcos anfibios a alrededor de unos 30 km al este de Lae, el día 4. Paracaidistas estadounidenses aterrizan en Nadzeb el día 5, y comienzan a afianzar el valle del río Markham.

8 DE SEPTIEMBRE

POLÍTICA, *ITALIA*
La rendición de Italia es anunciada oficialmente por los aliados. Las fuerzas alemanas toman posesión del norte del país y ocupan las defensas costeras, en previsión de una importante invasión aliada. Desarman a las unidades terrestres italianas, pero la armada consigue enviar 24 buques de guerra a Malta.

9 DE SEPTIEMBRE

MEDITERRÁNEO, *ITALIA*
El 5º Ejército de los Estados Unidos del teniente general Mark Clark, junto con el 10º Cuerpo Británico, desembarca en el golfo de Salerno.

10-11 DE SEPTIEMBRE

MEDITERRÁNEO, *CERDEÑA/CÓRCEGA*
Los alemanes retiran 25.000 hombres de Cerdeña a Italia, vía Córcega. Una fuerza franco-estadounidense de 7.000 hombres parte de Argelia para ocupar Córcega, a principios de octubre.

11-15 DE SEPTIEMBRE

PACÍFICO, *PAPÚA-NUEVA GUINEA*
Salamaua es conquistada el día 11, y Lae cuatro días más tarde. Estas victorias privan a los japoneses de un puerto y un campo de aviación claves. Los japoneses sólo ocupan ahora el fuerte de Finschhafen. El fuerte debe ser tomado para despejar la península, que es adyacente a las rutas marítimas hacia Nueva Bretaña, el próximo objetivo aliado.

12 DE SEPTIEMBRE

POLÍTICA, *ITALIA*
Tropas aéreas alemanas lideradas por el teniente coronel Otto Skorzeny rescatan a Mussolini de su encarcelamiento en Gran Sasso, en los montes Abruzos. Mussolini, sin embargo, estará ahora bajo el control de Alemania.

12-18 DE SEPTIEMBRE

MEDITERRÁNEO, *ITALIA*
Fuerzas alemanas contraatacan ferozmente a los aliados alrededor de Salerno, y amenazan la cabeza de puente entera. Sólo el apoyo masivo de la aviación y la artillería salva a las asediadas unidades aliadas.

15 DE SEPTIEMBRE

MEDITERRÁNEO, *MAR EGEO*
Fuerzas británicas desembarcan en la isla de Kos, en el Dodecaneso. Las islas, frente al sudoeste de Turquía, son un camino potencial hacia el sudeste de Europa, así como una base para las operaciones aéreas contra las comunicaciones y los recursos petrolíferos alemanes en Rumanía. Una victoria aquí podría también persuadir a Turquía a apoyar la causa aliada, ya que la amenaza de ataques aéreos alemanes desde Rodas quedaría eliminada. Kos va a ser un trampolín para un ataque contra el baluarte alemán en Rodas. A finales de septiembre, las fuerzas británicas traban contacto con tropas italianas dispuestas a cooperar de la mayoría de las islas vecinas.

▲ Tropas alemanas se dirigen al Dodecaneso, después del desembarco de fuerzas británicas en las islas.

▼ Jubilosos paracaidistas alemanes, fotografiados después de rescatar a Mussolini desde el hotel Gran Sasso.

17 DE SEPTIEMBRE

FRENTE ORIENTAL, *UNIÓN SOVIÉTICA*
El Ejército Rojo conquista Bryansk.

19-23 DE SEPTIEMBRE

LA GUERRA MARÍTIMA, *ATLÁNTICO*
Las manadas de *U-Boote* alemanes reanudan las operaciones contra los convoyes aliados. Ahora están equipados con dispositivos de control electrónicos, cañones antiaéreos mejorados y torpedos acústicos. Veinte *U-Boote* infligen serias pérdidas a los buques de guerra y barcos mercantes de los convoyes *ON-202* y *ONS-28*, entre los días 18 y 23.

21 DE SEPTIEMBRE

LA GUERRA MARÍTIMA, *LEJANO ORIENTE*
Comandos australianos hunden dos barcos de transporte japoneses, después de entrar en canoa en el puerto de Singapur.

22 DE SEPTIEMBRE

FRENTE ORIENTAL, *CRIMEA*
El 13º Ejército soviético cruza el río Dnieper al sur de Kiev, y cabezas de puente emergen gradualmente a lo largo del río.

PACÍFICO, *PAPÚA-NUEVA GUINEA*
Comienzan ofensivas aliadas por mar y aire contra los japoneses, sobre la península de Huon.

LA GUERRA MARÍTIMA, *ÁRTICO*
Un ataque por parte de los submarinos enanos británicos para destruir el escuadrón de batalla alemán en Altenfiord, en Noruega, inutiliza al acorazado *Tirpitz*. Los submarinos, sin embargo, son incapaces de atacar al crucero de batalla *Scharnhorst* ya que está en el mar, y no consiguen encontrar al acorazado de bolsillo *Lützow*. Los tres submarinos enanos implicados en el ataque al *Tirpitz* son hundidos.

22-23 DE SEPTIEMBRE

MEDITERRÁNEO, *ITALIA*
La 78ª División del 8º Ejército desembarca en Bari. Las fuerzas británicas avanzan entonces para apoderarse de Foggia y su valioso aeródromo, cinco días después.

23 DE SEPTIEMBRE

POLÍTICA, *ITALIA*
Benito Mussolini anuncia la formación de la República Social Italiana en el noroeste

de Italia. Alemania, sin embargo, recibe el control de algunas zonas del norte por parte de esta «república».

25 DE SEPTIEMBRE

FRENTE ORIENTAL, *UNIÓN SOVIÉTICA*

Los soviéticos reconquistan Smolensko, continuando su ofensiva. El Grupo de Ejércitos Centro alemán está ahora retrocediendo con cierto desorden.

1-8 DE OCTUBRE

MEDITERRÁNEO, *ITALIA*

Tropas británicas entran en Nápoles, el día 1, y el 5º Ejército de los Estados Unidos avanza hacia el norte. Su movimiento hacia el norte es interrumpido el día 8 en el río Volturno; todos los puentes han sido destruidos por los alemanes en retirada.

2-11 DE OCTUBRE

MEDITERRÁNEO, *ITALIA*

Comandos británicos desembarcan en Termoli, el día 2, y una brigada británica llega a las cercanías la siguiente noche. Las fuerzas alemanas contraatacan, pero retroceden cuando los británicos toman el control de la ciudad, hacia el día 11.

3-4 DE OCTUBRE

MEDITERRÁNEO, *MAR EGEO*

Una fuerza de 1.200 paracaidistas alemanes conquista Kos. Alrededor de 900 soldados aliados y 3.000 italianos son hechos prisioneros. Los alemanes fusilan a 90 oficiales italianos por luchar contra su antigua aliada.

6 DE OCTUBRE

MEDITERRÁNEO, *EGEO*

Un convoy alemán con destino a Leros es atacado por dos cruceros y dos destructores británicos. Siete transportes alemanes y una escolta son hundidos. Los barcos británicos hacen también peligrosas travesías, sin la cobertura aérea adecuada para reforzar a sus tropas en Leros.

9 DE OCTUBRE

FRENTE ORIENTAL, *CÁUCASO*

El Ejército Rojo alcanza el estrecho de Kerch. Esto completa la liberación del norte del Cáucaso.

▼ *Un marinero alemán lucha por mantenerse de pie en un* **U-Boot,** *durante una operación en el océano Atlántico.*

10-23 DE OCTUBRE

FRENTE ORIENTAL, *UCRANIA*

Fuertes unidades del Ejército Rojo continúan reforzando y aumentando sus cabezas de puente en el Dnieper, y destruyen posiciones alemanas ferozmente defendidas alrededor de Zaporozhye y Melitopol.

12-22 DE OCTUBRE

MEDITERRÁNEO, *ITALIA*

Las fuerzas estadounidenses hacen lentos progresos a través del río Volturno y del terreno montañoso, enfrentándose a un tiempo cada vez peor. El 8º Ejército Británico comienza a avanzar hacia el norte, a través del río Trigno, el día 22. El mariscal de campo Albert Kesselring, el comandante en jefe alemán en Italia desde septiembre, ha creado un fuerte sistema defensivo a lo largo de los ríos Garellano y Sangro. Se conoce como Línea *Gustav.*

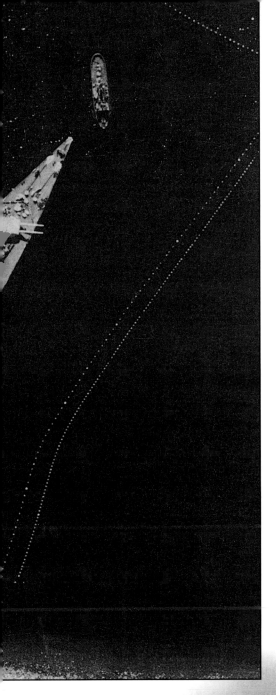

▲ **El acorazado alemán Tirpitz fue atacado por los submarinos británicos el 22 de septiembre.**

▼ **Un mortero británico dispara sobre las posiciones alemanas durante la batalla al norte de Nápoles, a principios de octubre.**

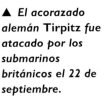

13 DE OCTUBRE

POLÍTICA, *ITALIA*

El gobierno del mariscal Pietro Badoglio, que tiene algún poder en el sur de Italia, declara la guerra a Alemania.

14 DE OCTUBRE

LA GUERRA AÉREA, *ALEMANIA*

Se lleva a cabo un segundo ataque sobre el complejo de fábricas de rodamientos de Schweinfurt, por parte de 291 Fortalezas Volantes *B-17* estadounidenses. Se pierden 60 aviones y 140 son dañados, a cambio de pocos resultados. Después de esta operación, la fuerza aérea del 8º Ejército de los Estados Unidos suspende los ataques diurnos sin escolta, debido a las altas pérdidas que han sufrido. Los bombardeos diurnos llevarán escolta de cazas de largo alcance.

▲ *Tropas italianas desarmadas, fotografiadas en un campo de internamiento en Bozzano, después de la ocupación alemana de su país a finales de septiembre.*

19 DE OCTUBRE

POLÍTICA, *ALIADOS*

Representantes de las principales naciones aliadas acuden a la Segunda Conferencia de Moscú, en la Unión Soviética. Se llega a acuerdos acerca de la seguridad de la China de posguerra, el castigo a los criminales de guerra, y el establecimiento de consejos de consulta para considerar el destino de Italia y de Europa en su totalidad.

21 DE OCTUBRE

POLÍTICA, *GRAN BRETAÑA*

El almirante John Cunningham es nombrado comandante de las fuerzas navales británicas en el Mediterráneo, después de que el almirante Andrew Cunningham sea nombrado ministro de Marina.

◀ Tropas antiaéreas japonesas buscan a los aviones de combate enemigos, tras la invasión estadounidense de las islas Salomón.

ña. La isla es de importancia estratégica, ya que ofrece a los aliados aeródromos que pueden ser utilizados para las operaciones contra la base japonesa en Rabaul. La isla es defendida por 40.000 soldados y 20.000 marinos. La mayoría están concentrados en el sur, pero las fuerzas estadounidenses desembarcan más hacia el oeste, en la bahía de la Emperatriz Augusta, donde hay menos defensores.

1-2 DE NOVIEMBRE

LA GUERRA MARÍTIMA, *PACÍFICO*

Una fuerza japonesa de tres cruceros pesados, un crucero ligero y seis destructores intenta impedir los desembarcos de Bougainville, en la bahía de la Emperatriz Augusta. La falta de radar y las maniobras demasiado complicadas permiten al Grupo de Operaciones 39 estadounidense hundir un crucero ligero y un destructor. Dos cruceros pesados y un destructor reciben daños. Sólo uno de los 12 barcos americanos es dañado por los japoneses.

5-11 DE NOVIEMBRE

LA GUERRA MARÍTIMA, *PACÍFICO*

El Grupo de Operaciones 38 del contraalmirante estadounidense Frederick C. Sher-

25 DE OCTUBRE

LEJANO ORIENTE, *BIRMANIA*

La línea de ferrocarril entre Birmania y Siam es completada por los prisioneros de guerra aliados y los trabajos forzados de los indígenas. El proyecto japonés de construir una vía a través de los densos bosques de la selva es logrado a un tremendo costo humano. Una quinta parte de los 61.000 prisioneros aliados que trabajan en el proyecto mueren como resultado de accidentes, malos tratos, enfermedades y hambre. Éste es el mayor de los muchos proyectos de Japón a través de Asia. Los captores japoneses muestran una completa indiferencia hacia los sufrimientos de sus prisioneros.

27-28 DE OCTUBRE

PACÍFICO, *ISLAS SALOMÓN*

Se efectúan desembarcos en las islas Treasury y en Choiseul, por parte de fuerzas estadounidenses y neozelandesas. Se trata de

ataques de distracción del ataque principal en Bougainville. Consigue atraer la atención a las islas Shortland y las bases alrededor de Buin, en el sur de Bougainville, en lugar de a la zona de desembarco estadounidense, más hacia el oeste.

30 DE OCTUBRE

FRENTE ORIENTAL, *UCRANIA*

Unidades soviéticas alcanzan el norte de Crimea, y expulsan casi totalmente a los alemanes del banco izquierdo del Dnieper.

1 DE NOVIEMBRE

PACÍFICO, *ISLAS SALOMÓN*

Fuerzas estadounidenses desembarcan en Bougainville, su objetivo final en la campa-

▶ *Soldados americanos posan para una fotografía en un puesto de mando japonés conquistado, en las islas Salomón.*

▲ Un **Hellcat** *americano despega del portaaviones* **USS Essex***, durante el ataque del almirante Frederick Sherman sobre Rabaul.*

man, que cuenta con el portaaviones pesado *Saratoga* y el portaaviones ligero *Princeton*, ataca Rabaul. Un ataque sorpresa por parte de 97 aviones alcanza a ocho cruceros y destructores comandados por el vicealmirante Takeo Kurita. Un segundo ataque aéreo de 183 aviones, lanzado desde los portaaviones pesados *Bunker Hill* y *Essex*, además del portaaviones ligero *Independence*, golpea Rabaul el día 11. Un crucero ligero y un destructor son hundidos; otros cinco destructores y cruceros ligeros resultan dañados. Los japoneses pierden también más de 55 aviones durante el ataque y su contraataque.

6 DE NOVIEMBRE

FRENTE ORIENTAL, *UCRANIA*
Los soviéticos reconquistan Kiev. El 17º Ejército es atrapado en Crimea, cuando

Adolf Hitler ordena que no se abandone la región. Dos cabezas de puente, en Kiev y en el sudoeste de Kremenchug, han sido creadas por el Ejército Rojo con vistas a la ofensiva para liberar la Ucrania occidental.

10 DE NOVIEMBRE

MEDITERRÁNEO, *MAR EGEO*
La isla de Kos está ahora bajo el control alemán, y los destructores británicos bombardean a los barcos anclados en el puerto. A pesar del ataque, los alemanes parten para Leros el día 12. Baterías costeras y contraataques de la infantería intentan detener a los invasores. El fuerte apoyo de la

▼ *La conquista estadounidense de las islas Salomón fue un magnífico ejemplo de las operaciones de la guerra anfibia a enorme escala.*

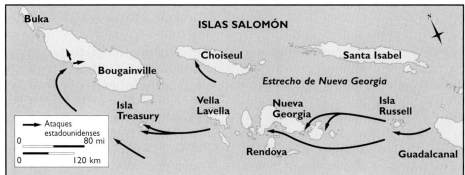

aviación y un ataque aéreo ayudan a los alemanes a estabilizar sus posiciones.

15 DE NOVIEMBRE

MEDITERRÁNEO, *ITALIA*

El comandante supremo aliado en el Mediterráneo, el general Sir Harold Alexander, ordena al 15º Grupo de Ejércitos, que comprende a los ejércitos estadounidenses 5º y 8º, descansar y reformarse después de luchar contra las decididas tácticas de retardo alemanas. La guerra en Italia está resultando agotadora.

LA GUERRA MARÍTIMA, *ÁRTICO*

Gran Bretaña reanuda sus convoyes en el Ártico.

16 DE NOVIEMBRE

MEDITERRÁNEO, *MAR EGEO*

Alemania completa la conquista de Leros y derrota el intento británico de apoderarse del Dodecaneso. La escasa planificación y la superioridad aérea enemiga han llevado al fracaso de la operación. Gran Bretaña sufre más de 4.800 bajas, y pierde 20 barcos y 115 aviones. Alemania tiene 12 barcos mercantes y 20 barcos de desembarco hundidos, y sufre 4.000 bajas durante la corta campaña.

▼ *Un soldado americano dispara su metralleta Thompson contra una posición japonesa en la sierra de Cibik, Bougainville.*

18-26 DE NOVIEMBRE

PACÍFICO, *ISLAS SALOMÓN*

En la batalla de Piva Forks, en Bougainville, los japoneses intentan desesperadamente retener un puesto fortificado clave conocido como la cresta de Cibik, pero las tropas estadounidenses conquistan finalmente la posición.

18 DE NOVIEMBRE

LA GUERRA AÉREA, *ALEMANIA*

Comienza una ofensiva de los bombarderos británicos de cinco meses de duración. Unas 6.100 personas mueren, 18.400 son heridas, y vastas zonas del país son destruidas.

20-23 DE NOVIEMBRE

PACÍFICO, *ISLAS GILBERT*

El Grupo de Operaciones 53 estadounidense desembarca 18.600 soldados en Tarawa y Betio, después de varios días de bombardeo preparatorio. La red de búnkers de Tarawa, que contiene unos 4.800 defensores japoneses, consigue escapar a la destrucción.

Los desembarcos son estorbados por esta decidida guarnición, y también porque los barcos anfibios encallan en el arrecife alrededor de las islas, lo que significa que las tropas tienen que vadear la costa. Esto las convierte en blancos fáciles de alcanzar.

Unos 1.000 soldados estadounidenses mueren antes de que la isla sea conquistada el día 23. De la guarnición, sólo 110 soldados japoneses sobreviven. La cercana isla Makin es conquistada por la 27ª División de Infantería de los Estados Unidos durante la misma operación.

▲ *Tras la reanudación de los convoyes al Ártico, una carga de profundidad explota cerca de un U-Boot que se acercaba para atacar.*

▲ **Los desperfectos causados por las bombas en Berlín, una imagen familiar para aquellos que sufrieron durante cinco meses la campaña de la RAF contra la ciudad.**

◀ **El Lancaster formó parte del arsenal utilizado por el Comando de Bombarderos de la RAF contra la capital alemana.**

20-24 DE NOVIEMBRE

MEDITERRÁNEO, *ITALIA*

Los aliados reanudan la ofensiva hacia Roma, pero se detienen en las defensas de la Línea *Gustav*. Los británicos establecen una pequeña cabeza de puente a través del río Sangro, el día 24.

22-26 DE NOVIEMBRE

POLÍTICA, *ALIADOS*

El primer ministro británico Winston Churchill, el presidente estadounidense Franklin D. Roosevelt y Chiang Kai-shek por China se reúnen en El Cairo, Egipto. Consideran principalmente planes de posguerra para China y Birmania. Una segunda conferencia, entre el 4 y el 7 de diciembre, traza un programa para la campaña de «salto entre las islas» del Pacífico.

24 DE NOVIEMBRE

LA GUERRA MARÍTIMA, *PACÍFICO*

Un submarino japonés hunde al portaaviones escolta estadounidense *Liscombe Bay*, frente a la isla Makin, acabando con 644 vidas.

25 DE NOVIEMBRE

LA GUERRA MARÍTIMA, *PACÍFICO*

En la batalla del Cabo St. George una fuerza japonesa de destructores y barcos de transporte es atacada por cinco destructores estadounidenses, después de desembarcar tropas en Buka, cerca de Bougainville. Los japoneses pierden tres barcos durante la última acción de superficie en las islas Salomón.

28 DE NOVIEMBRE

POLÍTICA, *ALIADOS*

El primer ministro británico Winston Churchill, el presidente estadounidense Franklin D. Roosevelt y el líder soviético Josiv Stalin se reúnen en Teherán, Irán. Se da la máxima prioridad a la Operación Overlord, la invasión a través del canal de la Europa ocupada por los alemanes, y a un desembarco en el sur de Francia, la Operación Anvil, en mayo de 1944. Los soviéticos han estado presionando durante algún tiempo para conseguir la apertura del segundo frente.

9-26 DE DICIEMBRE

PACÍFICO, *ISLAS SALOMÓN*

Los avances estadounidenses sobre Bougainville garantizan que las bases aéreas puedan ser abiertas y que se puedan emprender misiones.

20 DE DICIEMBRE

PACÍFICO, *PAPÚA-NUEVA GUINEA*

Los aliados consiguen la supremacía en la península de Huon, aunque persiste la resistencia japonesa.

24-29 DE DICIEMBRE

POLÍTICA, *ALIADOS*

Se anuncian los comandantes para la liberación de Europa:

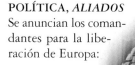

el general Dwight D. Eisenhower, Comandante Supremo Aliado; el mariscal del aire Sir Arthur Tedder, Comandante Supremo Segundo; el general Sir Henry Maitland Wilson, Comandante Supremo Aliado en el Mediterráneo; el almirante Sir Bertram Ramsay, Comandante en Jefe Naval Aliado; el mariscal del aire Sir Trafford Leigh Mallory, Comandante en Jefe del Aire Aliado; y el general Sir Bernard Montgomery, Comandante en Jefe de los Ejércitos Británicos.

25 DE DICIEMBRE

PACÍFICO, *ISLAS SALOMÓN*

Las fuerzas aliadas desembarcan en Nueva Bretaña, y comienzan a avanzar para aislar la base de Rabaul desde el oeste.

▲ *Chiang Kai-shek (sentado, a la izquierda), Roosevelt y Churchill en la Conferencia de El Cairo, en noviembre de 1943.*

▼ *Un* Sherman *busca al enemigo durante el ataque aliado sobre Roma, en noviembre.*

26 DE DICIEMBRE

LA GUERRA MARÍTIMA, *ÁRTICO*

En la batalla del cabo Norte, el crucero alemán *Scharnhorst* es hundido durante una operación mal planeada contra los convoyes *JW-55B* y *RA-55A*, los cuales están escoltados por el escuadrón de batalla de la Flota Metropolitana británica. El crucero recibe daños primero en su radar y en su control de fuego. Continúa luchando en la batalla hasta que el *Scharnhorst* empieza a perder velocidad y acaba siendo hundido finalmente con torpedos. Sólo 36 miembros de la tripulación del *Scharnhorst*, formada por 1.800 hombres, logran sobrevivir.

▲ *Soldados australianos en un terreno típico de la jungla, cerca de Lae, Papúa-Nueva Guinea, durante una ofensiva contra los japoneses.*

▼ *El acorazado británico HMS Duke of York, fotografiado después de participar en el hundimiento del Scharnhorst.*

1944

En el Pacífico, las derrotas japonesas en la batalla del mar de Filipinas y alrededor de las islas Marianas, además de las pérdidas en Birmania, señalaron el creciente poder de los aliados. En Europa, las fuerzas del Eje sufrieron reveses y retiradas en Italia, Francia y en el Frente Oriental, cuando los aliados invadieron el norte de Francia y el Ejército Rojo prácticamente liquidó al Grupo de Ejércitos Centro.

2 DE ENERO

POLÍTICA, *FRANCIA LIBRE*
El general Jean de Lattre de Tassigny es nombrado comandante en jefe de las fuerzas de la Francia Libre en África del Norte.

PACÍFICO, *PAPÚA-NUEVA GUINEA*
Tropas del 6º Ejército de los Estados Unidos desembarcan en Saidor, en la costa norte de Nueva Guinea, como parte de la Operación Dexterity, aislando a las fuerzas de retaguardia japonesas de su base princi-

▼ Soldados estadounidenses siguen a un tanque Sherman, durante las operaciones para despejar la costa norte de Nueva Guinea.

pal en Madang, a sólo 85 km. La pérdida de Saidor, un importante depósito de suministros, significa que 20.000 soldados japoneses están ahora atrapados entre las fuerzas australianas y estadounidenses. Su única vía de escape es a través de la densa jungla.

3 DE ENERO

LA GUERRA AÉREA, *ALEMANIA*

En un ataque aéreo a gran escala sobre Berlín, la RAF pierde 27 *Lancasters* de los 383 destinados a la operación, más 168 tripulantes. Los daños sobre la capital alemana son insignificantes.

4 DE ENERO

ESPIONAJE, *EUROPA*

Comienza la Operación Carpetbagger: se dejan caer regularmente desde el aire suministros para los grupos de resistencia en los Países Bajos, Bélgica, Francia e Italia.

5 DE ENERO

POLÍTICA, *POLONIA*

El gobierno polaco en el exilio autoriza al movimiento clandestino polaco a cooperar con el Ejército Rojo sólo en el caso de una reanudación de las relaciones polaco-soviéticas (la Unión Soviética to-

▶ **Soldados argelinos del Cuerpo Expedicionario Francés de Alphonse Juin, en acción en Monte Cassino, Italia, a mediados de enero.**

◀ **Lancasters sobre Alemania, a principios de enero. En aquel momento la RAF estaba sufriendo pérdidas de hasta el 10% cada mes.**

davía no ha reconocido al gobierno polaco en el exilio, con base en Londres).

FRENTE ORIENTAL, *UCRANIA*

Como parte del plan del Ejército Rojo para recuperar la Ucrania occidental y Crimea, el Segundo Frente Ucraniano del general Ivan S. Konev lanza una ofensiva hacia Kirovgrad. Pese a la desesperada resistencia alemana, la ciudad cae el día 8.

9 DE ENERO

LEJANO ORIENTE, *BIRMANIA*

Como parte del intento aliado de entrar en Birmania, el 15º Cuerpo británico toma la ciudad birmana de Maungdaw.

10 DE ENERO

FRENTE ORIENTAL, *UCRANIA*

El Tercer Frente Ucraniano del general Rodion Y. Malinovsky lanza una ofensiva hacia Apostolovo, pero el ataque es detenido seis días después ante la feroz resistencia alemana.

11 DE ENERO

POLÍTICA, *ITALIA*

El conde Galeazzo Ciano, el antiguo ministro de asuntos exteriores italiano y yerno de Mussolini, es ejecutado por un pelotón de fusilamiento en Verona. Su crimen fue haber votado junto con otros fascistas la deposición de Mussolini, en julio de 1943. Ciano y su esposa habían sido convencidos para ir a Baviera en agosto de 1943, diciéndoles que sus hijos estaban en peligro. Con la promesa de un pasaje seguro para España, fueron entregados al gobierno títere fascista de Italia.

12-14 DE ENERO

ITALIA, *CASSINO*

En Monte Cassino, las tropas coloniales del Cuerpo Expedicionario Francés del general Alphonse Juin cru-

zan el río Rapido, en el sector norte del 5º Ejército. Aunque no consiguen tomar Monte Santa Croce, su éxito llena a los cuarteles generales del 5º Ejército de renovado optimismo.

14-27 DE ENERO

FRENTE ORIENTAL, *LENINGRADO*

El 2º Ejército de choque soviético ataca desde la cabeza de puente de Oranienbaum, y el 59º Ejército ataca hacia Novgorod, en un intento de romper el bloqueo alemán de la ciudad. Al día siguiente, el 42º Ejército ataca desde los cerros de Pulkovo. El día 19, los tres ejércitos se unen cerca de Krasnoe, y dos días después las fuerzas alemanas en la zona de Petergof y Streina son liquidadas. La lucha continúa cuando los alemanes intentan detener la embestida del Ejército Rojo, pero el día 27 una salva de 324 cañones anuncia el fin del bloqueo alemán de Leningrado. Unos 830.000 civiles han muerto durante el largo asedio.

17 DE ENERO

ITALIA, *LÍNEA GUSTAV*

Comienza el intento aliado de atravesar la Línea Gustav, mediante un ataque frontal combinado con uno marítimo a la retaguardia alemana en Anzio. El 10º Cuerpo británico ataca a través del río Garellano y golpea al noroeste, hacia las montañas Aurunci y el valle de Liri. En respuesta, el comandante alemán, el general Heinrich von Vietinghoff, traslada a dos divisiones blindadas para contrarrestar esta nueva amenaza.

aunque al anochecer Lucas tiene cerca de 50.000 hombres y 3.000 vehículos en tierra, ordena a sus fuerzas atrincherarse para repeler cualquier contraataque enemigo. Pierde entonces la oportunidad de atacar en el interior desde la cabeza de playa.

24 DE ENERO

ITALIA, *CASSINO/ANZIO*

En Anzio, las patrullas aliadas que se aventuran al interior son detenidas por una creciente resistencia alemana. En Cassino, la 34ª División estadounidense establece por fin cabezas de puente a través del río Rapido, para permitir el paso a los blindados. En el otro extremo de la línea aliada, las tropas francesas consiguen nuevas conquistas.

26 DE ENERO

POLÍTICA, *ARGENTINA*

Argentina rompe relaciones con Alemania

▲ *Paracaidistas alemanes, en camino para atacar la cabeza de puente aliada en Anzio, que había estado contenida desde finales de enero.*

20 DE ENERO

ITALIA, *LÍNEA GUSTAV*

Como parte del ataque aliado sobre la Línea Gustav, el 2º Cuerpo de los Estados Unidos intenta cruzar el río Rapido para despejar un camino para la 1ª División Blindada estadounidense. Las defensas alemanas son fuertes y los americanos sufren graves pérdidas.

22 DE ENERO

ITALIA, *ANZIO*

Tropas del 6º Cuerpo aliado realizan un desembarco en Anzio, detrás de las líneas alemanas. Comandado por el general estadounidense John Lucas, el ataque inicial apenas recibe oposición y se abre la carretera a Roma. Sin embargo,

▲ *La campaña para abrirse paso a través de las defensas alemanas y alcanzar Anzio fue tan larga como costosa.*

◄ *Una unidad de transmisiones de los marines estadounidenses, en edificios derruidos del atolón de Kwajalein, en las islas Marshall, que cayeron tras cuatro días de lucha.*

y Japón tras el descubrimiento de una vasta red de espías del Eje en el país.

PACÍFICO, *PAPÚA-NUEVA GUINEA*

Tras varios días de lucha, la 18ª Brigada australiana toma la posición japonesa clave de Kankiryo.

30 DE ENERO

PACÍFICO, *ISLAS MARSHALL*

La conquista americana de las islas Marshall, la Operación Flintlock, comienza con un ataque anfibio contra el atolón de Majuro. La estrategia es concentrarse en las is-

---

Mapa:

Ataques aliados
Línea frente, 12 oct. de 1943
Línea frente, 15 noviem. de 1943
Línea de frente, 15 ener. de 1944
Línea de frente, 11 may. de 1944
Línea de frente, 5 jun. de 1944

N

Río Tíber
Pescara
Termoli
Avezzano
■ROMA
ITALIA
Río Sangro
Valmontone
Río Trigno
Río Socco
Río Liri
Sezza
Cassino
Pontecorvo
Mignano
Cabeza de playa de Anzio
Borgo Grappa
Minturino

Golfo de Gaeta

Nápoles

0   25 mi
0   40 km

EL MARISCAL JOSIP BROZ TITO, LÍDER DE YUGOSLAVIA

Tito (1892-1980) tenía casi 50 años cuando estalló la Segunda Guerra Mundial. Había participado en la Revolución Rusa y en la Guerra Civil Española, y organizó la resistencia cuando los alemanes invadieron Yugoslavia, en marzo de 1941. A finales de año, libraba una campaña guerrillera en Serbia, conquistando una serie de ciudades, como Uzice, donde instaló una fábrica de armas y una imprenta. Estaba en desacuerdo con el grupo de resistencia *chetnik* rival y lo venció, pero después fue expulsado de Serbia por los alemanes en la primera de las siete grandes ofensivas del Eje contra los partisanos yugoslavos.

Su táctica consistía en luchar durante tanto tiempo como fuera posible, retrocediendo entonces con sus fuerzas hacia las colinas, y manteniendo mientras tanto una estrecha comunicación y organización. En mayo de 1943 fue atacado por fuerzas seis veces mayores que la suya, perdió a una cuarta parte de sus hombres y la mitad de su material, pero se las arregló para mantener sus fuerzas unidas.

A finales de 1942, comenzó a recibir ayuda de los aliados occidentales, y la retirada de Italia de la guerra le dio Croacia, así como vastas cantidades de armas italianas. En 1944 poseía un ejército de 250.000 hombres y mujeres, y el 20 de octubre tomó Belgrado. Se convirtió en el símbolo de la unidad del país, y consiguió establecer un gobierno comunista después de la guerra.

las clave y sus bases aéreas. Una vez que éstas hayan sido tomadas, las guarniciones enemigas de las islas menores serán sometidas. El desembarco en Majuro se efectuó en una de las islas del atolón, que no estaba defendida.

1-4 DE FEBRERO

PACÍFICO, *ISLAS MARSHALL*

Se lanza el ataque anfibio contra las islas del atolón de Kwajalein. Unos 40.000 marines y soldados de infantería estadounidenses desembarcan en las islas de Roi, Namur y Kwajalein. La resistencia japonesa es fanática. A los americanos les lleva dos días afianzar Roi y Namur, a un costo de 737 soldados muertos y heridos; cuatro días conquistar Kwajalein, con la pérdida de 372 muertos y heridos. Las pérdidas totales de los japoneses son de 11.612 muertos.

4 DE FEBRERO

ITALIA, *CASSINO/ANZIO*

Los ataques aliados se acercan lentamente hacia Monte Cassino, pero entonces los feroces contraataques alemanes detienen el avance. En Anzio, los alemanes, situados en los terrenos altos, contienen la cabeza de puente aliada, que ahora cuenta con más de 70.000 hombres y 18.000 vehículos.

4-24 DE FEBRERO

LEJANO ORIENTE, *BIRMANIA*

Los japoneses lanzan la Operación Ha-Go con su 55ª División, diseñada para aislar a las tropas avanzadas del 15° Cuerpo aliado y forzar a los aliados a retroceder a la frontera india. Los ataques japoneses iniciales

▲ *El general Joseph Stilwell (derecha), cuyas tropas estaban avanzando sobre Myitkyina a principios de febrero de 1944, con los aliados chinos.*

tienen éxito y empujan a las tropas aliadas a una posición defensiva cerca de Sinzweya, llamada *Admin Box*. El anillo japonés alrededor de la posición no se rompe hasta el día 25, cuando la 123ª Brigada se abre camino a través del paso de Ngakyedauk y alcanza la *Admin Box*. El fracaso de la Ha-Go supone un momento crítico en la campaña de Birmania, ya que las tácticas japonesas de envolvimiento no han logrado producir los resultados esperados.

5 DE FEBRERO

LEJANO ORIENTE, *BIRMANIA*

La 16ª Brigada de los *Chindits* de Orde Wingate comienza a avanzar hacia el sur desde Ledo, India, en dirección a Indaw, en el norte de Birmania. Su misión es triple: ayudar al avance del general Joseph Stilwell sobre Myitkyina, eliminando a las fuerzas enemigas; crear una situación favorable para los ejércitos de Yunnan; e infligir el máximo daño y pérdidas posible a los japoneses en el norte de Birmania.

12 DE FEBRERO

LA GUERRA MARÍTIMA, *LEJANO ORIENTE*

El submarino japonés *I-27* hunde al barco de tropas británico *Khedive Ismail*, con la pérdida de muchas vidas. El submarino es hundido después por los destructores *Petard* y *Paladin*.

16-17 DE FEBRERO

ITALIA, *CASSINO*

La 34ª División estadounidense realiza un último intento por conquistar el monasterio, tomado por los alemanes. Su ataque es detenido, sin embargo, y la unidad es reemplazada por la 4ª División india y neozelandesa del 8º Ejército británico.

16-19 DE FEBRERO

ITALIA, *ANZIO*

Con un apoyo masivo de la artillería, 10 divisiones alemanas atacan la cabeza de puente de Anzio, en un intento de destruirlo. Para la mañana del día 17, los alemanes han creado una cuña de 1,5 km de profundidad en la línea aliada. Sin embargo, aquella tarde aviones de todo el frente italiano bombardean a las unidades alemanas, en un esfuerzo por salvar la cabeza de playa. Los ataques aéreos aliados, apoyados por la artillería terrestre, obligan finalmente a los alemanes a retirarse, el día 19.

18-22 DE FEBRERO

PACÍFICO, *ISLAS MARSHALL*

Las fuerzas estadounidenses completan su conquista de las islas, apoderándose del

▲ *Bombarderos* Dauntless *americanos, regresando de un ataque contra objetivos japoneses en las islas Marshall.*

atolón de Eniwetok. Esta operación combinada del ejército y la marina es un asunto sangriento, muriendo 3.400 defensores japoneses, junto con 254 marines y 94 miembros del ejército estadounidenses. Las islas Marshall son los primeros territorios japoneses de preguerra que caen en manos de los aliados hasta el momento en la guerra.

26 DE FEBRERO

FRENTE ORIENTAL, *BÁLTICO*

El Ejército Rojo conquista Porjov y se reagrupa en la línea Novorzhev y Pustoshka. En el curso de una campaña de seis meses, los frentes de Voljov, Leningrado y el Segundo del Báltico han hecho añicos al Grupo de Ejércitos Norte de Alemania. Han

liquidado a tres divisiones alemanas, derrotado a otras 17, y capturado 189 tanques y 1.800 piezas de artillería. Además, unidades de guerrilleros locales han matado a unos 21.500 soldados alemanes, destrozado 300 puentes, y descarrilado 136 trenes militares, durante una serie de ataques muy diversos.

29 DE FEBRERO

PACÍFICO, *ALMIRANTES*

Como parte de su estrategia para aislar la base japonesa de Rabaul, las fuerzas americanas desembarcan en las islas, una plataforma a través de la cual los japoneses

▼ *Un mortero de la 34ª División estadounidense bombardea las posiciones ocupadas por los alemanes alrededor de Monte Cassino.*

EL GENERAL GEORGE S. PATTON

Una especie de innovador en el ejército de los Estados Unidos, Patton (1885-1945) había prestado servicio en la Primera Guerra Mundial, y era un firme partidario de los principios de la guerra blindada. Se le puso al mando del 2° Cuerpo estadounidense en los desembarcos de la Operación Torch de noviembre de 1942, y recibió entonces órdenes de mandar el 7° Ejército de los Estados Unidos en la invasión de Sicilia. Sin embargo, fue censurado públicamente por abofetear a unos soldados con neurosis de guerra en un hospital de campaña.

Durante la campaña en Francia, mandó al 3° Ejército estadounidense en un rápido avance hacia Lorena y la frontera alemana. No obstante, disentía firmemente de la política de Eisenhower de compartir suministros militares vitales entre las fuerzas estadounidenses y las unidades británicas y de la Commonwealth de Montgomery. Patton creía que, de haber sido dotado de un mayor número de suministros, podría haber puesto fin a la guerra en 1944. En su lugar, libró una encarnizada batalla de agotamiento en la frontera e intervino decisivamente en la batalla de las Ardenas. En 1945, dirigió una magistral operación de cruce del Rin, seguida de un raudo avance sobre Checoslovaquia. Patton, el fundador de la tradición blindada en el ejército de los Estados Unidos, murió en un accidente de automóvil en diciembre de 1945.

pueden alcanzar Rabaul. La caída de las Almirantes garantizará el sudoeste del Pacífico para los aliados.

I DE MARZO

LEJANO ORIENTE, *BIRMANIA*

La 16ª Brigada *Chindit* cruza el río Chindwin, mientras las fuerzas chinas y los *Merril's Marauders* (un comando estadounidense), a las órdenes del general Joseph Stilwell, avanzan hacia Myitkyina.

2 DE MARZO

POLÍTICA, *ALIADOS*

Los aliados cortan cualquier ayuda a Turquía, debido a la renuencia de su gobierno a ayudar a su esfuerzo de guerra.

5-11 DE MARZO

LEJANO ORIENTE, *BIRMANIA*

La 87ª Brigada de los *Chindits* del brigadier Mike Calvert empieza a aterrizar en planeador en dos puntos seleccionados llamados por el nombre clave de *Broadway* y *Piccadilly*, en el valle de Kaukkwe, en el norte de Birmania. Durante la primera fase, se usan 61 planeadores, aunque sólo 35 alcanzan su objetivo. Para el día 11, la brigada de Calvert al completo ha aterrizado.

7 DE MARZO

RETAGUARDIA, *ALEMANIA*

Miembros de la organización nazi para las mujeres reclutan casa por casa a mujeres entre los 17 y los 45 años para trabajar «en servicio de la comunidad». Se trata de reforzar la reducida fuerza de trabajo alemana.

▼ *La infantería china, bajo el mando de conjunto del general Joseph Stilwell, cruzando el río Chindwin, en marzo.*

▲ *Soldados alemanes esperan ansiosos la acción, cuando el Ejército Rojo ataca al Grupo de Ejércitos Norte en el Frente Oriental.*

7-8 DE MARZO

LEJANO ORIENTE, *BIRMANIA/INDIA*

La Operación U-Go, la ofensiva japonesa para expulsar a los aliados a la India destrozando sus bases en Imphal y Kohima, comienza con movimientos para cortar la carretera de Tiddim e Imphal. La 33ª División japonesa tiene orden de aislar a la

▲ *Soldados japoneses, en el ataque entre Homalin y Thaungdut, durante su esfuerzo por cortar la carretera de Imphal a Kohima.*

▼ *En 1944, para los trabajadores alemanes resultaba una tarea sin fin extender nuevas líneas férreas tras los ataques aéreos aliados, en este caso después de un ataque de la Fuerza Aérea del 8º Ejército estadounidense.*

17ª División india en Tiddim y obligar a los británicos a destinar sus reservas para rescatarla, mientras que las divisiones 31ª y 15ª cruzan el Chindwin más hacia el norte y caen sobre Imphal y Kohima.

8 DE MARZO

LA GUERRA AÉREA, *ALEMANIA*
La 8ª Fuerza Aérea de los Estados Unidos lanza un ataque de precisión diurno sobre las fábricas de rodamientos de Erker, Ber-

lín. El ataque lo lanza un total de 590 aviones. Hay 75 impactos directos sobre el objetivo, pero los americanos pierden 37 aviones. Este es el tercer ataque estadounidense sobre Berlín bajo la escolta de los cazas *P-15 Mustang*. Como resultado, se interrumpe la producción de rodamientos durante algún tiempo.

11 DE MARZO

FRENTE ORIENTAL, *UCRANIA*
El Segundo Frente Ucraniano del general Rodion Malinovsky alcanza el río Bug, rechazando la resistencia del 8º Ejército alemán. Los alemanes esperan detener al Ejército Rojo en esta gran barrera de agua.

11-12 DE MARZO

LEJANO ORIENTE, *BIRMANIA*
En el Arakan, en el norte de Birmania, los aliados reconquistan Buthidaung, y después rodean y capturan la fortaleza japonesa de Razabil.

15-16 DE MARZO

LEJANO ORIENTE, *BIRMANIA/INDIA*
Las divisiones japonesas 15ª y 31ª cruzan el río Chindwin entre Homalin y Thaungdut, y avanzan con la intención de cortar la carretera de Imphal a Kohima.

18 DE MARZO

FRENTE ORIENTAL, *UCRANIA*
El Segundo Frente Ucraniano soviético ha alcanzado el río Dniester, y se ha apoderado de una gran cabeza de puente en Mogilev Podolsky. Esto ha dividido en dos al frente alemán del Grupo de Ejércitos Sur, además de colocar al Ejército Rojo en posición de avanzar hacia la frontera rumana.

19 DE MARZO

POLÍTICA, *HUNGRÍA*
Con el Ejército Rojo aproximándose rápidamente a los Balcanes, Hitler ha enviado tropas para ocupar el país. El almirante Miklós Horthy, el regente, ha recibido órdenes de nombrar un primer ministro pronazi, permitir al Ejército Alemán tomar posesión del sistema de transportes, y dar campo libre a las SS para deportar a los judíos húngaros a campos de concentración.

ITALIA, *CASSINO*
Un contraataque alemán contra la Cota 193 no tiene éxito, pero ha debilitado el dominio completo de los aliados. Acaban con un ataque de los blindados neozelandeses contra el monasterio.

20-22 DE MARZO

ITALIA, *CASSINO*
A pesar de otros ataques frontales por parte de las tropas neozelandesas, a las órdenes del general Harold Alexander, los defensores alemanes, veteranos de la 1ª División de Paracaidistas, permanecen dentro y fuera del monasterio y repelen todos los esfuerzos por

15-17 DE MARZO

ITALIA, *CASSINO*
Aviones aliados lanzan un ataque masivo contra el desocupado monasterio de Monte Cassino (lo cual es más tarde criticado por el Vaticano). La 2ª División neozelandesa lanza después un ataque que toma la Cota 193. Durante la tarde, la 4ª División india ataca y conquista la Cota 165. Todos los ataques aliados

del día 16 son frustrados, pero el 17 un avance de los neozelandeses toma la estación de ferrocarril de Cassino. No obstante, no consiguen completar el envolvimiento de la propia ciudad.

◄ *Las ruinas del monasterio de Monte Cassino.*

▲ *Esperando el próximo ataque japonés: una posición de ametralladora británica en Imphal, a finales de marzo de 1944.*

desalojarlos. El día 22, por lo tanto, Alexander detiene todos los ataques frontales.

24 DE MARZO

LEJANO ORIENTE, *BIRMANIA*

El comandante general Orde Wingate, comandante de los *Chindits*, muere en un accidente de avión. Figura carismática y controvertida, Winston Churchill le ha calificado como «un hombre de genio y audacia», después del éxito de sus operaciones de penetración de gran alcance en Birmania.

28 DE MARZO

FRENTE ORIENTAL, *UCRANIA*

Mientras los alemanes se retiran rápidamente de las aguas del sur del río Bug, Nikolayev cae en manos del Ejército Rojo. El Tercer Frente Ucraniano está ahora llevando a cabo un ataque hacia el puerto de Odessa.

29 DE MARZO

LEJANO ORIENTE, *INDIA*

La 20ª División japonesa se establece en el collado de Shenam, cerca de Imphal. Las fuerzas japonesas han cortado la carretera de Imphal a Kohima y comenzado el sitio de Imphal.

30 DE MARZO

POLÍTICA, *ALEMANIA*

Hitler, ultrajado por las victorias soviéticas en Ucrania, ha destituido a dos de sus mariscales de campo –Erich von Manstein y Paul von Kleist–, por desatender sus órdenes de «mantenerse firmes». Además, el líder nazi cree que el ejército en Ucrania ha opuesto una débil resistencia contra los soviéticos.

▲ *El comandante general Orde Wingate, el brillante comandante Chindit, que se mató en un accidente aéreo en Imphal.*

LEJANO ORIENTE, *BIRMANIA*

La 16ª Brigada de los *Chindits*, comandada por el brigadier Bernard Fergusson, se retira tras su fracaso en tomar la principal base de suministros japonesa, en Indaw.

30-31 DE MARZO

LA GUERRA AÉREA, *ALEMANIA*

Un ataque aéreo de la RAF contra Nuremberg tiene como resultado pocos daños en la ciudad, pero se infligen pérdidas sustanciales en los aviones implicados. La RAF pierde 95 de los 795

bombarderos de la fuerza de ataque, siendo dañados otros 71.

3 DE ABRIL

LA GUERRA AÉREA, *NORUEGA*

El barco de batalla alemán *Tirpitz* ha sido averiado en Altenfiord, Noruega, por aviones de la *Royal Navy* lanzados desde los portaaviones británicos *Victorious* y *Furious*. El *Tirpitz* ha sido alcanzado 14 veces, lo que significa que no volverá a navegar durante varios meses.

4-13 DE ABRIL

LEJANO ORIENTE, *INDIA*

Termina la primera fase de la batalla de Imphal. Los japoneses no han conseguido destruir la línea de defensa aliada. El 4° Cuerpo británico, concentrado ahora alrededor de Imphal, puede poner su atención en la destrucción de los japoneses. Para el 13 de abril, los japoneses han sido echados de Nungshigum, una de las colinas que dominan la llanura de Imphal, y su 15ª División está siendo empujada hacia la carretera de Ukhrul.

5 DE ABRIL

FRENTE ORIENTAL, *UCRANIA*

El Tercer Frente Ucraniano conquista la estación de Razdelnaya, y divide en dos a las fuerzas alemanas locales, una de las cuales es obligada a retroceder hacia Odessa, y la otra hacia Tiraspol.

6-11 DE ABRIL

LEJANO ORIENTE, *BIRMANIA*

Fuerzas japonesas atacan la posición fortificada de los *Chindits* en la «Ciudad Blanca», la cual se evacua posteriormente.

8 DE ABRIL

FRENTE ORIENTAL, *CRIMEA*

El Cuarto Frente Ucraniano del general Fedor I. Tolbujin (470.000 hombres, 6.000 cañones de campo y morteros, 560 tanques y cañones autopropulsados, y 1.250 avio-

▲ *El general Fedor Tolbujin, cuyo Cuarto Frente Ucraniano liberó Crimea y conquistó Sebastopol en abril.*

nes de combate), inicia la liberación de la península. Las fuerzas alemanas y rumanas que defienden la región como parte del 17° Ejército, sólo pueden reunir 200.000 hombres, 3.600 cañones de campo y morteros, 200 tanques y cañones autopropulsados, y 150 aviones.

9 DE ABRIL

FRENTE ORIENTAL, *UCRANIA*

El Tercer Frente Ucraniano soviético llega a los alrededores de Odessa.

12 DE ABRIL

POLÍTICA, *RUMANÍA*

En respuesta a la misión rumana acerca de las condiciones para un armisticio entre Rumanía y la Unión Soviética, Moscú exige que Rumanía rompa con los alemanes, que sus fuerzas luchen junto con el Ejército Rojo, e insiste en la restauración de la frontera rumano-soviética. También pide reparaciones por los daños infligidos a la Unión Soviética por Rumanía, libertad de movimiento a través de todo el país para los soviéticos y otras fuerzas aliadas, y la repatriación de los prisioneros soviéticos.

◄ *Un bombardero Swordfish regresa al HMS Victorious, el cual tomó parte en un ataque sobre el acorazado alemán Tirpitz.*

Los rumanos rechazan estas condiciones y permanecen del lado del Eje.

15 DE ABRIL

LA GUERRA AÉREA, *EUROPA*

La 8ª Fuerza Aérea de los Estados Unidos y el Mando de Bombardeo de la RAF deciden cambiar los bombardeos sobre los centros urbanos alemanes por las vías férreas belgas y francesas, preparándose para la inminente invasión aliada y evitando que los refuerzos alemanes lleguen al frente.

Una fuerza de 448 Fortalezas Volantes y *Liberators,* procedentes de la fuerza aérea del 15º Ejército estadounidense, y escoltada por 150 cazas *Mustang,* ataca también los yacimientos petrolíferos de Ploesti y la capital rumana, Bucarest. Durante la noche, la RAF bombardea las líneas de ferrocarril de Turnu Severin, en Rumanía.

▲ *Un bombardero estadounidense A-20 ataca un importante empalme ferroviario en Busigny, en el norte de Francia.*

22 DE ABRIL

PACÍFICO, *PAPÚA-NUEVA GUINEA*

El general Douglas MacArthur, liderando una fuerza de invasión aliada de 52.000 hombres, efectúa un desembarco en Hollandia, en el norte de Nueva Guinea. Hollandia será la base para la siguiente fase de la Operación Cartwheel de MacArthur, diseñada para expulsar a los japoneses del noroeste de Nueva Guinea.

3 DE MAYO

POLÍTICA, *JAPÓN*

El almirante Soemu Toyoda es nombrado comandante en jefe de la Flota Combinada Japonesa. Sustituye al almirante Mineichi Koga, que ha muerto en un accidente aéreo el 31 de marzo.

9 DE MAYO

FRENTE ORIENTAL, *CRIMEA*

El Cuarto Frente Ucraniano soviético libera el puerto de Sebastopol. Se trata de una aplastante derrota para los defensores alemanes, que han perdido 100.000

◄ *El almirante Soemu Toyoda, el nuevo comandante en jefe de la Flota Combinada Japonesa.*

◄ *Despejando los últimos focos de resistencia japonesa en las islas Almirantes, tarea que resultó tan aburrida como peligrosa.*

sas en Rabaul y Kavieng, en el sudoeste del Pacífico.

19 DE MAYO

RETAGUARDIA, *ALEMANIA*

Después de su captura tras una fuga masiva del *Stalag Luft III*, cerca de Sagan, en Silesia, 50 aviadores aliados son fusilados por la Gestapo. Sólo tres de los prisioneros huidos –dos noruegos y un holandés– llegan a Inglaterra.

23-31 DE MAYO

ITALIA, *ANZIO*

Tropas del 6º Cuerpo de los Estados Unidos inician el avance desde la cabeza de playa de Anzio, ante una terca resistencia alemana. La unión con las tropas del 2º Cuerpo estadounidense se verifica el día 25, cuatro meses después del primer desembarco en Anzio. Los aliados logran firmes conquistas, aunque la toma de la Línea Adolf Hitler, que se extiende desde Terracina, en la costa, a lo largo de la carretera de Foni a Pico, hasta Pontecorvo, y a través del valle del Liri,

▼ *Soldados de infantería de la 4ª División británica se abren camino a través de calles destrozadas, durante el avance hacia el río Rapido, en Italia.*

hombres, entre muertos y capturados durante la batalla.

11-18 DE MAYO

ITALIA, *CASSINO*

El 15º Grupo de Ejércitos aliado comienza su ofensiva para flanquear el monasterio. El día 12, el Cuerpo Expedicionario francés toma Monte Faito, pero la 5ª División polaca no logra conquistar Colle Sant'Angelo. El día 13, los franceses abren el camino hacia Roma, mientras que el 2º Cuerpo estadounidense toma Santa Maria Infante, y la 4ª División británica comienza a ampliar su cabeza de puente a través del río Rapido.

El día 17, los alemanes evacuan el monasterio de Monte Cassino, a causa de los profundos avances del Cuerpo Expedicionario francés y del 2º Cuerpo estadounidense. Al día siguiente, el 12º Regimiento Podolski polaco toma las ruinas de Monte Cassino.

18 DE MAYO

PACÍFICO, *ALMIRANTAZGOS*

Los últimos focos de resistencia japoneses en las islas han sido aplastados. Esto aísla efectivamente las principales bases japone-

pasando por Aquino y Piamonte hasta Monte Cairo, no tiene como resultado graves pérdidas aliadas. Una vez más, los alemanes se han mostrado hábiles en la defensa.

El día 25, el 5º Ejército de los Estados Unidos ataca hacia Roma, pero es detenido por los alemanes, que han tenido tiempo de atrincherarse alrededor de Valmontone, sobre la Línea Cesar. No es hasta la noche del 30 de mayo –cuando la 36ª División estadounidense del comandante general Fred L. Walker se traslada silenciosamente a Monte Artemisio y rompe las defensas de Valmontone–, cuando se corta la línea defensiva final que bloquea la entrada a Roma.

25 DE MAYO

BALCANES, *YUGOSLAVIA*
Los alemanes lanzan un ataque aéreo, con planeadores y con morteros, sobre los cuarteles generales de los guerrilleros en Divar,

▼ *Paracaidistas alemanes en Roma, en la víspera de la evacuación de la ciudad, a principios de junio.*

▲ *Soldados de la 4ª División de Infantería estadounidense vadean la costa bajo los disparos, en la playa de Utah en el Día D, durante la invasión del norte de Francia.*

en el que el mariscal Tito escapa por poco de ser capturado. Se cree que el ataque ha sido planeado por el comandante de las SS Otto Skorzeny, el oficial que rescató a Mussolini.

29 DE MAYO

PACÍFICO, *PAPÚA-NUEVA GUINEA*
La primera batalla de tanques de la campaña del Pacífico tiene lugar en la isla de Biak, frente a Nueva Guinea, entre japoneses y americanos. Es una victoria estadounidense.

1 DE JUNIO

LEJANO ORIENTE, *BIRMANIA*
El brigadier Mike Calvert, comandante de la 77ª Brigada *Chindit*, llega a Lakum, cerca de Mogaung.

3 DE JUNIO

LEJANO ORIENTE, *INDIA*
Termina la batalla de Kohima, de 64 días de duración, con los restos de la 31ª División japonesa retrocediendo en buen orden. Es la falta de suministros, más que los ataques de las fuerzas británicas e indias, lo que ha obligado a los japoneses a retirarse. La lucha en Kohima se cuenta entre las más salvajes de toda la guerra.

3-4 DE JUNIO

ITALIA, *ROMA*
Adolf Hitler da permiso para abandonar Roma de mala gana al mariscal de campo Albert Kesselring, el comandante en jefe alemán en Italia. Cubierto por acciones de retaguardia del experto 4º Cuerpo de Para-

caidistas, el 14º Ejército alemán retrocede a través del Tíber. Las tropas estadounidenses entran en la ciudad el día 5, siendo la primera capital del Eje en ser capturada.

6 DE JUNIO

FRENTE OCCIDENTAL, *FRANCIA*

Los aliados emprenden la mayor operación anfibia de la historia. Las estadísticas de la fuerza invasora son anonadantes: 50.000 hombres para el ataque inicial; alrededor de dos millones de hombres embarcados para Francia en total, sumando 39 divisiones; 139 grandes buques de guerra utilizados en el ataque, junto con otros 221 barcos de combate más pequeños; alrededor de 1.000 dragaminas y barcos auxiliares; 4.000 lanchas de desembarco; 805 buques mercantes; 59 buques de bloqueo; 300 barcos diversos de pequeño tamaño; y 11.000 aviones, incluyendo cazas, bombarderos, aviones de transporte y planeadores. Además, la fuerza de invasión cuenta con el apoyo de unos 100.000 miembros de la resistencia francesa, que lanzan ataques rápidos sobre los objetivos alemanes.

El Día D, la invasión aliada de Normandía, bajo el nombre clave de Opera-

▲ *Prisioneros alemanes escoltados tras su rendición el Día D.*

◄ *Planeadores **Horsa** británicos salpican los campos al nordeste de Caen, en la mañana del Día D, el 6 de junio de 1944.*

▼ *Después de consolidar su cabeza de playa, los aliados forman sus fuerzas para la liberación de Francia. La superioridad aérea, que restringió el movimiento de las fuerzas alemanas, ayudó mucho a los aliados.*

ción Overlord, comienza con el ataque de tres divisiones aéreas –las 82ª y 101ª estadounidenses en el flanco derecho de las fuerzas de los Estados Unidos, y la 6ª británica en el flanco izquierdo de los británicos– mientras que las fuerzas navales desembarcan en cinco playas. La playa Utah es el objetivo de la 4ª División de Infantería estadounidense (parte del 7º Cuerpo de los Estados Unidos); la playa Gold es el lugar de desembarco de la 50ª División de Infantería británica (parte del 30º Cuerpo británico); Juno es el objetivo de la 3ª Di-

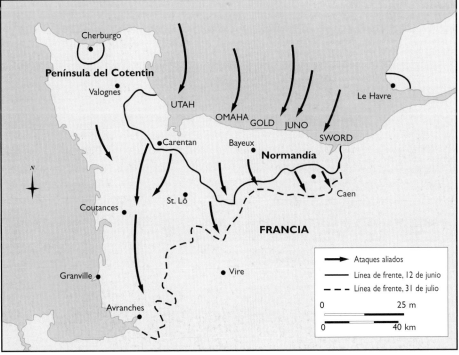

ARMAS DECISIVAS

LA RESISTENCIA

Entre las regiones invadidas por los alemanes y los japoneses en la Segunda Guerra Mundial, hubo individuos decididos a oponerse a los ocupantes, a menudo con gran riesgo para ellos mismos y sus familias. Esta resistencia podía ser activa o pasiva. La pasiva implicaba manifestaciones, huelgas y paros industriales, producción de periódicos y folletos clandestinos, y pintadas en las paredes. La resistencia activa suponía una inteligencia organizada, ayudar a los prisioneros de guerra aliados que habían escapado y a las tripulaciones aéreas derribadas, sabotaje y acción armada.

En toda Europa y el Lejano Oriente, la resistencia nunca fue la reserva de ningún grupo político o clase social particular; sino que abarcaba una completa muestra de la sociedad de cada país.

El peligro de luchar contra los ocupantes estaba siempre presente, y la resistencia se hallaba bajo la constante amenaza de la inteligencia, los colaboradores y los informantes enemigos, siendo la tortura y la muerte el precio que pagaban habitualmente los que eran descubiertos. La posesión de una paloma mensajera, por ejemplo, merecía en Europa la muerte por fusilamiento. Además, había a menudo luchas internas entre diversos grupos de resistencia. En Yugoslavia, los *chetniks* y las fuerzas de Tito combatieron tanto entre ellos como contra los ocupantes del Eje. Sin embargo, con la ayuda del exterior (a menudo crucial para mantener el funcionamiento de las diferentes unidades), los grupos de resistencia de Europa y el Lejano Oriente ayudaron al esfuerzo de guerra general aliado contra las potencias del Eje.

Alegres miembros de la resistencia francesa, cerca de París en agosto de 1944, con los alemanes en plena retirada.

▲ *Soldados americanos marchan a través de Carentan, dañada por las bombas, la primera ciudad francesa en caer a manos de los invasores después del Día D.*

visión de Infantería canadiense (parte del 1º Cuerpo Británico); y la 3ª División de Infantería británica (también parte del 1º Cuerpo) debe apoderarse de la playa Sword.

Los desembarcos y aterrizajes de paracaidistas iniciales obtienen resultados variados: en Utah la resistencia es débil, y las tropas se encuentran frente a la playa a las 12:00 horas; en Omaha, la falta de tanques especializados significa que los alemanes pueden bloquear a las tropas en la playa, resultando en una gran carnicería; en Gold y Juno, los tanques especializados de los británicos y los canadienses permiten a las tropas marcharse rápidamente de las playas, y por la tarde se dirigen ya al interior, hacia Bayeux y Caen; y en Sword, las tropas consiguen unirse a las unidades aéreas que han aterrizado en el interior.

Esto es una suerte, pues es entre Juno y Sword donde los alemanes realizan su más importante contraataque, por parte de un grupo de combate de la 21ª División *Panzer*. No obstante, es derrotado. Al finalizar

▼ *Marines estadounidenses, bajo el fuego sobre la isla de Saipan, Marianas, el 23 de junio de 1944. La resistencia japonesa fue, como de costumbre, feroz.*

el día, al coste de 2.500 muertos, los aliados tienen un punto de apoyo en la Europa ocupada por los alemanes.

9-10 DE JUNIO

FRENTE ORIENTAL, *FINLANDIA*

Los soviéticos, en un esfuerzo por empujar a los finlandeses hacia la frontera de 1940 y obligarles a firmar la paz, lanzan una gran ofensiva con dos ejércitos. La ofensiva es precedida por un bombardeo sostenido por parte de 5.500 cañones y 880 lanzacohetes. El ataque hace añicos el frente finlandés y, el día 10, el mariscal Karl von Mannerheim, el líder militar de Finlandia, ordena una retirada a una línea defensiva más fuerte.

10 DE JUNIO

FRENTE OCCIDENTAL, *FRANCIA*

La 2ª División *Panzer* de las SS, la *Das Reich*, que se traslada desde su base en Toulouse a Normandía, ha sido el objetivo constante de los miembros de la resisten-

cia francesa. Como venganza, la pequeña ciudad de Oradour-sur-Glane, es elegida como foco de una brutal represalia, con la intención de aleccionar al pueblo francés. Los hombres del pueblo son reunidos en los graneros, las mujeres y los niños en la iglesia, y toda la ciudad es incendiada. Aquellos que logran escapar son fusilados. En total, mueren 642 personas, y sólo 10 son capaces de fingirse muertos y escapar.

11 DE JUNIO

PACÍFICO, *ISLAS MARIANAS*
El grupo de operaciones estadounidense 58 inicia un gran bombardeo sobre Saipan, Tinian, Guam, Rota y Pagan, antes de atacar las islas, la ocupación de las cuales permitirá a las fuerzas estadounidenses operar en la zona para cortar las líneas de comunicación a las unidades japonesas que actúan en el sur del Pacífico.

▲ *Un buque japonés bajo un ataque aéreo americano, durante la batalla del mar de Filipinas, la cual destruyó fatalmente la fuerza aérea y naval japonesa en el Pacífico.*

13 DE JUNIO

FRENTE OCCIDENTAL, *FRANCIA*
El teniente Michael Wittmann, comandante de compañía del 501º Batallón de Tanques Pesados de las SS, destruye 27 tanques y vehículos blindados del 4º de Caballería británico, en una batalla de tanques alrededor de la aldea de Villers-Bocage, Normandía.

PACÍFICO, *JAPÓN*
La Flota Combinada japonesa es alertada para preparar la Operación A-Go, cuya intención es atraer a la Flota del Pacífico estadounidense a una de las dos zonas de batalla —la de Palau o la de las Carolinas Occidentales—, donde puede ser destruida. Estas áreas son escogidas porque se encuentran dentro del ámbito del mayor número posible de bases aéreas de las islas japonesas, contrapesando de este modo la superioridad de los portaaviones estadounidenses.

15 DE JUNIO

PACÍFICO, *ISLAS MARIANAS*
La Fuerza de Ataque Norte de los Estados Unidos llega a Saipan. En respuesta, la Flota Combinada japonesa recibe órdenes de reunirse. En la propia isla, los desembarcos son dirigidos en la costa oeste las 2ª y 4ª Divisiones de Marines estadounidenses.

LA GUERRA AÉREA, *JAPÓN*
Las fábricas de hierro y acero de Yahata, en Japón, son bombardeadas por los *B-29* de la Fuerza Aérea del 20º Ejército estadounidense, que opera desde bases en China.

16 DE JUNIO

LEJANO ORIENTE, *BIRMANIA*
La 32ª División, parte de la fuerza china del teniente general Joseph Stilwell, ha tomado Kamaing, el primero de sus tres objetivos, los otros son Mogaung y Myitkyina.

18 DE JUNIO

FRENTE OCCIDENTAL, *FRANCIA*
Las fuerzas estadounidenses llegan a la costa occidental de la península de Cotentin, Normandía, bloqueando a la guarnición alemana de Cherburgo. Hitler ha ordenado a la guarnición luchar hasta la muerte.

PACÍFICO, *ISLAS MARIANAS*
Los buques de guerra del Grupo de Operaciones 58 estadounidense se reúnen al oeste de Saipan.

19-21 DE JUNIO

PACÍFICO, *MAR DE FILIPINAS*

Al saber del ataque estadounidense sobre Saipan, la Flota Combinada japonesa, a las órdenes del almirante Jisaburo Ozawa, se hace a la mar inmediatamente con cinco portaaviones pesados y cuatro ligeros, cinco barcos de batalla, 11 cruceros pesados y dos ligeros y 28 destructores. La 5ª Flota de los Estados Unidos, bajo el mando táctico del almirante Marc Mitscher, cuenta con siete portaaviones pesados y ocho ligeros, ocho cruceros pesados y siete ligeros, así como con 69 destructores. Los aviones en ambos bandos suman 573 japoneses (incluyendo 100 con base en Guam, Rota y Yap) y 956 americanos.

Los aviones de búsqueda de Ozawa localizan a la 5ª Flota al amanecer, a 500 km de la avanzada japonesa, compuesta de cuatro cruceros ligeros, y a 800 km de su cuerpo principal. Ozawa lanza un ataque en cuatro oleadas, mientras Mitscher, al descubrir a la aviación enemiga, envía a sus interceptores.

El desastre se abate sobre Ozawa inmediatamente, pues los submarinos estadounidenses hunden los portaaviones *Taiho* y *Shokaku*, y los cazas derriban a muchos de sus aviones. En la batalla del mar de Filipinas, apodada como «el gran tiro al blanco de las Marianas» por los americanos, los japoneses pierden 346 aviones y dos portaaviones. Las pérdidas estadounidenses son de 30 aviones y ligeros daños en un acorazado. Mientras tanto, los bombarderos de Mitscher neutralizan los campos de aviación japoneses en Guam y Rota.

El día 20, Mitscher lanza 216 aviones, que hunden otro portaaviones y dos petroleros, además de dañar seriamente a otros barcos. Mientras que los americanos pierden 20 aviones, Ozawa pierde otros 65, aunque muchos aviones estadounidenses son obligados a amerizar.

La costosa batalla supone un golpe devastador al arma aeronaval japonesa, y una pérdida no menos importante de 460 expertos pilotos de combate.

20 DE JUNIO

ITALIA, *UMBRÍA*

El 30º Cuerpo británico abren su ataque en la Línea Alberto, la primera de una serie de posiciones de retaguardia alemanas en el norte de Italia, al sur del lago Trasimeno, a ambos lados del Chiusi. La lucha es dura; los alemanes ceden terreno de mala gana.

22 DE JUNIO

POLÍTICA, *ALEMANIA*

El ministro de asuntos exteriores Joachim von Ribbentrop visita Helsinki, para intentar unir a Finlandia más estrechamente con Alemania.

LEJANO ORIENTE, *INDIA*

La 2ª División británica alcanza a los defensores de Imphal, pero la resistencia japonesa continúa.

▲ *El Ejército Rojo libera otra ciudad en Bielorrusia, y sus soldados son recibidos por los agradecidos civiles.*

22-26 DE JUNIO

LEJANO ORIENTE, *BIRMANIA*

La 77ª Brigada *Chindit* empieza a atacar Mogaung desde el sudeste. Tras una lucha encarnizada, cae finalmente el día 26.

23 DE JUNIO

FRENTE ORIENTAL, *BIELORUSIA*

El Ejército Rojo lanza su ofensiva en Bielorrusia. Cuatro frentes –el 1º báltico, el 1º, 2º y 3º bielorrusos, comprendiendo 1.200.000 hombres en total– atacan a las

▼ *Soldados aliados en las ruinas de Valognes, durante el ataque contra Cherburgo, que cayó el 29 de junio de 1944.*

divisiones alemanas del Grupo de Ejércitos Centro. Los soviéticos tienen una superioridad de cuatro a uno en tanques y aviones.

26 DE JUNIO

FRENTE OCCIDENTAL, *FRANCIA*

Los británicos lanzan la Operación Epsom, un ataque al oeste de Caen. Tropas y tanques de las divisiones blindadas 15ª, 43ª y 11ª realizan un buen progreso inicial, pero son detenidas más tarde después de sufrir pérdidas muy graves.

29 DE JUNIO

FRENTE OCCIDENTAL, *FRANCIA*

El puerto de Cherburgo se rinde al 7º Cuerpo estadounidense. El coste para los americanos ha sido de 22.000 bajas y 39.000 alemanes son hechos prisioneros.

30 DE JUNIO

TECNOLOGÍA, *ALEMANIA*

Los alemanes han formado la primera unidad de operaciones equipada con cazas a reacción *Messerschmitt Me 262*. La unidad será desplegada en Francia en un futuro cercano.

▲ *Paracaidistas pertenecientes al 503º Regimiento de Infantería estadounidense aterrizan en la pista de aterrizaje de Kamirir, Noemfoor, el 2 de julio de 1944.*

LA GUERRA AÉREA, *GRAN BRETAÑA*

Hasta la fecha, 2.000 bombas volantes *V1* alemanas han sido lanzadas contra Inglaterra, la mayoría contra Londres. En respuesta, los británicos han incrementado el número de cañones antiaéreos, cazas y globos de barrera.

2 DE JULIO

ITALIA, *TOSCANA*

El 13º Cuerpo británico toma la ciudad de Foiano, al noroeste del lago Trasimeno, completando así la ruptura de la Línea Alberto alemana.

4 DE JULIO

FRENTE ORIENTAL, *BÁLTICO*

Comienza la ofensiva del Ejército Rojo para despejar los estados bálticos. Se van a utilizar tres frentes soviéticos: 1º, 2º y 3º bálticos. Los estados del Báltico tienen una gran importancia para Alemania, ya que son una importante fuente de alimentos y permiten a los alemanes bloquear a la flota rusa y mantener abiertas las rutas de suministros hacia Suecia y Finlandia.

7-9 DE JULIO

PACÍFICO, *ISLAS MARIANAS*

El comandante japonés en Saipan, el gene-

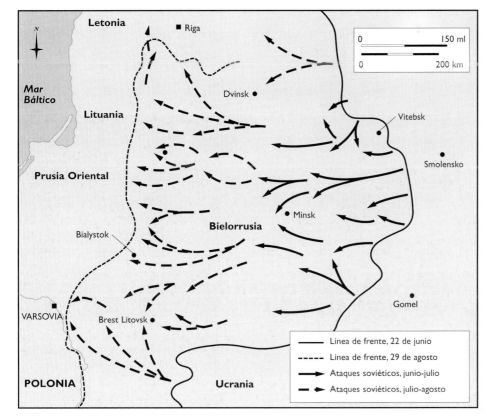

◄ *La ofensiva soviética en Bielorrusia a mediados de 1944 hizo añicos al Grupo de Ejércitos Centro, bajo un diluvio de tanques y hombres.*

ral Yoshitsugu Saito, carga contra la 27ª División de Infantería estadounidense en Makunsho. Pese a perder cientos de hombres a causa del fuego de artillería americano, los japoneses atraviesan sus líneas. No obstante, pronto pierden su ímpetu y fracasan. Saito se suicida y la isla es asegurada el día 9. Al menos 8.000 defensores y civiles japoneses han preferido el suicidio antes que la rendición.

8 DE JULIO

POLÍTICA, HUNGRÍA
Con el Ejército Rojo aproximándose velozmente, el líder húngaro, el almirante Miklós Horthy, ordena que se detenga la deportación de judíos húngaros al campo de concentración de Auschwitz.

11 DE JULIO

POLÍTICA, ESTADOS UNIDOS
El presidente Franklin D. Roosevelt anuncia que se presentará a un cuarto mandato sin precedentes en la Casa Blanca.
FRENTE ORIENTAL, BIELORUSIA
El área de Minsk cae en manos del Ejército Rojo. Los alemanes han perdido unos 70.000 muertos y 35.000 prisioneros, y su 4º Ejército ha dejado de existir.

▶ La misma fuerza, una isla diferente: expulsando a los defensores japoneses de Tinian, una de las islas Marianas, con un obús desmontable.

▲ El almirante Miklós Horthy (centro), regente de Hungría, detuvo la deportación de judíos húngaros a Auschwitz.

15 DE JULIO

FRENTE ORIENTAL, FINLANDIA
La batalla en el istmo de Carelia finaliza con una victoria defensiva de Finlandia. Tres ejércitos soviéticos logran excelentes progresos iniciales, pero son incapaces de alcanzar los objetivos establecidos en sus órdenes del 21 de junio. La dirección militar soviética ordena a sus tropas en Finlandia ponerse a la defensiva, el día 11.

17 DE JULIO

FRENTE ORIENTAL, UCRANIA
Unidades del 1º Ejército de Tanques soviético cruzan el río Bug, entrando en Polonia.

18 DE JULIO

LEJANO ORIENTE, BIRMANIA
El alto mando japonés suspende la Operación U-Go.

18-22 DE JULIO

FRENTE OCCIDENTAL, FRANCIA
Frente a una fanática resistencia, las tropas estadounidenses entran en St. Lô. La 352ª División alemana queda destruida. En el sector oriental del frente, británicos y canadienses lanzan la Operación Goodwood, un ataque al este de Caen para provocar una mayor concentración de alemanes en la zona. El objetivo es agotar a los blindados alemanes hasta tal punto que no puedan volverse a utilizar. Los aliados pierden unos 100 tanques Sherman en el ataque. Para el día 22, sin embargo, los británicos han despejado el sur de Caen.

19-21 DE JULIO

PACÍFICO, ISLAS MARIANAS
Acorazados estadounidenses inician un bombardeo antes de la invasión de las playas de Asan y Agat, en Guam, la isla más importante del grupo de las Marianas. Dos días después, tropas de la 3ª División de Marines y la 77ª División de Infantería empiezan a desembarcar en la isla. Los japoneses luchan ferozmente.

20 DE JULIO

POLÍTICA, *ALEMANIA*

Oficiales alemanes intentan asesinar a Adolf Hitler. El conde Schenk von Stauffenberg, jefe del Estado Mayor del general Friedrich Fromm, coloca una bomba cerca de Hitler en una sala de conferencias del cuartel general del líder nazi en Prusia oriental, en Rastenburg. La bomba explota a las 12:42 horas, después de que von Stauffenberg se haya ido. Lo bomba no consigue matar a Hitler y la conspiración cae hecha pedazos. Joseph Goebbels, el ministro de propaganda nazi, actúa rápidamente para convencer a la guarnición de Berlín de que Hitler todavía está vivo, contactando con ellos por teléfono. Fromm, para acallar las sospechas de su implicación en la trama, ordena fusilar a von Stauffenberg por la tarde.

El fracaso de la trama tiene por resultado el arresto, tortura y ejecución de docenas de sospechosos durante los meses siguientes. El mariscal de campo Erwin Rommel está entre los más notables de aquellos veteranos militares que conocían la conspiración.

21 DE JULIO

POLÍTICA, *POLONIA*

Se forma el Comité Polaco de Liberación Nacional, respaldado por los soviéticos.

23 DE JULIO

ITALIA, *TOSCANA*

Después de tomar el vital puerto de Livorno el día 19, la 34ª División estadounidense entra en la ciudad de Pisa.

25 DE JULIO

FRENTE OCCIDENTAL, *FRANCIA*

La Operación Cobra, el avance aliado desde Normandía, comienza. Después de un bombardeo aéreo masivo, tres divisiones de infantería del 7º Cuerpo estadounidense, a las órdenes del general J. Lawton Collins, abren una brecha en la línea alemana, entre Marigny y St. Gilles, permitiendo el paso a los tanques. En cinco días, la vanguardia estadounidense llega a Avranches, dando la vuelta al flanco occidental del frente alemán.

25-29 DE JULIO

PACÍFICO, *ISLAS MARIANAS*

Un contraataque japonés contra la 3ª División de Marines estadounidense, en Guam, es derrotado. Los japoneses pierden 19.500 hombres, mientras que las bajas americanas suman 1.744. el día 24, la 4ª División de Marines desembarca en la isla de Tinian.

27-30 DE JULIO

FRENTE ORIENTAL, *UCRANIA*

El Primer Frente Ucraniano soviético libe-

▲ **Hitler muestra a Mussolini su sala de conferencias destrozada por una bomba, tras el intento de asesinato de julio.**

▼ **El mariscal de campo Erwin von Witzleben, implicado en el complot para matar a Hitler, fue ahorcado con una cuerda de piano en Ploetzenzee.**

ra Lvov, y continúa estableciendo varias cabezas de puente en el río Vístula, el día 30.

30 DE JULIO

FRENTE OCCIDENTAL, *FRANCIA*

Avranches cae en manos del 7º Cuerpo de los Estados Unidos.

1 DE AGOSTO

FRENTE ORIENTAL, *POLONIA*

Comienza el levantamiento de Varsovia. Bajo el mando del teniente general Tadeusz Bor-Komorowski, 38.000 soldados del Ejército Nacional polaco luchan contra aproximadamente el mismo número de soldados alemanes, estacionados dentro y alrededor de la ciudad. Aunque ambos bandos son iguales en número, los alemanes son superiores en armamento y además pueden solicitar apoyo aéreo y de tanques. El levantamiento está organizado para liberar la ciudad del control alemán y dotar al gobierno polaco en el exilio, en Londres, de alguna influencia sobre el destino de Polonia cuando el Ejército Rojo entre en la ciudad.

PACÍFICO, *MARIANAS*

Termina la batalla por la isla de Tinian. La guarnición japonesa al completo, 9.000 hombres, ha sido liquidada.

2 DE AGOSTO

FRENTE ORIENTAL, *POLONIA*

El ala izquierda del Primer Frente Bielorruso soviético establece dos cabezas de puente a través del río Vístula, al sur de Varsovia.

3 DE AGOSTO

LEJANO ORIENTE, *BIRMANIA*

Los japoneses se retiran de Myitkyina, después de un bloqueo de 11 semanas por parte de las fuerzas aliadas.

4 DE AGOSTO

POLÍTICA, *FINLANDIA*

El mariscal Karl von Mannerheim sucede a Rysto Ryti como presidente del país. Mannerheim deja claro a los alemanes que no se siente atado a las promesas que Ryti les ha hecho.

8 DE AGOSTO

POLÍTICA, *ALEMANIA*

Ocho oficiales alemanes, incluyendo al mariscal de campo Erwin von Witzleben, son ahorcados en la prisión de Ploetzenzee, en Berlín, por su participación en la Conspiración de Julio contra Hitler. Son colgados con cuerdas de piano, y sus últimos momentos son grabados para regocijo de Adolf Hitler. Todos los condenados van a la muerte con dignidad, a pesar de la crueldad con que los tratan.

10 DE AGOSTO

PACÍFICO, *MARIANAS*

Termina la organizada resistencia japonesa en Guam, aunque el último soldado japonés de la isla no se rinde hasta 1960.

▲ *Fuerzas estadounidenses en París, tras su liberación. El comandante alemán de la ciudad decidió ignorar las órdenes de Hitler de destruirla.*

▶ *El general Mark Clark, comandante del 5° Ejército estadounidense que tomó Roma.*

11 DE AGOSTO

FRENTE OCCIDENTAL, *FRANCIA*

La Operación Totalize, la ofensiva del 1° Ejército canadiense hacia Falaise, se suspende después de su fracaso en alcanzar sus principales objetivos.

15 DE AGOSTO

POLÍTICA, *UNIÓN SOVIÉTICA*

Moscú anuncia que el Comité Polaco de Liberación Nacional es el cuerpo oficial de representa-

ción de la nación polaca, y que todas las negociaciones de facto con el gobierno emigrado en Londres han finalizado.

FRENTE OCCIDENTAL, *FRANCIA*

Unidades del 6° Cuerpo de los Estados Unidos y del 2° Cuerpo francés, junto con el apoyo de paracaidistas, lanzan la invasión aliada del sur de Francia, bajo el nombre clave de Operación Anvil.

FRENTE ORIENTAL, *UCRANIA*

El Cuarto Frente ucraniano soviético, que ataca para apoderarse de los pasos a través de las montañas de los Cárpatos, logra algún progreso pero no consigue conquistar los pasos en cuestión.

19 DE AGOSTO

FRENTE OCCIDENTAL, *FRANCIA*

Unidades aliadas han cerrado la bolsa de Falaise, dos semanas después de que el 1° Ejército canadiense lanzara la Operación Totalize para aislar a las rodeadas tropas alemanas. Unos 30.000 soldados alemanes escapan de la bolsa a través del Sena, pero alrededor de 50.000 son capturados y otros 10.000 mueren. En la bolsa, que ha sido bombardeada continuamente por la aviación aliada, se encuentran cientos de vehículos alemanes destrozados y abandonados. Fuerzas canadienses, británicas y polacas, procedentes del norte, se unen al 1° Ejército estadounidense en su avance desde Argentan.

23 DE AGOSTO

POLÍTICA, *RUMANÍA*

El rey Miguel ordena a sus fuerzas que cesen la lucha contra los aliados, y destituye

▲ *Miembros del Ejército Nacional polaco marchan a la batalla, cuando las fuerzas alemanas presionan en las zonas de Varsovia ocupadas por los polacos.*

a su primer ministro, el mariscal pro-Eje Ion Antonescu. Anuncia que se han aceptado los términos del armisticio.

FRENTE OCCIDENTAL, *FRANCIA*

La 36ª División estadounidense toma Grenoble. El general Dwight D. Eisenhower, comandante supremo de la Fuerza Expedicionaria aliada, deniega al general Bernard Montgomery, comandante del 21º Grupo de Ejércitos, su petición de un ataque concentrado a través de los Países Bajos hacia el norte de Alemania. Eisenhower decide que tras la conquista de Amberes –un puerto vital para los aliados– tendrá lugar un ataque americano hacia el Saar, por parte del 3º Ejército estadounidense del general George Patton.

25 DE AGOSTO

POLÍTICA, *RUMANÍA*

La antigua miembro del bloque de potencias del Eje declara la guerra a Alemania.

FRENTE OCCIDENTAL, *FRANCIA*

El comandante de la guarnición alemana en París, el general Dietrich von Choltitz, entrega la ciudad al teniente Henri Karcher, de la 2ª División Blindada francesa. Choltitz, que tiene a su mando 5.000 hombres, 50 piezas de artillería y una compañía de tanques, ha recibido órdenes de Hitler de que se asegure que «París no caiga en manos del enemigo sino como un montón de ruinas». Unos 500 miembros de la resistencia y 127 civiles mueren en la lucha por la ciudad.

25-26 DE AGOSTO

FRENTE OCCIDENTAL, *FRANCIA*

Los Cuerpos británicos 12º y 30º cruzan el río Sena.

ITALIA, *SECTOR DEL ADRIÁTICO*

Comienza el ataque aliado sobre la Línea Gótica. La línea de defensa alemana tiene 300 km de largo y se extiende desde el valle del río Magra, al sur de La Spezia, en la costa occidental, a través de las montañas de Apulia y los Apeninos, hasta el valle del río Foglia, y alcanzando la costa oriental entre Pesaro y Cattolica. El ataque es conducido por tres cuerpos del 8º Ejército: el 5º británico, el 1º canadiense y el polaco. El

▼ *Vehículos de reconocimiento de la División Blindada de la Guardia británica, en Bélgica, durante el avance aliado sobre Bruselas.*

plan es apoderarse del complejo montañoso de Gemmano-Coriano, abriendo así la puerta a la costa, y permitiendo a los tanques aliados avanzar hacia las llanuras del valle del Po. Sin embargo, la resistencia alemana es feroz.

27 DE AGOSTO

LEJANO ORIENTE, *BIRMANIA*

Los últimos *Chindits* son evacuados a la India.

28 DE AGOSTO

FRENTE ORIENTAL, *POLONIA*

El Ejército Nacional polaco continúa luchando en Varsovia, pero los ataques aéreos y el fuego de artillería alemanes son tan fuertes que los polacos han sido obligados a refugiarse en las alcantarillas. El líder soviético Stalin se ha negado a ayudar a los combatientes, así que el Ejército Rojo aguarda el resultado al otro lado del río Vístula.

30 DE AGOSTO

FRENTE ORIENTAL, *ESLOVAQUIA*

Miembros de las fuerzas armadas y guerrilleros del estado títere de los nazis inician un levantamiento contra sus jefes supremos alemanes, al aproximarse el Ejército Rojo a la frontera oriental del país.

31 DE AGOSTO

FRENTE OCCIDENTAL, *FRANCIA*

El 3º Ejército de los Estados Unidos encabeza un avance hacia el río Mosa, mientras que el 30º Cuerpo británico afianza todos los puentes principales sobre el Somme, cerca de Amiens.

1-3 DE SEPTIEMBRE

FRENTE OCCIDENTAL, *FRANCIA/BÉLGICA*

Los Guardias Británicos y la 11ª División Blindada, ambos parte del 30º Cuerpo bri-

tánico, llegan a Arras y Aubigny. El 2º Cuerpo canadiense, parte del 1º Ejército de Canadá, libera Dieppe.

El día 2, el 30º Cuerpo recibe órdenes de retardar su avance y aguardar el proyectado lanzamiento de paracaidistas. Con la cancelación del lanzamiento, el avance se reanuda. Las Brigadas 32ª y 5ª de la División Blindada de la Guardia inician una carrera hacia Bruselas, que gana la 32ª Brigada el día 3. El mismo día, el 12º Cuerpo británico queda atascado en una lucha alrededor de la ciudad de Béthune.

2 DE SEPTIEMBRE

POLÍTICA, *FINLANDIA*
Finlandia acepta las condiciones preliminares para un tratado de paz con la Unión Soviética, y rompe relaciones diplomáticas con Alemania. La Unión Soviética acuerda entonces un armisticio.

FRENTE ORIENTAL, *BULGARIA*
El Ejército Rojo alcanza la frontera búlgara.

3 DE SEPTIEMBRE

FRENTE OCCIDENTAL, *FRANCIA/BÉLGICA*
El 1º Ejército estadounidense toma Tournai, y tres cuerpos alemanes son aplastados. El 2º Ejército británico libera Bruselas.

4 DE SEPTIEMBRE

FRENTE OCCIDENTAL, *BÉLGICA*
El 2º Ejército británico libera el puerto de Amberes.

ITALIA, *SECTOR ADRIÁTICO*
El 8º Ejército británico no consigue abrir una brecha en la cresta de Gemmano-Coriano, en la Línea Gótica. La cresta es el punto central de la segunda línea de defensa del 10º Ejército alemán, y como tal está fuertemente defendida, especialmente con armas antitanque. Un ataque de la 2ª Brigada Blindada británica, por ejemplo, es derrotado con facilidad, perdiendo los británicos alrededor de la mitad de sus tanques.

▼ *La artillería del 8º Ejército británico bombardea las posiciones alemanas clave en la Línea Gótica, en Italia. Pero los ataques iniciales fracasaron.*

▲ *Aquellas tropas aliadas que liberaron Bruselas vivieron algo parecido a un triunfo romano en las calles de la ciudad.*

5 DE SEPTIEMBRE

FRENTE OCCIDENTAL, *FRANCIA*
La vanguardia del 3º Ejército estadounidense cruza el río Mosa. El general Karl von Rundstedt es nombrado comandante en jefe de Occidente por Hitler, con órdenes de contraatacar a los aliados y dividir sus ejércitos. Sin embargo, los recursos de que dispone para tal empresa son escasos.

FRENTE ORIENTAL, *BULGARIA*
Después de declarar la guerra al país, unidades del Ejército Rojo lo invaden rápidamente y llegan a Turnu Severin. Los dirigentes de la Unión Soviética están planeando ocupar la totalidad de los Balcanes.

8 DE SEPTIEMBRE

POLÍTICA, *BULGARIA*
Bulgaria declara la guerra a Alemania.

LA GUERRA AÉREA, *MANCHURIA*
Bombarderos Superfortalezas Volantes *B-29*, con base en China, efectúan su primer ataque diurno contra objetivos industriales japoneses en Anshan.

8-13 DE SEPTIEMBRE

FRENTE OCCIDENTAL, *BÉLGICA/HOLANDA*
La 50ª División británica cruza el canal Alberto en Gheel. El día 10, la

División Blindada de la Guardia británica avanza hasta De Groot. Tres días más tarde, la 15ª División británica cruza el canal Mosa-Escalda.

8-25 DE SEPTIEMBRE

FRENTE ORIENTAL, *ESLOVAQUIA*

Los frentes soviéticos Primero y Cuarto Ucranianos comienzan sus ataques sobre el paso de Dukla, la llave de la barrera de montañas de los Cárpatos que separa al Ejército Rojo de la Eslovaquia oriental. A los soviéticos les llevará hasta finales de noviembre despejar los Cárpatos.

10-14 DE SEPTIEMBRE

FRENTE ORIENTAL, *POLONIA*

Pese a la negativa de Stalin para ayudar a los insurrectos de Varsovia, muy presionados, unidades del Primer Frente Bielorruso del mariscal Konstantin Rokossovsky atacan Praga, la ribera oriental de la ciudad. La lucha es salvaje, y la zona no queda libre del control alemán hasta el día 14.

15 DE SEPTIEMBRE

FRENTE ORIENTAL, *POLONIA*

Unidades del 1º Ejército polaco, entrenado por los soviéticos, cruzan el Vístula y se apoderan de cabezas de puente en Varsovia.

LA GUERRA AÉREA, *NORUEGA*

Lancasters de los escuadrones 9º y 617º de la RAF atacan al único acorazado que les queda a los alemanes, el *Tirpitz*, en Altenfiord. Sin embargo, se le infligen pocos da-

▲ *Paracaidistas británicos en acción cerca de Arnhem. El enemigo anda cerca, como indica el ángulo agudo del tubo del mortero.*

▼ *Vehículos aliados atraviesan el puente de Nimega, Holanda, durante la desastrosa Operación Market Garden.*

ños, principalmente debido a la eficacia de las pantallas de humo alemanas.

17 DE SEPTIEMBRE

FRENTE OCCIDENTAL, *HOLANDA*

Comienza la Operación Market Garden, el plan del general Bernard Montgomery para un asalto aerotransportado y blindado través de Holanda, para flanquear las defensas alemanas. La 1ª División Aérea británica aterriza cerca de Arnhem, la 101ª División Aérea estadounidense, cerca de Eindhoven, la 82ª División Aérea estadounidense, cerca de Grave y Nimega, mientras que el 30º Cuerpo británico avanza desde la frontera holandesa. La 82ª aterriza sin dificultades y toma los puentes del Maas y del canal Maas-Waal, pero encuentra después una fuerte resistencia en Nimega. La División 101ª toma también sus puentes, pero los paracaidistas británicos descubren que su camino hacia Arnhem se encuentra bloqueado por unidades alemanas. Sólo un batallón, a las órdenes del teniente coronel John Frost, se las arregla para llegar al puente, donde es cercado rápidamente.

19-21 DE SEPTIEMBRE

FRENTE OCCIDENTAL, *HOLANDA*

La vanguardia del 30º Cuerpo británico alcanza a los paracaidistas estadounidenses en Eindhoven, pero en Arnhem fallan todos los intentos por abrirse paso hasta las tropas. El día 20, el puente de Nimega es conquistado por una fuerza combinada extraída de la 82ª

▲ **Un arma antitanque PIAT aguarda a los blindados enemigos a las afueras de Arnhem, cuando los alemanes se aproximan a los británicos.**

22 DE SEPTIEMBRE

FRENTE OCCIDENTAL, *FRANCIA*
Boulogne se rinde al 2º Cuerpo canadiense; su guarnición de 20.000 hombres es tomada presa.

22-25 DE SEPTIEMBRE

FRENTE OCCIDENTAL, *HOLANDA*
A las afueras de Arnhem, el avance del 30º Cuerpo británico es retrasado por la resistencia alemana. La Brigada polaca se lanza al sur del Bajo Rhin, cerca de Driel. El día 23, los intentos de los polacos y las tropas de avance del 30º Cuerpo de cruzar el río son rechazados y, así, la evacuación de los paracaidistas supervivientes comienza dos días después, dejando atrás a 2.500 camaradas muertos.

23 DE SEPTIEMBRE

LA GUERRA AÉREA, *ALEMANIA*
La RAF efectúa un ataque nocturno de precisión sobre el canal de Dortmund a Ems, la vía fluvial interior que une el Ruhr con otros centros industriales. Intervienen un total de 141 aviones, se abre una brecha en el canal, y una sección se queda sin agua. La RAF pierde 14 bombarderos.

23-30 DE SEPTIEMBRE

FRENTE OCCIDENTAL, *FRANCIA*
La 3ª División canadiense sitia el puerto de Calais, que se encuentra defendido por 7.500

tra la Línea Gótica, ha perdido 14.000 hombres entre muertos, heridos y desaparecidos, además de 200 tanques. La campaña italiana no ha cumplido con su calificación como el «suave vientre de Europa». Una descripción más acertada sería la de «viejas tripas correosas».

▼ **Tanques Sherman del 8º Ejército británico, de camino a Rímini durante la batalla de agotamiento contra la Línea Gótica.**

División Aérea estadounidense y el 30º Cuerpo británico. Al día siguiente, las tropas británicas en Arnhem son aplastadas. Los que quedan forman un perímetro defensivo en el banco norte del Bajo Rhin, alrededor de la aldea de Oosterbeek.

21 DE SEPTIEMBRE

POLÍTICA, *YUGOSLAVIA*
El mariscal de campo partisano Tito se reúne con el líder soviético Josiv Stalin. Alcanzan un acuerdo para la «entrada temporal del Ejército Rojo en Yugoslavia».
ITALIA, *SECTOR ADRIÁTICO*
El 8º Ejército toma Rímini, tras una semana de dura batalla. Desde el inicio de su ofensiva con-

▲ *Derrotados pero desafiantes, estos paracaidistas británicos son conducidos a cautiverio al finalizar la Market Garden. 2.500 de sus camaradas murieron en la operación.*

hombres. Después de fuertes ataques de artillería y bombarderos, y del uso de tanques especializados, Calais se rinde el día 30.

2 DE OCTUBRE

FRENTE ORIENTAL, *POLONIA*

Después de una batalla encarnizada de dos meses de duración, se rinden los últimos polacos de Varsovia. Los alemanes evacuan a toda la población restante y comienzan la destrucción sistemática de todo lo que queda en pie. Los muertos polacos suman 150.000, mientras que el comandante alemán, el general de las SS Erich von dem Bach-Zelewski, afirma haber perdido 26.000 hombres.

3 DE OCTUBRE

LA GUERRA AÉREA, *GRAN BRETAÑA*

El bombardeo alemán de Gran Bretaña con cohetes pesados de largo alcance *V2* se ha reanudado, desde nuevos puestos de lanzamiento esparcidos a través de Holanda.

▶ *Un paracaidista británico, a cubierto en los alrededores de Oosterbeek. El fracaso del 30° Cuerpo en cruzar el Bajo Rin condenó la operación aerotransportada.*

4 DE OCTUBRE

MEDITERRÁNEO, *GRECIA*

Decidido a evitar el ascenso al poder de los comunistas en Grecia, Winston Churchill lanza la Operación Maná. Tropas británicas desembarcan en Patras, en el Peloponeso, mientras que las fuerzas alemanas retroceden.

9 DE OCTUBRE

FRENTE OCCIDENTAL, *BÉLGICA*

Aunque los aliados conquistaron Amberes el 4 de septiembre, no han sido capaces de utilizar su gran puerto, ya que hay unidades alemanas a ambos lados del estuario del Escalda. Por lo tanto, el 1º Ejército canadiense emprende operaciones para erradicar la presencia enemiga en esta zona.

PACÍFICO, *IWO JIMA*

El almirante Chester W. Nimitz, comandante de las fuerzas aliadas en el Pacífico Central, informa al teniente general Holland M. «Loco Aullador» Smith, uno de los mayores partidarios de la guerra anfibia y comandante de todos los marines estadounidenses en el Pacífico, de que la isla de Iwo Jima será su próximo objetivo, y de que Smith dirigirá la invasión con tres

▲ Embarcaciones y vehículos de desembarco del 1º Ejército canadiense, ocupados en la limpieza del estuario del Escalda, cerca de Amberes.

▼ Un cohete V2 alemán es puesto a punto para ser lanzado desde Holanda. La única manera de reducir el daño causado por estas armas era bombardear sus rampas de lanzamiento y sus fábricas de construcción.

divisiones de marines. La isla está en el ámbito de bombardeo del continente japonés.

10-29 DE OCTUBRE

FRENTE ORIENTAL, *HUNGRÍA*

Una gran batalla de tanques estalla alrededor de Drebrecan, entre dos divisiones *Panzer* del Grupo de Ejércitos alemán del sur de Ucrania, comandado por el general Johannes Friessneer. Las fuerzas alemanas han aislado a tres cuerpos de tanques soviéticos del Segundo Frente Ucraniano del mariscal Rodion Malinovsky. Los soviéticos pierden muchos tanques durante los ataques alemanes iniciales, pero unidades soviéticas frescas inclinan la balanza contra los alemanes, que no disponen de fuerzas para combatir batallas de agotamiento. Más al sur, el Grupo de Ejércitos E alemán abandona Grecia.

11-19 DE OCTUBRE

BALCANES, *YUGOSLAVIA*

El Ejército Rojo se une al 1º Ejército yugoslavo en su avance hacia Belgrado, que es abandonado por los alemanes el día 19.

14 DE OCTUBRE

POLÍTICA, *ALEMANIA*

El mariscal de campo Erwin Rommel se suicida con veneno. Implicado en la conspiración de julio para matar a Adolf Hitler, es obligado a matarse para salvar a su familia de la detención. Se le dedica un funeral de estado, para mantener la ilusión de que era un nazi acérrimo.

▲ *Un tanque Stalin destruido en Drebrecan, escenario de una masiva batalla de tanques y de una derrota alemana.*

▼ *El general Douglas MacArthur (segundo por la izquierda) desembarca en las Filipinas, manteniendo su promesa: «Volveré».*

20 DE OCTUBRE

BALCANES, *YUGOSLAVIA*

La 1ª División Proletaria del Ejército de Liberación del mariscal Tito conquista Belgrado.

PACÍFICO, *FILIPINAS*

Al desembarcar el 6º Ejército de los Estados Unidos en la isla de Leyte, el general Douglas MacArthur pisa tierra y mantiene la promesa que hizo dos años antes: «Volveré». Al anochecer, 10.000 soldados estadounidenses se encuentran atrincherados alrededor de la capital de Leyte, Tacloban, y de Dulag, al sur.

21 DE OCTUBRE

FRENTE OCCIDENTAL, *ALEMANIA*

La ciudad de Aquisgrán se rinde a las fuerzas estadounidenses, tras un sitio de 10 días de duración.

23-26 DE OCTUBRE

PACÍFICO, *FILIPINAS*

Después de los desembarcos estadounidenses en Leyte, los japoneses ponen en marcha su Plan Sho, en el que una parte de la Flota Combinada es utilizada como señuelo para la fuerza de portaaviones americana, mientras que el resto se concentra contra la zona de desembarco e intenta destruir la armada. La resultante batalla naval del golfo de Leyte se divide en cuatro

ARMAS DECISIVAS

LOS *KAMIKAZE*

Kamikaze, cuyo significado es «viento divino», fue una táctica suicida empleada por los japoneses para destruir los buques militares estadounidenses, haciendo chocar aviones llenos de explosivos contra los barcos. El uso de los *kamikazes* estuvo influido por el código de honor o *bushido*, basado en una espiritualidad influida por el budismo, el cual hacía hincapié tanto en la valentía como en la conciencia.

La batalla del golfo de Leyte, en octubre de 1944, fue la primera en la que intervinieron *kamikazes*, y al final de la guerra Japón tenía alrededor de 5.000 aviones preparados para misiones suicidas. Los pilotos *kamikaze* intentaban chocar contra la cubierta de su objetivo para causar el máximo daño posible (contra los portaaviones, el mejor blanco era el ascensor central). El efecto militar de conjunto de los *kamikazes* fue escaso: durante la batalla de Okinawa, por ejemplo, de las 19.000 salidas suicidas efectuadas, sólo el 14% fueron efectivas.

El hangar del dañado USS Sangamon, después de un ataque kamikaze por parte de un único avión.

fases: la batalla del mar de Sibuyan, la Batalla del estrecho de Surigao, la batalla de Samar y la batalla del cabo Engano. El resultado es que la Flota Combinada japonesa queda acabada como fuerza de combate, siendo además irreemplazable la pérdida de pilotos experimentados. Pierde 500 aviones, cuatro portaaviones, tres acorazados, seis cruceros pesados y cuatro ligeros, 11 destructores y un submarino, mientras que el resto de los barcos impli-

cados reciben daños. Las pérdidas estadounidenses son de 200 aviones, un portaaviones ligero, dos portaaviones de escolta, dos destructores y un destructor de escolta.

31 DE OCTUBRE

FRENTE ORIENTAL, *BÁLTICO*
El Primer Frente Báltico soviético aísla a los restos del grupo de Ejércitos Norte en la península de Curlandia.

7 DE NOVIEMBRE

ESPIONAJE, *JAPÓN*
Los japoneses ahorcan al espía Richard Sorge en la prisión de Sugamo, Tokio. Ha estado trabajando durante ocho años como el corresponsal en Tokyo de un periódico alemán, y durante este tiempo envió a la Unión Soviética información detallada acerca de los planes alemanes y japoneses, incluyendo el ataque sobre la Unión Soviética de 1941.

8 DE NOVIEMBRE

FRENTE OCCIDENTAL, *BÉLGICA*
El 1º Ejército canadiense completa el despejo del estuario del Escalda. Toma 41.000 prisioneros durante la operación, al coste de 12.873 hombres muertos, heridos o desaparecidos.

9 DE NOVIEMBRE

FRENTE OCCIDENTAL, *FRANCIA*
El 3º Ejército estadounidense del general

▲ *La Armada de los Estados Unidos bombardea la isla de Iwo Jima, para debilitar sus defensas antes de un desembarco anfibio.*

George Patton (500.000 hombres y 500 tanques) cruza el río Mosela en un amplio frente, hacia el corazón del Reich.

11-12 DE NOVIEMBRE

PACÍFICO, *IWO JIMA*
La flota estadounidense bombardea la isla, ocupada por los japoneses, por primera vez.

12 DE NOVIEMBRE

LA GUERRA AÉREA, *NORUEGA*
Bombarderos *Lancaster* de la RAF, de los escuadrones 9 y 617, hunden el acorazado alemán *Tirpitz* en Altenfiord, matando a 1.100 miembros de su tripulación al capotar el barco.

24 DE NOVIEMBRE

LA GUERRA AÉREA, *JAPÓN*
Bombarderos americanos Superfortalezas Volantes *B-29* emprenden su primer ataque contra Tokyo, desde las islas Marianas.

4 DE DICIEMBRE

LEJANO ORIENTE, *BIRMANIA*
El general William Slim, comandante del 14º Ejército británico, comienza la destrucción de las fuerzas japonesas en Bir-

mania, Los cuerpos británicos 4º y 33º inician la ofensiva, dirigiéndose a los campos de aviación japoneses de Yeu y Shwebo. El 15º Ejército japonés, mandado por el general Shihachi Katamura, se encuentra debilitado tras los reveses sufridos durante la lucha en Kohima e Imphal.

5-7 DE DICIEMBRE

PACÍFICO, *FILIPINAS*
La ofensiva final estadounidense en Leyte comienza con un avance del 10º Cuerpo en el valle norteño del Ormoc, con ataques simultáneos por parte del 14º Cuerpo en el centro y el sudoeste de Leyte. El día 7, la 77ª División desembarca sin encontrar casi ninguna oposición por debajo de Ormoc. Las fuerzas japonesas son empujadas al valle de Ormoc bajo un intenso fuego aéreo y de artillería.

RETAGUARDIA, *ALEMANIA*
La líder femenina nazi Gertrud Scholtz-Klink llama a todas las mujeres mayores de 18 años a prestarse voluntarias a servir en el ejército y las fuerzas aéreas.

8 DE DICIEMBRE

PACÍFICO, *IWO JIMA*
La Fuerza Aérea estadounidense comienza un bombardeo de 72 días sobre Iwo Jima, el más largo y duro de la guerra del Pacífico, para preparar el terreno para un ataque anfibio.

15 DE DICIEMBRE

PACÍFICO, *FILIPINAS*
Como parte de la segunda fase de la invasión de las Filipinas del general Douglas MacArthur, la 24ª División estadounidense desembarca en la isla de Mindoro.

LEJANO ORIENTE, *BIRMANIA*
Las divisiones 19ª y 36ª se reúnen en Indaw, y establecen un frente continuo contra los japoneses en el norte de Birmania.

▲ *Después de pasar la mayor parte de la guerra en aguas costeras noruegas, el* **Tirpitz** *fue hundido finalmente el 12 de noviembre.*

▶ *Tropas británicas del 4º Cuerpo se desplazan contra el 15º Ejército japonés, más allá de Kohima e Imphal.*

▲ *Una cortina de fuego de cohetes se desata contra las defensas enemigas de la playa, cuando la primera ola de unidades de asalto estadounidenses se dirigen a la isla de Mindoro, en las Filipinas.*

16-22 DE DICIEMBRE

FRENTE OCCIDENTAL, *ARDENAS*
Hitler lanza la Operación Guardia del Rin, su intento de abrirse paso a través del 8º Cuerpo estadounidense en el frente de las Ardenas, alcanzar el río Mosa y conquistar Amberes, dividiendo en dos a los aliados. Las unidades alemanas –200.000 hombres– forman el Grupo B de Ejércitos, bajo el mando general del mariscal de campo Gerd von Rundstedt. Esta fuerza comprende al 6º Ejército *Panzer* de las SS, al 5º Ejército Panzer y al 7º Ejército. Las fuerzas estadounidenses suman 80.000 hombres.

La sorpresa es total y hay una espesa niebla, que suprime la superioridad aérea aliada, pero los alemanes no consiguen tomar las ciudades de St. Vith y Bastogne inme-

diatamente, lo que estrecha su frente de ataque. El día 17, soldados del grupo de batalla del teniente coronel de las SS Joachim Peiper asesinan a 71 prisioneros de guerra americanos en Malmédy, Bélgica, dejando sus cuerpos en un campo.

Para el día 22, los americanos, que han perdido 8.000 de sus 22.000 hombres en St. Vith, se retiran de la ciudad, pero los hombres de las divisiones 28ª de Infantería y 10ª y 101ª aéreas continúan resistiendo tercamente en Bastogne, contra una división de infantería y dos de tanques. El mismo día, los alemanes emprenden su último intento de alcanzar el Mosa.

Como parte de sus operaciones de sabotaje, los alemanes están utilizando comandos de habla inglesa vestidos con uniformes estadounidenses para sembrar la confusión, especialmente en los cruces de caminos y en los puentes. No obstante, se han tomado medidas para derrotar a estos infiltrados, muchos de los cuales serán más tarde fusilados como espías.

20 DE DICIEMBRE

MEDITERRÁNEO, *GRECIA*
Tanques y coches blindados británicos han levantado el sitio de la base de la RAF en Kifissia, por parte de los rebeldes del ELAS (el Ejército de Liberación Nacional, el ala militar del partido comunista del país).

24 DE DICIEMBRE

LA GUERRA AÉREA, *BÉLGICA*
La primera operación de bom-

1° y 3° lanzan contraataques contra el norte y el sur del ejército alemán en las Ardenas. La 4ª División blindada del 3° Ejército estadounidense levanta el asedio de Bastogne, mientras Hitler es informado por sus generales de que sus fuerzas no podrán llegar a Amberes. La única esperanza de conseguir algún tipo de victoria en las Ardenas es hacer virar al norte a los ejércitos *Panzer* 5° y 6°, para que crucen el Mosa al oeste de Lieja y lleguen a Aquisgrán. Sin embargo, esto presupone la conquista de Bastogne y un ataque desde el norte para unirse con los *Panzers,* ambas cosas cada vez menos probables.

30 DE DICIEMBRE

FRENTE OCCIDENTAL, *ARDENAS*

En Bastogne, el general George Patton, aumentadas sus fuerzas a seis divisiones, reanuda su ataque hacia el nordeste, hacia Houffalize. Al mismo tiempo, el general Hasso von Manteuffel, comandante del 5° Ejército Panzer alemán, emprende otro importante intento de cortar el pasillo a Bastogne y tomar la ciudad. La lucha es intensa, pero las fuerzas de Patton se mantienen firmes y frustran el ataque alemán.

31 DE DICIEMBRE

POLÍTICA, *HUNGRÍA*

El Gobierno Nacional Provisional de Hungría, establecido bajo control soviético en la ciudad de Drebrecan, declara la guerra a Alemania.

▲ *Ayudados por la sorpresa y por el mal tiempo, los ataques iniciales de la ofensiva alemana de las Ardenas se realizan con éxito.*

▼ *Tanques Panther y Panzer IV, abandonados en las Ardenas a finales de diciembre. La escasez de combustible, la terca resistencia y los ataques aéreos de los aliados contribuyeron al fracaso de la ofensiva.*

barderos a reacción tiene lugar cuando los bombarderos bimotores alemanes Arado *234B* atacan una fábrica y playas de clasificación. El ataque es dirigido por el capitán Dieter Lukesch.

26 DE DICIEMBRE

FRENTE OCCIDENTAL, *ARDENAS*
Los ejércitos estadounidenses

1945

En este último año de guerra, Alemania y Japón fueron derrotados por una implacable marea de aviones, tanques, barcos y hombres. Sus ciudades fueron devastadas por flotas de bombarderos, sus ejércitos rodeados y después aniquilados, y sus flotas mercantes y navales resultaron hundidas o bloqueadas en los puertos. No podían igualar el poder económico de los Estados Unidos y la superioridad numérica de la Unión Soviética. Las bombas atómicas contra Japón terminaron por fin con la guerra.

I DE ENERO

FRENTE ORIENTAL, *CHECOSLOVAQUIA*

Los 2° y 4° Frentes Ucranianos soviéticos inician una ofensiva contra el Grupo de Ejércitos Centro alemán, en Checoslovaquia. El área ocupada por los alemanes contiene los últimos recursos industriales extranjeros bajo el control del Tercer Reich. Los frentes soviéticos tienen 853.000 hombres, 9.986 cañones, 590 tanques y 1.400 aviones de combate. Las fuerzas alemanas suman 550.000 hombres, 5.000 cañones y 700 aviones de combate. Pese a las fortificaciones y la resistencia alemana, el Ejército Rojo hace buenos progresos.

1-21 DE ENERO

FRENTE OCCIDENTAL, *FRANCIA*

En una continuación del ataque en el sector de las Ardenas, el Grupo G de Ejércitos del general Johannes von Blaskowitz ataca al 7° Ejército estadounidense en Alsacia y Lorena, formando la llamada Bolsa de Colmar. Los americanos retroceden, aunque el general Dwight D. Eisenhower, comandante en jefe de las fuerzas aliadas en Europa, ordena que se ocupe Estrasburgo después de que el líder de la Francia Libre, el general Charles de Gaulle, exprese su preocupación de que la pérdida de la ciudad afectaría a la moral francesa. La lucha es encarniza-

► *Soldados chinos del Mando de Combate del Área Norte marchan al frente, en el norte de Birmania.*

▲ *Tropas y vehículos estadounidenses en Bastogne, que resistió todos los asaltos alemanes en diciembre de 1944 y enero de 1945.*

da. Cuesta a los Estados Unidos 15.600 bajas, y a los alemanes, 25.000.

1-27 DE ENERO

LEJANO ORIENTE, *BIRMANIA*

Las unidades chinas del Mando de Combate del Área Norte del teniente general Daniel Sultan y la Fuerza Y del mariscal Wei Lihuang se unen en el norte de Birmania, frente a una importante resistencia por parte de la 56ª División japonesa.

2 DE ENERO

TECNOLOGÍA, *ESTADOS UNIDOS*

Un helicóptero *Sikorsky* americano es utilizado en tareas de escolta de un convoy por primera vez.

3-4 DE ENERO

PACÍFICO, *RYUKYU*

La 3ª Flota estadounidense ataca objetivos japoneses en Formosa, destruyendo 100 aviones enemigos.

3-16 DE ENERO

FRENTE OCCIDENTAL, *ARDENAS*

El último ataque alemán contra Bastogne es derrotado. El contraataque aliado comienza: en el flanco norte, el 1º Ejército estadounidense ataca el sector norte del saliente, mientras que el sector sur es asaltado por el 3º Ejército estadounidense. En el propio saliente, Hitler ordena una retirada alemana a Houffalize, el día 8. No obstante, ante la aplastante superioridad aliada en hombres y armas, los alemanes se ven obligados a retirarse más hacia el este, y los ejércitos estadounidenses 1º y 3º se reúnen en Houffalize el día 16.

4 DE ENERO

LEJANO ORIENTE, *BIRMANIA*

Unidades del 14º Ejército británico del general William Slim efectúan un desembarco sin oposición en la isla de Akyab, haciéndose con el puerto y el campo de aviación.

4-6 DE ENERO

PACÍFICO, *FILIPINAS*

Antes de los desembarcos en Luzon, los japoneses lanzan una serie de ataques *kamikaze* sobre barcos de la 7ª Flota estadounidense. Alrededor de 1.000 americanos y australianos mueren en los ataques suicidas, un dragaminas es hundido, y más de 30 barcos son dañados.

5 DE ENERO

LA GUERRA AÉREA, *BÉLGICA/HOLANDA*

La *Luftwaffe* lanza la Operación Bodenplatte en apoyo de la ofensiva de las Ardenas, con 1.035 cazas y bombarderos atacando los

▼ *La 7ª Flota estadounidense antes del asalto sobre Luzón. Los Consolidated Catalinas pertenecen al Escuadrón de Rescate Aeronaval.*

▲ *Después de su desembarco sin oposición, tropas del 6° Ejército estadounidense examinan un tanque japonés destruido en Luzón.*

aeródromos aliados en Bélgica y el sur de Holanda. Los alemanes destruyen 156 aviones aliados, pero pierden 277, pérdidas que la *Luftwaffe* no puede resarcir. Se trata del último ataque alemán importante.

7 DE ENERO

FRENTE ORIENTAL, *HUNGRÍA*

Fuerzas alemanas conquistan Esztergom, al noroeste de Budapest, un reducto nacional nazi, en su intento de rescatar a la guarnición de la capital.

9 DE ENERO

PACÍFICO, *FILIPINAS*

Precedidas de un fuerte bombardeo, unidades del 6° Ejército estadounidense, comandado por el teniente general Walter Krueger, efectúan desembarcos anfibios en Luzón, sin encontrar oposición.

10 DE ENERO – 10 DE FEBRERO

FRENTE ORIENTAL, *CHECOSLOVAQUIA*

Con el Ejército Rojo en su suelo, los partisanos checos comienzan a atacar a las unidades y líneas de suministro alemanas.

12-17 DE ENERO

FRENTE ORIENTAL, *POLONIA*

El Ejército Rojo inicia su ofensiva Vístula-Oder. Las fuerzas soviéticas suman alrededor de dos millones de hombres: el 1º Frente Bielorruso del mariscal Georgi Zhukov, el 1º Frente Ucraniano del mariscal Ivan Konev, y el 4º Frente Ucraniano del mariscal Ivan Petrov. Además, el 2º Frente Bielorruso del mariscal Konstantin Rokossovsky y el 3º Frente Bielorruso del general Ivan Chernyakhovsky están ofreciendo cooperación de tipo táctico y estratégico. Los soviéticos hacen excelentes progresos, y para el día 17, el 2º Ejército de Tanques de la Guardia de Zhukov ha llegado a Sochaczew. Al norte, los frentes 1º Báltico, 2º Bielorruso y 3º Bielorruso lanzan una ofensiva sobre la Prusia oriental, el día 13.

14 DE ENERO

LEJANO ORIENTE, *BIRMANIA*

La 19ª División, parte del 14º Ejército británico del teniente general William Slim, cruza el río Irawaddy en Kyaukmyaung, pero después es atacada violentamente por las tropas japonesas que ocupan la línea de la vía fluvial. Obligada a retroceder por hordas de infantería con bayonetas fijas, la división consigue ocupar la cabeza de puente frente a la feroz embestida.

15-26 DE ENERO

FRENTE OCCIDENTAL, *ALEMANIA*

Tras contener la ofensiva alemana en las Ardenas, los aliados lanzan un gran contraataque contra los alemanes. En el norte, el 21º Grupo de Ejércitos británico del mariscal de campo Bernard Montgomery presiona en el área de Roermond, mientras que, más al sur, el 12º Grupo de Ejércitos del general Omar Bradley se aproxima al río Roer superior.

16 DE ENERO

LEJANO ORIENTE, *BIRMANIA*

En el norte del país, el nuevo 1º Ejército chino del general Daniel Sultan ocupa Namhkan. Las últimas posiciones japonesas que amenazaban la carretera de Birmania han sido eliminadas.

18-27 DE ENERO

FRENTE ORIENTAL, *HUNGRÍA*

El 4º Cuerpo *Panzer* de las SS lanza una ofensi-

▶ *Uno de los cientos de soldados japoneses muertos dentro y alrededor del río Irawaddy, Birmania.*

EL MARISCAL GEORGI ZHUKOV

Georgi Zhukov (1896-1974) nació en el seno de una familia campesina e ingresó en el Ejército Imperial ruso en 1915. Después de luchar en la Primera Guerra Mundial, se unió al Ejército Rojo en octubre de 1918. Estudió en la Academia Militar de Frunze (1928-1931), y en 1938 fue nombrado comandante segundo del Distrito Militar Bielorruso. Aparentemente destinado a la ejecución en las purgas estalinistas, escapó con vida debido a un error administrativo.

Sus habilidades como general se hicieron notar en 1939, cuando llevó al 1° Grupo de Ejércitos soviético a una victoria sobre los japoneses en el río Jalka (el llamado «Incidente de Nomonhan» sobre una disputada frontera en Manchuria). Después de la invasión alemana de la Unión Soviética, en junio de 1941, Zhukov ocupó puestos en el estado mayor y en la comandancia de tierra, expulsando al enemigo de Moscú a finales de 1941, tomando parte en las grandes victorias soviéticas de Stalingrado y Kursk, y conquistando Berlín en 1945. La victoria en Stalingrado fue especialmente impresionante, ya que el 6° Ejército alemán contaba con más hombres que las fuerzas de Zhukov. Utilizó sus unidades con superioridad aplastante sobre los ejércitos rumanos, más débiles, a lo largo del frente, en ambos flancos del 6° Ejército. Una vez hechos pedazos, aisló a las fuerzas alemanas en la zona de Stalingrado.

Zhukov era un enérgico comandante con un excepcional talento táctico y estratégico, por lo que sus superiores le veían como una potencial amenaza. El hecho de que como general nunca perdiera una batalla es una prueba de sus atributos como líder militar.

va para ayudar a Budapest. Ante la resistencia soviética, alcanza el río Vali el día 22, a sólo 25 km al sudoeste de la ciudad. Sin embargo, el ímpetu del ataque había disminuido para el día 25, y dos días después el Ejército Rojo contraataca con 12 divisiones de fusileros y un fuerte apoyo blindado, terminando eficazmente con la operación alemana de socorro a Budapest.

▲ *Mientras la apisonadora del Ejército Rojo cobra velocidad, los guardacostas estonios disparan una salva para saludar a los soviéticos.*

rándose a Lashio, y la Brigada Marte americana.

18 DE ENERO – 3 DE FEBRERO

LEJANO ORIENTE, *BIRMANIA*
Se desarrolla una fuerte batalla en Namhpakka, entre la 56ª División japonesa, que está reti-

19 DE ENERO

FRENTE ORIENTAL, *POLONIA*
Después de una fuerte lucha, unidades del 1° Frente Ucraniano liberan Cracovia, la antigua capital de Polonia. Los 3° y 4° Ejércitos *Panzer* alemanes se encuentran ahora aislados en la Prusia Oriental, y el frente alemán se está desmoronando ante esta inmensa presión.

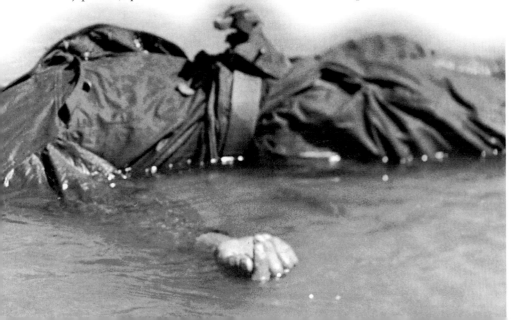

21 DE ENERO

LEJANO ORIENTE, *BIRMANIA*

La isla de Ramree es invadida por la 71ª Brigada británica. La resistencia japonesa es casi inexistente, aunque se endurece cuando las tropas aliadas penetran tierra adentro. La isla no queda despejada hasta mediados de febrero, momento en que el general William Slim posee una base inestimable para futuras operaciones de largo alcance contra Rangún.

23 DE ENERO

FRENTE ORIENTAL, *PRUSIA ORIENTAL*

El 2º Frente Bielorruso soviético corta todas las carreteras y vías férreas a través del río Vístula, aislando a las unidades alemanas en la orilla oriental.

FRENTE ORIENTAL, *POLONIA*

El 2º Ejército de Tanques de la Guardia, parte del 1º Frente Bielorruso soviético, asalta la ciudad fortificada de Bromberg, un importante puesto fortificado de la Línea Poznan alemana.

27 DE ENERO

FRENTE ORIENTAL, *POLONIA*

El Ejército Rojo libera el campo de concentración nazi de Auschwitz. Las SS han evacuado el campo nueve días antes, llevándose 20.000 débiles presos con ellos. Los que quedan suman unos pocos cientos de presos enfermos en el hospital del campo.

LEJANO ORIENTE, *BIRMANIA*

Unidades de la Fuerza Y aliada, empujando a través del río Shweli, en Wanting, re-

▼ **Tropas británicas transportan a un camarada herido a una instalación médica cerca de Myitson, Birmania.**

abren la ruta de suministros de Birmania a China.

28 DE ENERO

FRENTE OCCIDENTAL, *ARDENAS*

Los últimos vestigios del saliente alemán en las Ardenas son liquidados. El coste total en soldados para los alemanes por su ofensiva de las Ardenas ha sido de 100.000 muertos, heridos y capturados. Los americanos han perdido 81.000 muertos, heridos o capturados, y los británicos, 1.400. Ambos bandos han sufrido fuertes pérdidas de armamento, hasta 800 tanques cada uno. Los alemanes han perdido también alrededor de 1.000 aviones. Sin embargo, mientras que los americanos pueden resarcir sus

▲ **Prisioneros alemanes capturados durante la ofensiva de las Ardenas. La Wehrmacht perdió unos 100.000 hombres y 800 valiosos tanques.**

pérdidas en un par de semanas, para los alemanes las pérdidas militares resultan irreemplazables.

28 DE ENERO – 1 DE FEBRERO

FRENTE OCCIDENTAL, *ARDENAS*

Dos cuerpos del 1º Ejército estadounidense del general Courtney Hodges, junto con uno del 3º Ejército estadounidense del general George Patton, intentan atravesar las defensas alemanas al nordeste de St. Vith,

que se halla sobre el claro de Losheim. La nieve y el hielo impiden el progreso, y los alemanes consiguen responder con fuerza, retardando así el ritmo del avance estadounidense.

▼ *Mientras ruge la batalla dentro y alrededor de Manila, la capital de Filipinas, los refugiados salen en tropel de la ciudad. El puente fue construido por ingenieros estadounidenses.*

29 DE ENERO
PACÍFICO, *FILIPINAS*
El 11º Cuerpo de los Estados Unidos del comandante general Charles Hall desembarca sin hallar oposición en la costa occidental de Luzón, justo al norte de la península de Batán.

30 DE ENERO
FRENTE ORIENTAL, *ALEMANIA*
El ala izquierda del 1º Frente Ucraniano ha alcanzado el río Oder, y algunas de sus unidades han establecido cabezas de puente en su orilla occidental. Esto termina con una de las mayores operaciones estratégicas de toda la guerra.

El Ejército Rojo ha avanzado 565 km, liberado toda Polonia y una gran parte de Checoslovaquia, alcanzado el Oder en un amplio frente, y se encuentra a sólo 160 km de Berlín. En su ofensiva, ha infligido pérdidas a los alemanes de 500.000 hombres muertos, heridos o capturados, y se ha apoderado de 1.300 aviones, 1.400 tanques y unas 14.000 armas de fuego de todos los calibres.

31 DE ENERO
PACÍFICO, *FILIPINAS*
Miembros de la 11ª División Aerotransportada estadounidense toman tierra en la bahía de Nasugbu, contra una débil resistencia japonesa. Las tropas estadounidenses aterrizan a sólo 80 km al sudoeste de la capital Manila, que es su objetivo último.

▲ *La destrucción en Manila después de que la ciudad cayera en manos del 14º Cuerpo de los Estados Unidos. La guarnición japonesa al completo fue liquidada.*

31 DE ENERO –
21 DE FEBRERO
LEJANO ORIENTE, *BIRMANIA*
La 36ª División británica atraviesa el río Shweli en Myitson, después de una furiosa batalla contra los japoneses. El éxito de la división amenaza los acercamientos japoneses a la llanura de Mandalay, en el norte.

1 DE FEBRERO
FRENTE ORIENTAL, *PRUSIA ORIENTAL*
El 4º Ejército alemán, que se encuentra bloqueado, intenta llegar a Elbing, ocupado por los alemanes, pero es detenido por un contraataque soviético.

3 DE FEBRERO –
3 DE MARZO
PACÍFICO, *FILIPINAS*
El 14º Cuerpo estadounidense comienza su ataque contra Manila, que se halla defendida por 17.000 soldados japoneses a las órdenes del contraalmirante Sanji Iwabuchi. La guarnición, después de destrozar la ciudad (la «violación de Manila»), es liquidada. Las bajas estadounidenses suman 1.000 muertos y 5.500 heridos; 100.000 ciudadanos filipinos son asesinados.

▲ *Los «Tres Grandes» en la Conferencia de Yalta, donde se acordó la división de posguerra de Alemania y de Austria.*

4-11 DE FEBRERO

POLÍTICA, *ALIADOS*

El mariscal Josiv Stalin, el presidente Franklin D. Roosevelt y el primer ministro Winston Churchill se reúnen en la Conferencia de Yalta, en Crimea, para discutir acerca de la Europa de posguerra. Los «Tres Grandes» deciden que Alemania quedará dividida en cuatro zonas, administradas por Gran Bretaña, Francia, los Estados Unidos y la Unión Soviética. Una Comisión de Control aliada se establecerá en Berlín, y Austria también se dividirá en cuatro zonas. La capital, Viena, quedará dentro de la zona soviética y tendrá también una administración de las cuatro potencias. La Unión Soviética declarará la guerra a Japón dos meses después de que termine la guerra en Europa, mientras que los cambios en las fronteras de Polonia permitirán a la Unión Soviética anexionarse antiguas áreas polacas.

5 DE FEBRERO

FRENTE OCCIDENTAL, *FRANCIA*

La cabeza de puente alemana en la orilla occidental del Rin, al sur de Estrasburgo, alrededor de la ciudad de Colmar –la bolsa de Colmar–, es dividida por unidades del 1º Ejército francés que atacan desde el sur y por el 7º Ejército estadounidense, que avanza desde el norte. La eliminación de la bolsa es esencial para el cruce del Rin.

8-24 DE FEBRERO

FRENTE ORIENTAL, ALEMANIA

El 1º Frente Ucraniano del mariscal Ivan Konev comienza su ofensiva para desbaratar los planes alemanes y establecer una línea defensiva inexpugnable a lo largo del sur del Oder. Para el día 24, sus fuerzas han avanzado 120 km y se han apoderado de la Baja Silesia, además de liberar a 91.300 ciudadanos soviéticos y 22.500 extranjeros más del cautiverio alemán.

9 DE FEBRERO

FRENTE OCCIDENTAL, *FRANCIA*

A continuación de la presión aliada sobre la bolsa de Colmar, el mariscal de campo Gerd von Rundstedt, comandante en jefe alemán en el Oeste, convence a Hitler de que el 19º Ejército retroceda cruzando el Rin. La orilla occidental del río al sur de Estrasburgo se encuentra ahora libre de tropas alemanas.

10 DE FEBRERO

FRENTE ORIENTAL, *POLONIA*

El 2º Frente Bielorruso soviético lanza una ofensiva en la región de Grudziadz y Sepolno, pero choca contra una decidida resistencia del 2º Ejército alemán. El progreso soviético es muy lento.

◀ *Cohetes alemanes retumban en el aire mientras el 2º Ejército intenta detener al 2º Frente Bielorruso en Polonia.*

▼ *Las mujeres ayudan a despejar los escombros de las ruinas de la catedral católica de Dresde, después de los ataques aéreos aliados contra la ciudad.*

▲ Bombarderos Boeing B-17 *Fortalezas Volantes de la 8ª Fuerza Aérea estadounidense desencadenan la muerte y la destrucción sobre Dresde.*

la guerra, en la que mueren al menos 50.000 personas. El ataque es polémico, ya que la ciudad tiene un valor estratégico insignificante, no tiene casi defensas y está llena de refugiados. A la mañana siguiente, la ciudad es bombardeada de nuevo por 400 aviones de la 8ª Fuerza Aérea estadounidense.

14 DE FEBRERO

FRENTE ORIENTAL, *PRUSIA ORIENTAL*

Como resultado del avance del Ejército Rojo, alrededor de la mitad de los 2,3 millones de personas que constituyen la población de Prusia Oriental han huido hacia el oeste. Algunos han sido sacados en barco, aunque la mayoría ha ido a pie o se ha abierto camino a caballo o en carro. Miles han muerto por frío o por agotamiento, o en los ataques soviéticos aéreos y de artillería.

16-28 DE FEBRERO

PACÍFICO, *FILIPINAS*

Las fuerzas estadounidenses empiezan a expulsar a los japoneses de la entrada a la bahía de Manila, Luzón. La península de Batán cae con relativa facilidad, aunque Corregidor demuestra ser un hueso más duro de roer. El asalto comienza el día 16, con un batallón de paracaidistas estadounidenses cayendo sobre los cerros del sudoeste de la isla. Simultáneamente, un asalto anfibio por parte de un batallón de infantería tiene lugar en la costa meridional. Para la tarde del día 26, casi toda la isla está en manos de los estadounidenses. Se declara conquistada el día 28. La guarnición japonesa se niega a rendirse, y queda prácticamente liquidada en la batalla.

11 DE FEBRERO

FRENTE ORIENTAL, *HUNGRÍA*

La guarnición del Eje bloqueada en Budapest intenta abrirse camino a través de las líneas soviéticas. No obstante, de los cerca de 30.000 alemanes y húngaros, menos de 700 consiguen escapar.

13-14 DE FEBRERO

LA GUERRA AÉREA, *ALEMANIA*

La RAF efectúa un ataque nocturno sobre Dresde. Los 805 bombarderos infligen daños masivos sobre el casco antiguo y los suburbios interiores de la ciudad. Los bombardeos desencadenan la mayor tormenta de fuego de

▼ Paracaidistas americanos en acción en Corregidor, durante las operaciones para limpiar la entrada a la bahía de Manila.

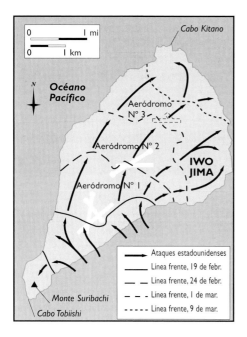

▲ **La conquista de Iwo Jima fue una dura batalla, especialmente el agónico avance hacia el norte contra un enemigo fanático.**

16 DE FEBRERO
PACÍFICO, *IWO JIMA*

La Armada de los Estados Unidos da comienzo a un bombardeo sobre Iwo Jima de tres días de duración. La isla debe ser tomada por cuatro razones: los bombarderos estadounidenses sin escolta que vuelen desde las Marianas a Japón están sufriendo fuertes pérdidas, y, por lo tanto, son necesarios aeródromos más cercanos a Japón para las escoltas de cazas; Iwo Jima posee dos bases aéreas y se encuentra a sólo tres horas de vuelo de Tokio; Iwo Jima es un territorio japonés de preguerra, cuya pérdida sería un duro golpe para el país; y se

▲ **Marines estadounidenses se dirigen a las playas de Iwo Jima, una de las más sangrientas batallas de la guerra del Pacífico. La conquista de la isla requirió la destrucción total de la guarnición.**

trata de una conexión clave en las defensas aéreas de las Marianas.

17 DE FEBRERO
PACÍFICO, *IWO JIMA*

Bajo el mando del teniente general Holland M. Smith, desembarcan las 4ª y 5ª Divisiones de Marines de los Estados Unidos. La resistencia es débil en un principio, pero después los asaltantes son alcanzados por un intenso fuego de artillería y de armas cortas procedente de la guarnición japonesa, formada por 21.000 hombres. No obstante, y pese a las bajas, los americanos tienen 30.000 hombres en la isla al final del día.

21 DE FEBRERO
FRENTE OCCIDENTAL, *ALEMANIA*

El 1° Ejército canadiense toma Goch, poniendo fin a la Operación Veritable, una ofensiva desde la zona de Nimega, entre los ríos Rin y Maas.
LEJANO ORIENTE, *BIRMANIA*
El 14° Ejército británico del general William Slim emprende la recon-

▶ **Soldados del ejército de Slim vadean el Irrawaddy, en su avance hacia Mandalay.**

◀ **El teniente general Holland M. Smith, que comandó a las fuerzas estadounidenses en Iwo Jima.**

quista de la Birmania central. Saliendo de las cabezas de puente del Irawaddy, las columnas se dirigen a Mandalay, la segunda ciudad birmana, y al importante centro de comunicaciones férreas y de carreteras de Meiktila.

En el norte de Birmania, la 36ª División británica atraviesa las posiciones japonesas en Myitson, después de una brutal batalla de tres semanas de duración. Las fuerzas japonesas de la zona están ahora en retirada.

23 DE FEBRERO
FRENTE OCCIDENTAL, *ALEMANIA*

Los 1° y 9° Ejércitos estadounidenses lanzan la Operación Grenade, la travesía del río Roer, y se dirigen hacia el Rin. Precedidos por un bombardeo por parte de unos

que sólo aquellos estados que declaren la guerra antes del 1 de marzo serán invitados a la conferencia de San Francisco sobre las planeadas Naciones Unidas de posguerra.

FRENTE OCCIDENTAL, *ALEMANIA*

El 1° Ejército estadounidense comienza su ataque sobre el Rin, encabezado por el 8° Cuerpo.

PACÍFICO, *FILIPINAS*

Un regimiento de la 41ª División estadounidense conquista la isla de Palawan.

1 DE MARZO

FRENTE ORIENTAL, *ALEMANIA*

El 1° Bielorruso del mariscal Georgi Zhukov inicia una ofensiva para destruir al 3° Ejército *Panzer* alemán, que cuenta con 203.000 hombres, 700 tanques, 2.500 cañones y 100 cañones de artillería costera y antiaéreos fijos, como parte del esfuerzo del Ejército Rojo por afianzar sus flancos antes del asalto sobre el propio Berlín.

3 DE MARZO

FRENTE OCCIDENTAL, *FRANCIA*

En la nieve y la lluvia helada, el general George Patton lanza su 3° Ejército estadounidense sobre el río Kyll, hacia el Rin.

▼ *El 3° Ejército estadounidense del general George Patton, en camino hacia el río Rin a principios de marzo.*

1.000 cañones, cuatro divisiones de infantería cruzan el río ante una resistencia esporádica. Las reservas alemanas han sido destinadas a detener la Operación Veritable, más al norte. Al finalizar el día, 28 batallones de infantería han cruzado el río.

PACÍFICO, *IWO JIMA*

Marines estadounidenses alzan la bandera americana en la cima del monte Suribachi, en el sur de la isla. Los marines de los Estados Unidos deben dirigirse ahora hacia el norte para despejar el resto de la isla.

25 DE FEBRERO

PACÍFICO, *IWO JIMA*

Mientras la lucha en Iwo Jima se intensifica, se despliega la 3ª División de marines estadounidense.

28 DE FEBRERO

POLÍTICA, *ARABIA SAUDÍ*

Siguiendo el ejemplo de Siria el día 26, Arabia Saudí declara la guerra a Alemania. La prisa por unirse a los aliados es consecuencia, en parte, del anuncio de

El ataque es encabezado por los 8° y 12° Cuerpos, los cuales hacen buenos progresos.

FRENTE ORIENTAL, *ALEMANIA*

En un esfuerzo por intentar reconquistar las defensas perdidas del río Oder, el 4° Ejército *Panzer* alemán contraataca desde la zona de Lauban hacia Glogau. Sin embargo, las fuertes posiciones atrincheradas de los soviéticos interrumpen el ataque.

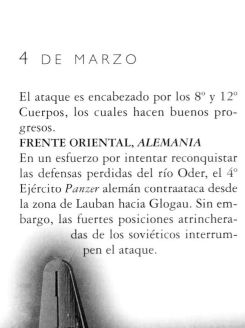

▲ **Un bombardero estadounidense B-29 Superfortaleza cerca de Tokio, volando desde Iwo Jima.**

LEJANO ORIENTE, *BIRMANIA*

La 17ª División india del general David Cowan, junto con la 255ª Brigada Acorazada india toman el centro de comunicaciones de Meitkila, después de una dura batalla.

4 DE MARZO

PACÍFICO, *IWO JIMA*

El primer bombardero estadounidense *B-29* Superfortaleza Volante aterriza en la isla.

6 DE MARZO

FRENTE ORIENTAL, *HUNGRÍA*

Los alemanes lanzan la Operación Despertar de Primavera, diseñada para apoderarse de los yacimientos petrolíferos de Nagykanizsa, reconquistar Budapest y lograr una victoria prestigiosa en el Frente Oriental. El 6° Ejército *Panzer* de las SS, junto con el 2° Ejército *Panzer,* logran un buen progreso inicial pese a las pésimas condiciones meteorológicas.

7 DE MARZO

POLÍTICA, *YUGOSLAVIA*

El mariscal Tito forma un gobierno provisional, en el cual admite representantes del antiguo gobierno monárquico en el exilio. Ésta es una medida temporal, ya que intenta retener el pleno control del gobierno para el Partido Comunista, al cual cree que la población aceptará sin dudarlo, como resultado de los éxitos de los partisanos durante la guerra.

FRENTE OCCIDENTAL, *ALEMANIA*

Unidades del Primer Ejército de los Estados Unidos toman el puente Ludendorff sobre el Rin, en Remagen. El puente, que ha resistido a las bombas, la demolición, el intenso uso y los proyectiles de artillería, se derrumba sobre el río 10 días después.

10 DE MARZO

FRENTE OCCIDENTAL, *ALEMANIA*

El 21ª Grupo de Ejércitos del mariscal de campo Bernard Montgomery completa la conquista del área occidental del Rin. El Grupo ha tenido 22.934 bajas, aunque los alemanes han sufrido bajas por un total de 90.000 hombres, que defendían la zona justo al oeste del Ruhr.

LA GUERRA AÉREA, *JAPÓN*

La primera incursión aérea sobre Japón, contra Tokio, incendia alrededor de 25 km² de la ciudad y mata a 100.000 personas.

14 DE MARZO

FRENTE OCCIDENTAL, *ALEMANIA*

El 3° Ejército de los Estados Unidos del general George Patton cruza la parte baja del río Mosela, para atravesar el sistema defensivo alemán de la Línea Sigfrido.

16 DE MARZO

FRENTE ORIENTAL, *HUNGRÍA*

El 3° Frente Ucraniano del mariscal Fedor Tolbukhin comienza el contraataque del Ejército Rojo contra la Operación Despertar de la Primavera, en el frente entre el lago Velencei y Bicske. El 6° Cuerpo *Panzer* alemán de las SS resiste frente a una aplastante superioridad en tanques y hombres, pero el 3° Ejército húngaro, a la izquierda, se derrumba.

PACÍFICO, *IWO JIMA*

La isla de Iwo Jima es asegurada por los americanos, después de 26 días de combate. Han muerto 6.821 soldados y marineros, mientras que de la guarnición japonesa, formada por 21.000 hombres, sólo 1.083 son hechos prisioneros. Los restantes han muerto o se han suicidado.

▲ *Paracaidistas de la 6ª División Aerotransportada británica se lanzan sobre la orilla oriental del Rin, el 23 de marzo de 1945.*

▼ *El Rin era una barrera formidable, pero cruzarlo era en gran parte un problema más bien logístico que militar para los aliados.*

17-19 DE MARZO

LEJANO ORIENTE, *BIRMANIA*

Comienza la batalla para conquistar Mandalay. La principal guarnición japonesa se encuentra situada en el Fuerte Dufferin, el cual es bombardeado incesantemente por la artillería británica. Después de un bombardeo aéreo intensivo, los japoneses eva-

cuan el fuerte el día 19: Mandalay está en manos de los británicos.

18 DE MARZO

PACÍFICO, *FILIPINAS*

Dentro de la campaña de salto entre las islas que se desarrolla en este escenario, la 40ª División estadounidense desembarca en Panay, la toma y después continúa su camino para despejar la cercana isla de Guimaras.

20 DE MARZO

FRENTE ORIENTAL, *ALEMANIA*

Unidades del 1º Frente Bielorruso asaltan Altdamm. Ya no quedan posiciones alemanas en la orilla oriental del norte del río Oder.

22-31 DE MARZO

FRENTE OCCIDENTAL, *ALEMANIA*

Comienzan los cruces aliados del Rin. La 5ª División del 3º Ejército estadounidense atraviesa el Rin cerca de Nierstein y Oppenheim, y establece cabezas de puente en la orilla oriental. Al final del día 23, la división al completo se encuentra sobre el río. La resistencia alemana es insignificante.

El 21º Grupo de Ejércitos del mariscal de campo Bernard Montgomery (1.250.000 hombres) empieza a cruzar el río el día 23,

▼ *Prisioneros capturados por los aliados en sus operaciones del Rin. Muchos alemanes ofrecían ya sólo una resistencia simbólica.*

▲ El 2° Cuerpo Anfibio de los Estados Unidos desembarca en Okinawa. Al finalizar el primer día, 50.000 soldados habían sido desembarcados.

cuando la 51ª División de *Highlanders* británica y la 3ª División canadiense cruza cerca de Rees y Emmerich. El día 24, la 87ª División estadounidense cruza en Boppard, y la 89ª en St. Goer, mientras que, más al norte, las divisiones aerotransportadas 6ª británica y la 17ª estadounidense aterrizan al este del Rin y se unen a las fuerzas británicas en avance.

Las unidades alemanas, exhaustas y reducidas tras las encarnizadas batallas al oeste del río, sólo son capaces de ofrecer una resistencia simbólica. A finales de mes, la 3ª División argelina del 1° Ejército francés del general de Lattre de Tassigny ha cruzado el río: todos los ejércitos aliados tienen ahora tropas en la orilla oriental del Rin.

24 DE MARZO

LEJANO ORIENTE, *BIRMANIA*
El nuevo 1° Ejército chino aliado se une a la 50ª División china cerca de Hsipaw, poniendo fin así a la campaña en el norte de Birmania.

25-28 DE MARZO

FRENTE ORIENTAL, *HUNGRÍA*
El 2° Frente Ucraniano soviético da comienzo a su ataque a través del río Hron, y a lo largo de la orilla septentrional del Danubio. Las tropas húngaras empiezan a abandonar en masa a sus aliados alemanes,

mientras que los comandantes germanos denuncian la pérdida de confianza entre sus propios hombres. Para el día 28, el Ejército Rojo ha alcanzado la frontera austríaca en el área de Köszeg-Szombathely.

30 DE MARZO

FRENTE ORIENTAL, *POLONIA*
Danzig es conquistada por el Ejército Rojo, junto con 10.000 prisioneros alemanes y 45 submarinos en el puerto.

I DE ABRIL

PACÍFICO, *OKINAWA*
La Operación Iceberg, la invasión estadounidense de la isla, comienza. El almirante Chester W. Nimitz, comandante en jefe de la Flota del Pacífico y del área del océano Pacífico, ha nombrado al vicealmirante Marc Mitscher comandante de las fuerzas de portaaviones rápidos. El 10° Ejército estadounidense es conducido por el teniente general Simon B. Buckner, y comprende 183.000 hombres.

La isla, a sólo 500 km de Japón, posee dos aeródromos en el lado occidental, así como dos bahías parcialmente protegidas en la costa oriental, un excelente trampolín para la planeada invasión del Japón.

▶ La conquista de las islas cercanas a Japón significó que los cazas estadounidenses, tales como estos Mustangs, pudieran escoltar a los bombarderos en sus misiones contra territorio japonés.

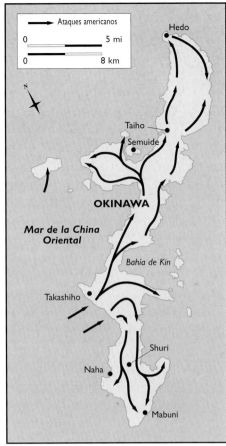

▲ Después del empuje inicial del ejército y la marina estadounidense a través de Okinawa, la 6ª División de marines limpió el norte de la isla.

El desembarco anfibio del 2° Cuerpo Anfibio y del 24° Cuerpo de los Estados Unidos no recibe prácticamente ninguna oposición. El jefe de los japoneses, el comandante general Mitsuru Ushijima, ha retirado sus 80.000 hombres detrás de Suri, donde ha construido una importante línea defensiva.

◄ *El acorazado japonés* **Yamato,** *bajo un ataque aéreo. Su hundimiento señaló el fin de la flota de superficie japonesa.*

2-3 DE ABRIL

FRENTE OCCIDENTAL, *ALEMANIA*

Unidades de los 1° y 3° Ejércitos estadounidenses se reúnen en Lippstadt, para completar el envolvimiento de la región del Ruhr, de gran importancia económica.

4 DE ABRIL

FRENTE OCCIDENTAL, *HOLANDA*

El 21° Grupo de Ejércitos del mariscal de campo Bernard Montgomery comienza su ofensiva para liberar Holanda y penetrar en el norte de Alemania. Como las existencias de alimentos en Holanda son escasas, esta operación es importante, ya que la actitud política de posguerra de los holandeses hacia los aliados dependerá de la rapidez de la liberación.

5 DE ABRIL

POLÍTICA, *CHECOSLOVAQUIA*

En Kosice, el gobierno del Frente Nacional de checos y eslovacos comunica su programa y anuncia los principios democráticos de la República Checa. Afirmando que la liberación del país es su prioridad primordial, insta a la población a emprender una lucha amplia y activa contra los alemanes.

7 DE ABRIL

LA GUERRA MARÍTIMA, *PACÍFICO*

El *Yamato*, el acorazado más grande del mundo, es hundido en el mar por los aviones de combate estadounidenses cuando se dirige a atacar a las fuerzas de los Estados Unidos en Okinawa. El acorazado se encuentra en una misión suicida, con el combustible justo para llegar a la isla.

LA GUERRA AÉREA, *JAPÓN*

Unos 108 *P-51* despegan de Iwo Jima para escoltar a los bombarderos *B-29* que se dirigen a Japón. Son los primeros cazas estadounidenses con base en tierra en alcanzar tierra firme japonesa.

9 DE ABRIL

PACÍFICO, *OKINAWA*

El 24° Cuerpo estadounidense comienza a atacar las defensas de Shuri, en Okinawa. La resistencia japonesa es fuerte y los americanos no son capaces de avanzar.

9-10 DE ABRIL

ITALIA, *DESFILADERO DE ARGENTA*

La campaña final en Italia empieza cuando el 5° Ejército estadounidense y el 8° británico comienzan su batalla por el control del valle del Po. El plan del mariscal de campo Harold Alexander, comandante en jefe de las fuerzas aliadas en Italia, es que el 8° Ejército ataque hacia el oeste a través del desfiladero de Argenta, mientras que el 5° Ejército ataca en el norte, al oeste de Bolonia, atrapando así al Grupo C de Ejércitos alemán entre los dos.

En la noche del 9 de abril, después de un bombardeo aéreo masivo y cinco bombardeos de la artillería, se abre la ofensiva con la 8ª División india y la 2ª neozelandesa atacando hacia Lugo, a través del río Senino. Al amanecer del día 10, los tanques aliados cruzan el río Senino por tres puentes, con los aviones aliados proporcionando un apoyo eficaz a la operación.

10 DE ABRIL

LEJANO ORIENTE, *BIRMANIA*

El 14° Ejército británico del general William Slim emprende una ofensiva para conquistar Rangún. Es una carrera a con-

▼ *La procesión fúnebre del presidente de los Estados Unidos Franklin D. Roosevelt, que murió cuando la victoria en Europa era cuestión de días.*

ARMAS DECISIVAS

LAS BOMBAS ATÓMICAS

La teoría en la que se basan las bombas atómicas es relativamente sencilla: un neutrón golpea contra el núcleo de un átomo de uranio, que se divide en dos fragmentos, un átomo de criptón y un átomo de bario. La reacción libera también una enorme explosión de energía. Uno o dos neutrones nuevos quedan liberados, alguno de los cuales encuentra otros objetivos nucleares y repite el proceso. Cada fisión causa otras: la reacción en cadena. Una reacción en cadena rápida se convierte en una explosión nuclear. No obstante, el uranio tiene varios isótopos, y el truco consiste en encontrar la manera de aislar el isótopo de uranio U-235, que es el más adecuado (al ser más inestable) para el desarrollo de la energía nuclear.

La bomba atómica lanzada sobre Hiroshima, la *Little Boy*, tenía un mecanismo parecido al de un arma de fuego convencional, que disparaba una partícula de U-235 subcrítico sobre otro núcleo para crear la masa supercrítica y la explosión nuclear. La bomba usada contra Nagasaki, la *Fat Man*, utilizaba el método de implosión, con un anillo de 64 detonadores disparando segmentos de plutonio unos contra otros para obtener la masa supercrítica. Los costes eran enormes: el Proyecto Manhattan, el proyecto secreto estadounidense dirigido por Julius Robert Oppenheimer que desarrolló la bomba atómica, costó 20.000 millones de dólares al gobierno estadounidense.

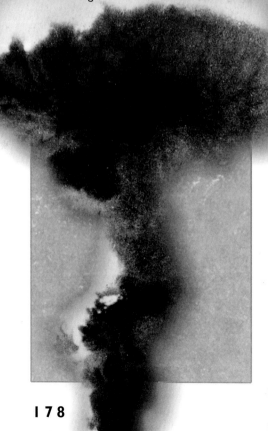

trarreloj para tomar la ciudad antes de que comience el monzón, a mediados de mayo. Debe evitar también que los japoneses formen una línea defensiva al norte de Rangún y detengan su avance.

11 DE ABRIL

FRENTE OCCIDENTAL, *ALEMANIA*

El 9º Ejército estadounidense llega al río Elba, cerca de Magdeburgo. Un número creciente de ciudades alemanas se rinden sin luchar, mientras que los ejércitos de Hitler que combaten en Alemania Occidental se desintegran.

12 DE ABRIL

POLÍTICA, *ESTADOS UNIDOS*

El presidente Franklin D. Roosevelt muere a causa de una hemorragia cerebral en Warm Springs, Georgia. El vicepresidente Harry S. Truman asume el cargo de presidente, y una de sus primeras decisiones es suspender un plan para lanzar aviones viejos y sin piloto, cargados con explosivos, contra objetivos industriales en Alemania, atendiendo a la preocupación del primer ministro Winston Churchill de que esto pueda provocar represalias contra Londres.

13 DE ABRIL

FRENTE ORIENTAL, *AUSTRIA*
El Ejército Rojo libera Viena.

14 DE ABRIL

POLÍTICA, *ALIADOS*

El general Dwight D. Eisenhower, Comandante Supremo de los Ejércitos Aliados en el Oeste, informa al Estado Mayor General Combinado de que el ataque aliado sobre Berlín tiene una prioridad menor que el afianzamiento de los flancos aliados en el norte (Noruega y Dinamarca) y el sur (sur de Alemania y Austria). Los jefes de estado mayor británicos están insatisfechos, pero reconocen los argumentos de Eisenhower, y aprueban sus planes el día 18.

ITALIA, *DESFILADERO DE ARGENTA*

Comienza la ofensiva del 5º Ejército estadounidense en el norte de Italia. Precedidas de un bombardeo por parte de 500 aviones de ataque terrestre, la 1ª División Acorazada y la 10ª División de Montaña estadounidenses, junto con la 1ª División bra-

sileña, atacan entre Vergato y Montese, y efectúan un buen progreso.

16 DE ABRIL

FRENTE ORIENTAL, *ALEMANIA*

Comienza la ofensiva soviética para conquistar Berlín. El plan soviético tiene tres partes: un avance en los ríos Oder y Neisse; la fragmentación y el aislamiento de las unidades alemanas dentro y alrededor de Berlín; y la aniquilación de dichas unidades, la conquista de la ciudad y un avance hacia el río Elba.

Las fuerzas del Ejército Rojo implicadas son el 2º Frente Bielorruso y el 1º Ucraniano, la Fuerza de Largo Alcance, la Flotilla del Dnieper y dos ejércitos polacos, un total de 2,5 millones de hombres, 41.600 cañones y morteros, 6.250 tanques y cañones autopropulsados y 7.500 aviones de combate. Las fuerzas alemanas constan del 3º Ejército *Panzer* y el 9º Ejército, pertenecientes al Grupo de Ejércitos del Vístula; el 4º Ejército *Panzer* y el 17º Ejército, del Grupo de Ejércitos Centro; una hueste de destacamentos de la *Volkssturm*

▼ *El soldado estadounidense Paul Drop monta guardia sobre miles de prisioneros alemanes capturados en la bolsa del Ruhr, en abril de 1945.*

▲ *El puente Hohenzollern sobre el río Rin, cerca de Colonia, demolido por las fuerzas alemanas en retirada en abril de 1945.*

(la guardia local), la guardia de seguridad y la policía, en el propio Berlín; y una reserva de ocho divisiones, en total un millón de hombres, 10.400 cañones y morteros, 1.500 tanques y cañones de asalto y 3.300 aviones de combate.

ITALIA, *DESFILADERO DE ARGENTA*

Las divisiones 78ª y 56ª del 8º Ejército británico superan la Fossa Marina, un canal que se extiende por

▲ *Un camión estadounidense pasa junto al cuerpo de un soldado alemán, durante el avance aliado para liberar Holanda.*

el nordeste, desde Argenta hasta el lago Comacchio, con una combinación de asaltos terrestres y anfibios. La línea alemana ha quedado fracturada, y los aliados atraviesan el desfiladero de Argenta.

17 DE ABRIL

PACÍFICO, *FILIPINAS*
Miembros del 10º Cuerpo estadounidense desembarcan en Mindanao.

18 DE ABRIL

FRENTE OCCIDENTAL, *ALEMANIA*
Cesa toda resistencia alemana en el área industrial del Ruhr; 370.000 prisioneros caen en manos de los aliados.

FRENTE OCCIDENTAL, *HOLANDA*
El 1º Cuerpo canadiense, encontrando una resistencia esporádica, ha alcanzado Harderwijk, aislando así a las fuerzas alemanas en el oeste del país.

20 DE ABRIL

FRENTE OCCIDENTAL, *ALEMANIA*
Nuremberg, el santuario del nacionalsocialismo en el sur de Alemania, cae en manos del 3º Ejército estadounidense después de una batalla de cinco días. La ciudad ha

▼ *La toma de Berlín, la capital de Hitler, fue el clímax de la lucha del Ejército Rojo.*

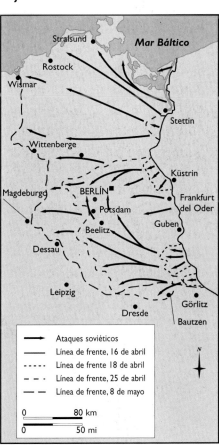

Mar Báltico
Stralsund
Rostock
Wismar
Wittenberge
Magdeburgo
BERLÍN
Potsdam
Beelitz
Dessau
Leipzig
Stettin
Küstrin
Frankfurt del Oder
Guben
Görlitz
Dresde
Bautzen

Ataques soviéticos
Línea de frente, 16 de abril
Línea de frente 18 de abril
Línea de frente, 25 de abril
Línea de frente, 8 de mayo

0   80 km
0   50 mi

estado defendida por dos divisiones alemanas, la *Luftwaffe* y los batallones de la *Volkssturm*, y rodeada de cañones antiaéreos, y el comandante alemán ha jurado a Hitler que él y sus hombres lucharán hasta el final.

FRENTE ORIENTAL, *ALEMANIA*

El 1º Frente Bielorruso del mariscal Georgi Zhukov ha aplastado la resistencia alemana en el río Oder, y avanza hacia Berlín. Las tropas soviéticas han tenido que superar tres cinturones defensivos, constando cada uno de ellos de dos o tres capas de tropas.

22 DE ABRIL

FRENTE ORIENTAL, *ALEMANIA*

El alto mando soviético ha ordenado a los mariscales Georgi Zhukov e Ivan Konev completar el envolvimiento de las fuerzas alemanas en los bosques al sudeste de Berlín para el día 24 de abril, con el fin de evitar que entren en la ciudad e incrementen los efectivos de la guarnición. Este movimiento cerrará también el anillo del Ejército Rojo al oeste de Berlín, para evitar la huida de unidades enemigas de la capital del Tercer Reich. Adolf Hitler, desdeñando una oportunidad de escapar a Baviera, decide permanecer en la ciudad y supervisar su defensa.

ITALIA, *DESFILADERO DE ARGENTA*

Las divisiones blindadas 6ª sudafricana y 6ª británica se reúnen en Finale, al norte del río Reno. Los alemanes se retiran precipitadamente desde el desfiladero de Argenta hasta el río Po, abandonando la mayoría de sus cañones, tanques y vehículos.

▲ *Las últimas reservas: una berlinesa aprende a utilizar un arma antitanque en los días finales de la guerra.*

▶ *Soldados soviéticos se acercan a la «Fortaleza de Berlín». La resistencia alemana oscilaba entre el fanatismo y lo simbólico.*

23 DE ABRIL

FRENTE OCCIDENTAL, *ALEMANIA*

Los últimos defensores alemanes en las montañas del Harz son capturados. Más al norte, el 2º Ejército británico llega a las afueras de Hamburgo.

25-27 DE ABRIL

FRENTE ORIENTAL, *ALEMANIA*

El 1º Frente bielorruso del mariscal Georgi Zhukov y el 1º Frente Ucraniano del mariscal Ivan Konev completan el envolvi-

▼ *Mientras arrecia la batalla de Berlín, soldados británicos limpian los últimos focos de resistencia en el norte de Alemania.*

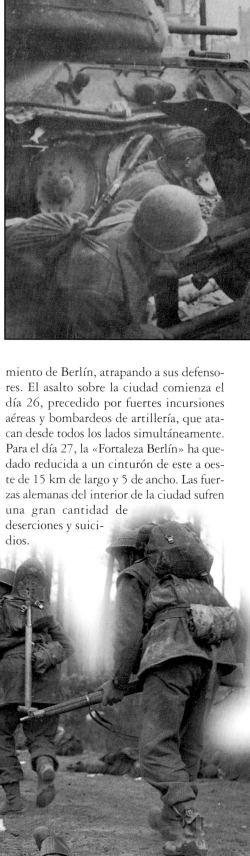

miento de Berlín, atrapando a sus defensores. El asalto sobre la ciudad comienza el día 26, precedido por fuertes incursiones aéreas y bombardeos de artillería, que atacan desde todos los lados simultáneamente. Para el día 27, la «Fortaleza Berlín» ha quedado reducida a un cinturón de este a oeste de 15 km de largo y 5 de ancho. Las fuerzas alemanas del interior de la ciudad sufren una gran cantidad de deserciones y suicidios.

29 DE ABRIL

POLÍTICA, *ALEMANIA*

Adolf Hitler, confinado ahora en el *Führerbunker*, detrás de la Cancillería del Reich, ordena al coronel general Ritter von Greim abandonar Berlín y arrestar a Heinrich Himmler, jefe de las SS, por sus intentos de alcanzar la paz con los aliados. Greim ha sido nombrado comandante en jefe de la *Luftwaffe* el día 23, tras el intento de Hermann Goering de negociar con los aliados en su nombre. Hitler publica su *Testamento político,* en el cual culpa al «judaísmo internacional» del estallido de la guerra. Nombra al almirante Karl von Doenitz como su sucesor, y se casa con la que ha sido su amante durante mucho tiempo, Eva Braun.

POLÍTICA, *ITALIA*

Como resultado de las conversaciones entre bastidores entre Karl Wolff, veterano comandante de las SS y la policía en Italia, y Allen Dulles, jefe de la Oficina Americana de Servicios Estratégicos (OSS) en Suiza, Wolff y el general Heinrich von Vietinghoff, comandante en jefe alemán en Italia, firman el acuerdo de rendición incondicional en el norte de Italia, que entrará en vigor el día 2 de mayo. Los suizos, los aliados y muchos alemanes e italianos en Italia han estado preocupados por una prolongación de la campaña en la «Fortaleza Alpina» de Hitler, y la probable destrucción de la industria del norte de Italia como resultado de la política de tierra quemada de Hitler.

▼ *Lanzacohetes soviéticos bombardean las posiciones alemanas en la estación de ferrocarril de Potsdam, en los días finales de la batalla de Berlín.*

▲ *Hitler y su amante Eva Braun, con la que se casó en Berlín justo antes de su suicidio común a finales de abril.*

FRENTE ORIENTAL, *ALEMANIA*

La fuerza alemana atrapada alrededor de Frankfurt-an-der-Oder intenta salir de su bolsa para alcanzar Berlín. Esto da lugar a tres días de lucha salvaje en los que queda aniquilada. De su dotación original de 200.000 hombres, mueren 60.000, y 120.000 son hechos prisioneros. Sólo pequeños grupos consiguen deslizarse entre las líneas soviéticas.

RETAGUARDIA, *HOLANDA*

La RAF empieza a lanzar provisiones alimentarias para aliviar la difícil situación de los famélicos civiles del país.

30 DE ABRIL

POLÍTICA, *ALEMANIA*

Adolf Hitler y Eva Braun se suicidan en el *Führerbunker,* en Berlín. Hitler se pega un tiro, mientras que Braun toma veneno. Sus cuerpos son incinerados después por las SS.

28 DE ABRIL

POLÍTICA, *HOLANDA*

La primera reunión entre representantes aliados y alemanes tiene lugar en el oeste de Holanda. El *Reichskommisar* para los Países Bajos, Artur von Seyss-Inquart, ha ofrecido a los aliados la libertad para llevar alimentos y carbón a la Holanda occidental, ocupada por los alemanes, para aliviar la difícil situación de la población civil, siempre que las fuerzas aliadas se detengan en el este. Esto lleva a un cese de las hostilidades y libra al país de los estragos de más batallas.

POLÍTICA, *ITALIA*

El estado fascista títere de Mussolini se derrumba junto con la resistencia alemana en el norte del país. Intentando huir a Austria, el *Duce* y su amante Clara Petacci son capturados por partisanos. Siguiendo órdenes del Comité de Liberación Nacional, Walter Audisio, un comunista miembro del Cuerpo Voluntario por la Libertad, les mata a tiros. Sus cuerpos mutilados son colgados más tarde en la Piazzale Loreto, en Milán.

FRENTE ORIENTAL, *ALEMANIA*

Tropas soviéticas comienzan el asalto del *Reichstag*, atacando a través del puente Moltke. Los alemanes lanzan furiosos contraataques, y en los puestos fortificados del ministerio del Interior (defendido por tropas de las SS) y en la Ópera Kroll la resistencia es feroz.

I DE MAYO

POLÍTICA, *ALEMANIA*

El general Krebs, jefe del Estado Mayor General del Alto Mando del Ejército, inicia negociaciones de alto el fuego con los soviéticos en nombre de la dirección nazi en Berlín (Martin Bormann, ministro del Partido Nazi, y Josef Goebbels, *Reichskommissar* para la Defensa de la Capital). Los soviéticos exigen la rendición incondicional, y la lucha en la capital y en otros lugares prosigue.

LEJANO ORIENTE, *BIRMANIA*

A primeras horas de la mañana, el 2º Batallón de Paracaidistas *Gurkha* se lanza para afianzar Elephant Point, al sudeste de Rangún, para permitir a las fuerzas anfibias aliadas entrar desde el mar en el río Rangún sin hallar oposición. Después de una breve lucha, el lugar queda asegurado.

2 DE MAYO

FRENTE OCCIDENTAL, *ALEMANIA*

La 6ª División Aerotransportada británica del 21º Grupo de Ejércitos entra en Wismar, justo a tiempo para evitar que el Ejército Rojo entre en Schleswig-Holstein.

FRENTE ORIENTAL, *ALEMANIA*

Tras una salvaje batalla de tres días de duración, en la que ha muerto la mitad de la guarnición, formada por 5.000 hombres, el *Reichstag* de Berlín cae en manos del Ejército Rojo, y la bandera de la hoz y el martillo se alza sobre el edificio del parlamento.

El general Helmuth Weidling, comandante de Berlín, entrega la ciudad y las tropas restantes al mariscal Georgi Zhukov. Tomar la ciudad ha costado a los soviéticos 300.000 hombres muertos, heridos o desaparecidos, unos 2.000 tanques y cañones

▶ *La bandera soviética ondea sobre Berlín, señalando la caída de la ciudad en manos del Ejército Rojo y el fin del Tercer Reich.*

autopropulsados, y alrededor de 500 aviones. Los alemanes han perdido un millón de hombres entre muertos, heridos y hechos prisioneros.

LEJANO ORIENTE, *BIRMANIA*

La 20ª División india conquista la ciudad de Prome, cortando así la línea de retirada japonesa desde Arakan. En el sur, la 26ª División india efectúa un desembarco anfibio a través del río Rangún.

3 DE MAYO

LEJANO ORIENTE, *BIRMANIA*

Después de 38 meses de ocupación japonesa, Rangún cae en manos de los aliados, sin lucha. La infraestructura de la ciudad se encuentra en ruinas, con los edificios extensamente dañados por los bombardeos.

3-4 DE MAYO

POLÍTICA, *ALEMANIA*

Todo el noroeste del país se encuentra bajo control británico. El almirante Karl Doenitz envía al almirante Hans von Friedeburg al cuartel general del mariscal de campo Bernard Montgomery, en Lüneburg, para discutir los términos de la rendición. El día 4, la delegación alemana firma el acuerdo de rendición, que abarca a las fuerzas alemanas en Holanda, el noroeste de Alemania, las islas alemanas, Schleswig-Holstein

y Dinamarca, que entra en vigor a las 8:00 h del día 5 de mayo.

4-5 DE MAYO

POLÍTICA, *DINAMARCA*

Unos 20.000 miembros del movimiento de resistencia danés, organizado bajo la dirección general del Consejo de Libertad, salen de la clandestinidad y toman posesión de los puntos clave del país, que pronto están bajo control de Dinamarca. Los primeros aliados llegan el día 5.

5 DE MAYO

FRENTE ORIENTAL, *CHECOSLOVAQUIA*

Con el Ejército Rojo cada vez más cerca, los nacionalistas checos inician el levantamiento de Praga. Al final del día, hay 2.000 barricadas en la ciudad, y todos los puentes importantes sobre el río Vltava han sido ocupados. El mariscal de campo Ferdinand Schörner, comandante del Grupo de Ejércitos Centro alemán, ha ordenado a las unidades de la ciudad aplastar la rebelión.

7 DE MAYO

POLÍTICA, *ALEMANIA*

El general Alfred Jodl, actuando en nombre del gobierno alemán, firma el acta de rendición a los aliados de todas las fuerzas alemanas que se encuentran todavía en el campo de batalla.

◀ *Un ceñudo almirante Hans von Friedeburg y el mariscal de campo Bernard Montgomery concluyen la rendición alemana.*

tualmente a primera hora de la mañana en una cueva cerca de Mabuni. La batalla, de 82 días, que contempla el uso extensivo de los ataques *kamikaze* por parte de los japoneses, se ha cobrado las vidas de 110.000 miembros del personal militar nipón. Las pérdidas de la Armada de los Estados Unidos suman 9.731 hombres, de los cuales 4.907 han muerto, mientras que el 10% del Ejército ha sufrido bajas por un número de 7.613 hombres muertos o desaparecidos, y 31.807 heridos. También ha habido alrededor de 26.000 bajas de no combatientes, la mayoría civiles japoneses, muchos de los cuales se han suicidado.

3-11 DE JULIO

LEJANO ORIENTE, *BIRMANIA*

Los restos del 33º Ejército japonés (6.000 hombres) atacan las posiciones aliadas en Waw, desde las montañas de Pegu Yoma. El objetivo es amenazar y, si es posible, cortar las conexiones férreas y por carretera del 12º Ejército británico con Rangún, y también retirar a algunas de sus unidades del centro, posibilitando así el movimiento del 28º Ejército japonés hacia el este, entre Toungoo y Nyaunglebin. Sin embar-

▼ *Nacionalistas checos luchan contra las tropas alemanas en Praga, tras una de las 2.000 barricadas erigidas por los insurrectos.*

Las hostilidades deben cesar a medianoche del día 8 de mayo como muy tarde. En Noruega, la guarnición alemana, de 350.000 hombres, se rinde a los aliados. El Grupo de Ejércitos Sur alemán se rinde al 3º Ejército de los Estados Unidos, en Austria.

9-10 DE MAYO

FRENTE ORIENTAL, *CHECOSLOVAQUIA*

Praga es liberada por el Ejército Rojo con la ayuda de los partisanos. Al anochecer, las tropas soviéticas han sellado todas las vías de escape hacia el oeste para el Grupo de Ejércitos Centro. Las tropas alemanas, viendo lo desesperado de su situación, comienzan a rendirse por millares. El día 10, el 1º Frente Ucraniano traba contacto con el 3º Ejército estadounidense en la línea Chemnitz-Rokycany.

15 DE MAYO

BALCANES, *YUGOSLAVIA*

Se rinden las últimas tropas alemanas que luchaban en el país.

29 DE MAYO

PACÍFICO, *OKINAWA*

La 1ª División de marines estadounidense toma Shuri, después de una dura batalla. Hasta la fecha, los americanos han sufrido 20.000 bajas al intentar tomar la isla, ocupada por los japoneses.

1 DE JUNIO

LEJANO ORIENTE, *BIRMANIA*

Después de romper y dispersar toda oposición japonesa en Birmania, el 14º Ejército británico del general William Slim se encuentra despejando el país de los 70.000 soldados enemigos, muy desperdigados. El 28º Ejército japonés, que ha sido obligado a retirarse al este para escapar de la inanición, ha sido destrozado por el 33º Cuerpo en la cabeza de puente de Kama. Ahora no es más que una chusma mal armada.

22 DE JUNIO

PACÍFICO, *OKINAWA*

Termina toda resistencia japonesa en la isla. El comandante japonés, el teniente general Mitsuru Ushijima, dándose cuenta de que la situación es desesperada, se suicida ri-

go, ante una fuerte resistencia aérea y terrestre, el día 11 cesan todos los esfuerzos japoneses por tomar Waw.

12 DE JULIO

POLÍTICA, *JAPÓN*

El líder de la guerra Shigenori Togo da instrucciones al embajador japonés en Moscú para que informe a las autoridades de que el emperador desea que la guerra termine. Con este fin, el príncipe Konoye va a ser mandado como enviado especial a la Unión Soviética, con la autoridad imperial de discutir las relaciones soviético-japonesas, incluyendo el futuro de Manchuria, ocupada por los japoneses. No obstante, Togo ha subrayado repetidamente que la exigencia aliada de una rendición incondicional no deja otra opción al gobierno que continuar luchando.

Ciertamente, los aliados están haciendo planes para invadir Japón. Se propone que los primeros desembarcos, bajo el nombre clave de Operación Olympic, tengan lugar en noviembre. Los segundos, la Operación Coronet, quedan programados para marzo de 1946. Los planificadores estadounidenses esperan sufrir grandes bajas. Sin embargo, ninguna de las operaciones tendrá lugar.

16 DE JULIO

TECNOLOGÍA, *ESTADOS UNIDOS*

La primera bomba atómica de la Historia explota en Alamogordo, Nuevo México. El trabajo secreto para desarrollar el arma tiene el nombre clave de Proyecto Manhattan.

▼ *La ofensiva soviética en Manchuria fue un ejemplo magnífico de una operación móvil a gran escala con todas las armas.*

▲ *La ciudad japonesa de Hiroshima, devastada por la primera utilización de una bomba atómica en la guerra, el 6 de agosto de 1945.*

Una unidad de bombarderos especializada, el 509º Grupo Compuesto, se entrena para atacar Japón con bombas atómicas.

17 DE JULIO – 2 DE AGOSTO

POLÍTICA, *ALIADOS*

La Conferencia de Potsdam tiene lugar en Alemania. Los «Tres Grandes», el presidente estadounidense Harry Truman, el líder soviético mariscal Josiv Stalin, y el primer ministro británico Clement Attlee (que ha derrotado a Churchill en unas elecciones generales, el 5 de julio), se reúnen para discutir la política de posguerra. Ja-

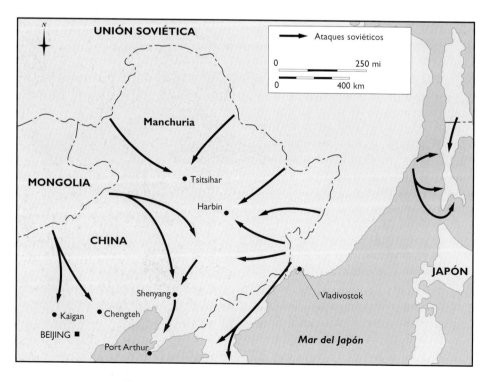

pón es informado de que una rendición inmediata tendría por resultado que la nación continuara existiendo, aunque no su imperio. Los criminales de guerra serán perseguidos y habrá una ocupación temporal. La proclamación deja claro también que, de continuar resistiendo, se llegará a la «devastación total de la tierra japonesa». Ésta es una velada referencia al uso de bombas atómicas contra Japón.

19 DE JULIO

LEJANO ORIENTE, *BIRMANIA*

El 28º Ejército japonés intenta huir al este de las Pegu Yoma, a través del río Sittang. Avisados, los cañones de la 17ª División india cortan el paso a cientos de japoneses, mientras que muchos otros se ahogan en el río. La fuga es un desastre, y señala el fin del ejército.

26 DE JULIO

PACÍFICO, *FILIPINAS*

Después de un desembarco anfibio en la bahía de Sarangani, el día 12, la resistencia japonesa en Mindanao es vencida.

28 DE JULIO

POLÍTICA, *JAPÓN*

El primer ministro Kantaro Suzuki anuncia que tanto él como su gabinete harán caso omiso de la reciente Proclamación de Potsdam aliada.

▼ *Marineros y oficiales en la cubierta del **USS Missouri** presencian la firma japonesa de los documentos de rendición, en la bahía de Tokio.*

4 DE AGOSTO

LEJANO ORIENTE, *BIRMANIA*

Los últimos remanentes del 28º Ejército japonés son aniquilados. Los aliados han sufrido sólo 96 muertos.

6 DE AGOSTO

LA GUERRA AÉREA, *JAPÓN*

El *B-29* Superfortaleza Volante *Enola Gay* lanza una bomba atómica sobre la ciudad japonesa de Hiroshima, matando a 70.000 personas e hiriendo a un número similar.

9 DE AGOSTO

LEJANO ORIENTE, *MANCHURIA*

Comienza una ofensiva soviética masiva, por parte de un millón y medio de hombres, contra el Ejército del Kwantung japonés. Ha empezado la campaña más rápida en la historia del Ejército Rojo.

LA GUERRA AÉREA, *JAPÓN*

Una segunda bomba atómica estadounidense es lanzada sobre Nagasaki, después de que Tokio ignore un ultimátum que advierte que se lanzarán más bombas si no hay una rendición inmediata. La bomba mata a 35.000 personas y hiere a otras 60.000.

10 DE AGOSTO

POLÍTICA, *JAPÓN*

Después de una conferencia, durante la cual el emperador expresa su apoyo a una aceptación inmediata de la Declaración de Potsdam, Japón anuncia su voluntad de rendirse incondicionalmente.

15 DE AGOSTO

POLÍTICA, *JAPÓN*

El emperador Hirohito habla por la radio al pueblo japonés por primera vez, pidiéndole que responda con lealtad a su orden de rendición.

23 DE AGOSTO

LEJANO ORIENTE, *MANCHURIA*

La campaña de Manchuria termina con una victoria total soviética. Los japoneses han perdido alrededor de 80.000 hombres muertos y 594.000 hechos prisioneros. Las pérdidas soviéticas son de 8.000 hombres muertos y 22.000 heridos.

2 DE SEPTIEMBRE

POLÍTICA, *ALIADOS*

A bordo del acorazado *Missouri*, en la bahía de Tokio, el ministro de Asuntos Exteriores, Mamoru Shigemitsu, y el general Yoshijiro Umezo firman el acuerdo de rendición. El general Douglas MacArthur, Comandante Supremo de las Potencias Aliadas, firma en nombre de todas las naciones en guerra con Japón. La Segunda Guerra Mundial ha terminado por fin.

MOMENTOS CLAVE

EL PRECIO DE LA GUERRA

La Segunda Guerra Mundial fue probablemente el conflicto más destructivo de la historia de la humanidad. De los beligerantes más importantes, la Unión Soviética sufrió la mayoría de las bajas, con una estimación de 7,5 millones de militares muertos. Las políticas raciales de los nazis y su indiferencia general hacia la población de la Unión Soviética tuvieron por resultado la muerte de alrededor de 15 millones de civiles rusos. Alemania, que sumergió al mundo en el conflicto, pagó un enorme precio, sufriendo sus fuerzas armadas 2,8 millones de bajas y otros 7,2 millones de heridos. En la retaguardia, un total de 500.000 alemanes perdieron la vida. Japón sufrió 1 millón y medio de militares muertos en la guerra, y 300.000 civiles murieron durante la campaña de bombardeos estadounidense sobre el territorio japonés. Italia tuvo 77.000 militares muertos y más de 40.000 bajas civiles.

Las naciones occidentales aliadas perdieron muchos hombres menos que la Unión Soviética: los Estados Unidos, 292.000; Gran Bretaña, 397.762; y Francia, 210.600. Las muertes entre los civiles estadounidenses fueron insignificantes, mientras que Gran Bretaña sufrió 65.000 muertes de civiles, y Francia, 108.000.

En total, se estima que los soldados que murieron durante la guerra ascendieron a 15 millones, y se calcula que las muertes civiles alcanzaron los 34 millones, incluyendo a unos 6 millones de judíos asesinados en los diferentes campos de exterminio nazis.

CONSECUENCIAS

El final de la Segunda Guerra Mundial dio paso a la Era Nuclear, y la estrategia política y militar de todas las naciones estuvo influida por la confrontación entre las dos grandes potencias nucleares: los Estados Unidos y la Unión Soviética. Ambos países habían alcanzado el status de superpotencia simultáneamente, en medio de las ruinas dejadas por la Segunda Guerra Mundial. Se temían el uno al otro, y representaban sistemas incompatibles: el capitalismo y el comunismo. La preocupación estratégica más importante para cada uno era la existencia y el poder del otro. La fricción resultante de esta confrontación recibió el nombre de Guerra Fría, e iba a tener una profunda influencia en el mundo de posguerra.

LA GUERRA FRÍA

En el período de posguerra, la confrontación más importante fue la Guerra Fría entre las superpotencias. Después de la indecisa Conferencia de Potsdam, Stalin decidió consolidar el control comunista sobre la Europa Oriental, que estaba ocupada por un millón de soldados del Ejército Rojo. El proceso fue gradual, y las elecciones de 1945 y 1946 en la región fueron relativamente libres. No obstante, para 1947 se habían establecido gobiernos dominados por los soviéticos en Hungría, Polonia, Bulgaria y Rumanía (y en Checoslovaquia en febrero de 1948), sólo Yugoslavia conservaba cierta independencia. Además, los llamados líderes comunistas nacionales, tales como Wladyslaw Gomulka en Polonia, fueron destituidos, asegurando así el pleno control soviético.

En diciembre de 1947 el intento de golpe comunista en Grecia, dio lugar a una guerra civil y la Unión Soviética intentó deshacerse de los sectores occidentales de Berlín e incorporar toda la ciudad a la República Democrática Alemana. En abril de 1948, los Estados Unidos reaccionaron con

▼ Berlín en ruinas después de la guerra. La infraestructura de Alemania quedó destruida durante la guerra.

◄ **Un puente ferroviario destrozado, ejemplo de la arruinada red de comunicaciones de Europa.**

se convirtió en una potencia importante en Asia.

En febrero de 1950, China firmó un Tratado de Amistad con la Unión Soviética, creando así una supuesta estructura «monolítica» de comunismo internacional. Un resultado tangible de este hecho fue la implicación masiva de China en la Guerra de Corea (1950-1953), enfrentándose a los estadounidenses y a otras fuerzas occidentales en la península de Corea. Por suerte para Occidente, las diferencias ideológicas y las ambiciones enfrentadas de la Unión Soviética y China crearon rápidamente importantes fisuras en su alianza.

El frente más importante de la Guerra Fría, sin embargo, no estaba en Asia sino en Europa, con la línea divisoria que se extendía a través del centro del continente y de Berlín. La propia Europa se encontraba políticamente desorganizada y económicamente destruida. En la Rusia europea y en

energía, e iniciaron una política para «contener» a la Unión Soviética mediante una serie de alianzas y bases, tales como la Organización del Tratado del Atlántico Norte (OTAN) y la Organización del Tratado del Sudeste Asiático (SEATO). En 1959, los Estados Unidos poseían alrededor de 1.400 bases en el extranjero. Afortunadamente, nunca tuvieron lugar hostilidades abiertas entre las dos superpotencias.

La victoria de Mao Zhe-dong en la Guerra Civil China, en 1949, creó la República Popular China. Cuando los comunistas llegaron al poder heredaron una economía en bancarrota: la inflación había destrozado la moneda, el sistema bancario y los negocios urbanos. La industria se encontraba en ruinas, y gran parte del sistema ferroviario no estaba operativo. No obstante, por primera vez desde 1911, un régimen fuerte controlaba todo el territorio chino, y tenía planes, experimentados ya en algunas zonas, para la regeneración de la economía y la transformación del país. Con el establecimiento de una infraestructura industrial, un creciente sector petrolífero y capacidad nuclear, China pronto

▶ **Los «Tres Grandes» rompieron filas al acabar la guerra.**

CONSECUENCIAS

LAS NACIONES UNIDAS

El término «Naciones Unidas» fue usado originariamente durante la II Guerra Mundial para referirse a aquellos países que se habían aliado contra las potencias del Eje: Alemania, Italia y Japón. El primer intento de establecer de manera permanente las Naciones Unidas fue una conferencia en Dumbarton Oaks, en Washington D.C., donde representantes de los «Cuatro Grandes» (los Estados Unidos, Gran Bretaña, la Unión Soviética y China) se reunieron desde el 21 de agosto hasta el 7 de octubre de 1944, para hacer un borrador de los proyectos preliminares.

Estos proyectos para el mundo de posguerra se discutieron con más detalle en la Conferencia de Yalta, en febrero de 1945, y las decisiones alcanzadas en aquella reunión constituyeron la base de las negociaciones en la Conferencia de las Naciones Unidas, celebrada en San Francisco dos meses después. La Carta de las Naciones Unidas resultante fue firmada por 50 estados en junio, y entró en vigor el 24 de octubre de 1945.

Los objetivos básicos de las Naciones Unidas son el mantenimiento de la paz y la seguridad internacionales, el desarrollo de relaciones amistosas entre los estados, basado en los principios de derechos iguales ante la ley y de autodeterminación, y el fomento de la cooperación internacional para resolver problemas internacionales sociales, económicos, culturales y humanitarios.

buena parte de la Europa Oriental, donde las mareas de la guerra habían fluido y refluido, se había creado un vasto desierto, desprovisto de todo menos de personas. La producción agrícola estaba bajo mínimos, complicado por el colapso de la red de comunicaciones, y el volumen de producción de carbón, acero y hierro se había reducido drásticamente, comparado con los niveles de preguerra. La enormidad del daño físico habría impedido de todas formas una vuelta rápida a las condiciones de tiempos de paz, pero la partición de Europa en las esferas de influencia estadounidense y soviética agravaron aún más el problema.

EL PLAN MARSHALL

Sólo los Estados Unidos, con sus excedentes de producción y materiales, estaban en condiciones de revitalizar la economía mundial. La manifestación de esta revita-

lización fue el Plan Marshall (abril de 1948-diciembre de 1951), diseñado para rehabilitar las economías de 17 naciones europeas, con el objeto de crear condiciones estables para la supervivencia de las instituciones democráticas. Los objetivos convenían a la política exterior estadounidense, ya que se temía que la pobreza, el desempleo y la confusión reforzarían el clamor popular por el comunismo.

La ayuda se ofreció en principio a casi todas las naciones europeas, incluyendo aquellas bajo la ocupación militar de la Unión Soviética. Sin embargo, el plan fue rechazado por Stalin en enero de 1949, y la Unión Soviética y sus posesiones establecieron el Consejo de Mutua Asistencia Económica (COMECON) como respuesta. Quedaban los siguientes países para participar en el plan: Alemania occidental, Austria, Bélgica, Dinamarca, Francia, Gran Bretaña, Grecia, Islandia, Irlanda, Italia,

▶ Tanques franceses y un transporte de personal blindado, en Indochina en 1948.

▼ Descargando suministros alimenticios durante el bloqueo de Berlín de 1948, un ejemplo de la política soviética al borde del abismo durante la Guerra Fría.

Luxemburgo, Noruega, los Países Bajos, Portugal, Suecia, Suiza y Turquía. Los Estados Unidos distribuyeron alrededor de 130.000 millones de dólares en ayuda económica, lo que ayudó a restablecer la producción industrial y agrícola, instaurar una estabilidad financiera y expandir el comercio. Los estados europeos establecieron el Comité Europeo de Cooperación Económica para coordinar la participación, el cual fue más tarde sustituido por la Organización para la Cooperación y el Desarrollo Europeo (la OCDE).

El Plan Marshall tuvo mucho éxito, con algunos estados experimentando un aumento en su producto nacional bruto de entre un 15 y un 25% en este período. Además, el plan contribuyó enormemente a la rápida renovación de las industrias de la Europa Occidental.

▶ *Una «guerra caliente» durante la Guerra Fría. Tropas británicas disparan a las fuerzas chinas durante la Guerra de Corea, con un cañón Bofors.*

El Plan Marshall facilitó también la integración de Alemania occidental en la infraestructura política y económica de Europa, preparando el terreno para que la República Federal de Alemania (creada en 1949) jugara un papel activo en la Comunidad Europea del Carbón y el Acero y en la OTAN. Esto es realmente notable, ya que a mediados de 1945 Alemania no tenía vías férreas utilizables, ni servicio postal ni, en muchas zonas, gas, electricidad o agua. Pero la ayuda estadounidense (ofrecida también a Japón) estimuló la producción y revitalizó la economía. Uno de los beneficios fue una República Federal de Alemania socialdemócrata, que se unió a su antigua enemiga Francia para crear un bloque que promoviera la paz y el desarrollo en Centroeuropa.

LA DESCOLONIZACIÓN

Los ecos de los cambios en Europa se dejaron sentir en África y Oriente Medio, donde el nacionalismo se desarrolló rápidamente después de la Segunda Guerra Mundial. En África, la experiencia de los soldados africanos en los escenarios de ultramar, los ejemplos de los movimientos nacionalistas en la India e Indonesia, además de la influencia del personal aliado en los países africanos, de los cuales los nativos africanos aprendieron nuevas habilidades y nuevas actitudes, hicieron que el fin del colonialismo fuera inevitable. Había una nueva generación de líderes nacionalistas, tales como Jomo Kenyatta, fundador de la Unión Africana de Kenia.

A finales de 1960, todas las antiguas colonias del África Occidental y el África Ecuatorial francesa eran independientes, y Gran Bretaña y Bélgica habían entendido el signo de los tiempos y garantizado la independencia a sus colonias. Sólo Portugal y los colonos blancos de Argelia, Rhodesia y Sudáfrica resistieron, aunque la marea de cambios los barrería con el tiempo. Una nueva era había surgido de las cenizas y los horrores de la Segunda Guerra Mundial.

ÍNDICE

Las entradas en **negrita** se refieren a las principales batallas y ofensivas; los números de página en *cursiva* se refieren al título de las fotografías.

ÍNDICE

CRÉDITOS DE LAS FOTOGRAFÍAS

Biblioteca Robert Hunt, páginas: 1, 2-3, 4-5, 7 (arriba y abajo), 8 (abajo), 8-9 (arriba), 9 (abajo), 11 (ambas), 12 (arriba y abajo), 13 (abajo izquierda y derecha), 14-15 (arriba), 15 (arriba centro y abajo), 16, 17 (las tres), 18 (abajo), 18-19 (arriba), 19 (arriba), 20 (abajo izquierda), 21 (abajo), 22-23 (las cuatro), 24 (arriba), 25 (ambas), 26 (ambas), 28 (abajo), 29 (las tres), 30 (arriba derecha), 31 (ambas), 32 (abajo izquierda y derecha), 33 (ambas), 34 (abajo), 35 (las tres), 36 (arriba izquierda y derecha), 38-39 (arriba y abajo), 40 (ambas), 41 (abajo derecha), 42 (abajo), 43 (abajo derecha), 44 (ambas), 44-45 (arriba), 45 (abajo derecha), 46 (arriba), 47 (las tres), 48 (arriba), 50 (ambas), 52 (arriba izquierda y abajo), 54-55 (las cuatro), 56-57 (arriba), 57 (abajo), 58 (arriba y abajo), 58-59 (centro), 60-61 (arriba), 62 (arriba), 62-63 (arriba y abajo), 65 (ambas), 66-67 (las tres), 68-69 (arriba y abajo), 70-71 (las cuatro), 72, 73 (arriba y abajo izquierda), 74 (arriba), 75 (arriba), 76 (arriba y abajo), 76-77, 78 (ambas), 81 (ambas), 82 (abajo), 82-83 (arriba), 83 (abajo), 84 (abajo), 85 (ambas), 86 (ambas), 90-91 (abajo), 92 (arriba), 92-93 (abajo), 94, 99, 100-101 (abajo), 104 (abajo), 107 (arriba), 108 (centro derecha y abajo), 109 (abajo), 110-111 (abajo), 111 (abajo), 112 (ambas), 114 (abajo), 115 (arriba), 118 (ambas), 120 (ambas), 122 (arriba), 123 (arriba), 126 (ambas), 128-129 (abajo), 129 (ambas), 135 (ambas), 138 (arriba), 141 (arriba), 142 (abajo), 142-143 (arriba), 144 (arriba y abajo), 147 (arriba), 148 (arriba), 150 (arriba), 153 (arriba), 155 (ambas), 156 (arriba), 159 (ambas), 162-163 (arriba y abajo), 166 (arriba), 166-167 (arriba), 167 (arriba), 170 (arriba y abajo), 171 (arriba), 178 (abajo), 180 (arriba), 180-181 (arriba), 181 (arriba y abajo), 182, 183 (abajo), 184 (arriba), 184-185 (abajo), 185 (abajo), 186, 187 (abajo), 188 (abajo), 188-189 (arriba).
Biblioteca Robert Hunt/Australian War Memorial, páginas: 77 (arriba), 91 (arriba).
Biblioteca Robert Hunt/Bundesarchiv, páginas: 10, 12-13 (arriba), 20 (arriba), 24 (abajo), 26 (arriba), 28 (arriba), 41 (abajo izquierda), 43 (abajo izquierda), 44 (arriba), 51 (arriba), 53 (abajo), 59 (abajo), 74 (abajo), 98 (abajo), 98-99 (abajo), 105 (abajo), 109 (centro), 113 (arriba), 117 (arriba), 119, 134 (arriba), 151 (abajo).
Biblioteca Robert Hunt/ECPA, páginas: 19 (abajo), 21 (arriba), 26 (abajo).
Biblioteca Robert Hunt/Museo Imperial de la Guerra, Londres, páginas: 6-7 (centro), 14, 30 (arriba izquierda), 32 (arriba), 34 (abajo), 36 (abajo), 37 (ambas), 42 (arriba), 45 (abajo izquierda), 46 (centro), 48 (abajo y centro derecha), 49 (ambas), 51 (abajo), 52-53 (abajo), 60 (abajo), 60-61 (abajo), 63 (arriba), 64 (arriba), 69 (arriba derecha), 80 (abajo), 84 (arriba), 87 (abajo), 88 (arriba), 88-89 (abajo), 89 (arriba), 90

(abajo), 95 (abajo), 97 (abajo), 105 (arriba), 106 (ambas), 113 (abajo), 114 (arriba), 115 (arriba), 116 (abajo), 116-117 (abajo), 121, 122-123 (abajo), 124-125 (arriba), 126 (ambas), 128 (abajo), 129 (abajo), 130-131 (las cuatro), 132-133 (arriba), 134 (abajo), 137 (abajo derecha), 138 (abajo), 138-139 (arriba), 139 (abajo), 140 (arriba izquierda y derecha), 142 (arriba), 143 (arriba), 144-145 (abajo), 145 (arriba), 146 (abajo), 151 (arriba), 152 (abajo), 153 (abajo), 154 (ambas), 156 (abajo), 157 (ambas), 158 (ambas), 161 (ambas), 162 (arriba izquierda), 164, 166-167 (abajo), 168 (abajo), 175 (abajo derecha), 177 (arriba), 179 (arriba), 180 (abajo), 183 (arriba), 189 (abajo).
Biblioteca Robert Hunt/Museo Marítimo Nacional, Londres, página: 56 (abajo).
Biblioteca Robert Hunt/SADO, Bruselas, páginas: 73 (abajo derecha), 80 (arriba), 83 (arriba), 88 (centro), 101 (arriba), 103 (arriba), 109 (arriba), 124 (abajo).
Biblioteca Robert Hunt/SIPHO, Bruselas, páginas: 30 (abajo), 51 (centro izquierda), 64 (abajo), 79 (abajo), 103 (arriba), 107 (abajo), 108 (arriba), 110 (abajo), 116 (arriba), 137 (arriba).
Biblioteca Robert Hunt/Fuerza Aérea de los Estados Unidos, páginas: 110-111 (arriba), 174 (arriba), 176-177 (abajo).
Biblioteca Robert Hunt/Ejército de los Estados Unidos, páginas: 75 (abajo), 79 (arriba), 132 (abajo), 137 (abajo izquierda), 146 (abajo), 148 (abajo), 149 (arriba), 152 (arriba), 165 (ambas), 168 (arriba), 168-169 (abajo), 169 (arriba), 171 (abajo), 175 (arriba), 178-179 (abajo y arriba), 187 (arriba).
Biblioteca Robert Hunt/Agencia de Información de los Estados Unidos, página: 136 (arriba).
Biblioteca Robert Hunt/Cuerpo de Marines de los Estados Unidos, páginas: 102, 126-127 (abajo), 127 (arriba), 134 (abajo), 146-147 (abajo), 150 (abajo), 172-173 (arriba).
Biblioteca Robert Hunt/Archivos Nacionales de los Estados Unidos, páginas: 20 (abajo), 87 (arriba), 90 (arriba).
Biblioteca Robert Hunt/Armada de los Estados Unidos, páginas: 38-39 (arriba), 93 (abajo), 95 (arriba), 97 (arriba), 136 (abajo), 140-141 (abajo), 160 (ambas), 176 (arriba).
Biblioteca Robert Hunt/Oficina de Información de Guerra de los Estados Unidos, páginas: 100-101 (arriba).
Biblioteca Robert Hunt/YIVO Instituto para la Investigación Judía, páginas: 96 (arriba), 104 (arriba).